Die Märchen der Weltliteratur

Begründet von Friedrich von der Leyen

Arabische Märchen

Zweiter Band

Herausgegeben und übertragen von

Max Weisweiler

BECHTERMÜNZ VERLAG

Genehmigte Lizenzausgabe für
Weltbild Verlag GmbH, Augsburg 1998

Gesamtherstellung: Ebner Ulm
Printed in Germany
ISBN 3-8289-0033-X

Aus grauer Vorzeit

1. Scharjāk und der König des Irak

Nach dem Tode Tūmīdūns bestieg sein Sohn Scharjāk oder Sarjāk den ägyptischen Königsthron. Wie sein Vater war er in der Kunst des Wahrsagens, der Zauberei und der Amulette erfahren und verfertigte manches Wunderwerk. Dazu gehört die Gestalt einer Ente aus Messing, die über dem Stadttor von Amsūs auf einer Säule stand. Betrat ein Fremder, gleich aus welcher Richtung, die Stadt, so flatterte sie mit den Flügeln und schnatterte. Der Fremde wurde dann angehalten und sein Fall untersucht, bis man über den Zweck seines Kommens unterrichtet war ...

Während der Zeit seiner Herrschaft brach einmal ein König aus dem Irak auf, eroberte Syrien und zog dann gegen Ägypten, um die Herrschaft über das Land an sich zu reißen. »Du wirst nichts wider Ägypten vermögen«, sagte man zu ihm, »weil die Einwohner zaubern können.« So verkleidete er sich und kam mit einer Schar seiner Vertrauten, um zu erkunden, was es mit den Ägyptern auf sich habe. Nachdem er die Grenze Ägyptens erreicht hatte, nahmen ihn die dortigen Grenzwächter mit seinen Begleitern in Gewahrsam, bis der König über ihre Behandlung entschieden habe, und sie schickten ihm einen Bericht über das Aussehen der Ankömmlinge. Nun hatte der König geträumt, er stünde auf einem hohen Turm und ein gewaltiger Vogel stürzte auf ihn nieder, um ihn zu entführen. Der König wich ihm aus, wäre dabei aber um ein Haar von dem Turm heruntergefallen. So verfehlte ihn der Vogel, und er blieb von ihm verschont. Voller Schrecken wachte er auf und erzählte sein Gesicht dem Obersten der Traumdeuter. Dieser sprach: »Ein König wird dich angreifen, doch er wird nichts wider dich vermögen.« Als er dann die Sterne überprüfte, sah er, daß der König, der seinen Herrn angreifen sollte, bereits nach Ägypten gekommen war. Dies war just die

Zeit, als die Boten mit dem Bericht über das Aussehen der an der Grenze Ägyptens Angekommenen erschienen. Da befahl der König, sie ihm vorzuführen, nachdem man mit ihnen einen Rundgang durch alle Wunderwerke Ägyptens gemacht habe, damit sie nur ja alles sähen.

So legte man ihnen Fesseln an, zog mit ihnen umher und zeigte ihnen die Wunderwerke des Landes Ägypten sowie alles, was es dort an Talismanen gab. Schließlich kamen sie auch nach Alexandria, dann nach Amsūs und am Ende zu dem Garten, den Misrām angelegt hatte. Daselbst weilte der König Scharjāk. Als sie bei dem Garten anlangten, führten die Zauberer ihnen die wunderbaren Bildwerke vor. Dann traten sie zu dem König hinein. Dieser war von den Wahrsagern umgeben, und vor ihm loderte ein Feuer, das jeder durchschreiten mußte, der in seine Nähe gelangen wollte. Wer harmlos war, blieb dabei unverletzt, wer aber dem König Böses tun wollte oder arge Gedanken wider ihn hegte, den ergriff das Feuer. Da gingen nun die Leute durch das Feuer, einer nach dem anderen, ohne daß es sie verletzte, bis die Reihe an den König des Irak kam. Als aber er an das Feuer herantrat, erfaßte es ihn mit seiner Glut, so daß er sich umdrehte und fliehen wollte. Die Diener folgten ihm jedoch, ergriffen ihn und führten ihn Scharjāk vor. Dieser ließ nicht von ihm, bis er ein Geständnis ablegte. Nachdem der König ihn zum Kreuzestod verurteilt hatte, wurde er über der Grenzfeste, bei der er ergriffen worden war, ans Kreuz geschlagen, und eine Inschrift auf ihm verkündete: »So wird bestraft, wer nach etwas trachtet, was er nicht erlangen kann.« Die übrigen begnadigte Scharjāk. Sie verließen Ägypten wieder und erzählten, was sie an Wunderwerken gesehen hatten. Den Königen der Erde aber verging die Lust, nach der Eroberung Ägyptens zu trachten.

2. König Sahlūk und die Göttin des Lichtes

Sahlūk erbaute den Tempel mit den drei leuchtenden Kuppeln und entzündete darin zu Ehren des Lichtes das ewige Feuer ... Den Anlaß zur Errichtung des Feuertempels durch ihn bildete ein

Traum, in dem ihm sein Vater (Scharjāk) erschien und zu ihm sprach: »Gehe zu dem und dem Berge Ägyptens. Dort ist eine Erdöffnung, die soundso aussieht. An dem Eingang zu ihr findest du eine Viper mit zwei Köpfen. Wenn sie dich sieht, wird sie dir ins Gesicht zischen. Darum sollst du zwei kleine Vögel mitnehmen, und sobald du die Viper gewahrst, schlachte die Vögel für sie und wirf sie ihr vor. Sie wird nämlich mit jedem Kopf einen Vogel ergreifen, sich zu einer unterirdischen Höhle in der Nähe der Erdöffnung wenden und hineinkriechen. Wenn sie verschwunden ist, dann gehe in die Erdöffnung hinein. Dort gelangst du am Ende zu dem Bildwerk einer wunderschönen Frau, die aus einem glühenden, festen Licht besteht. Ihre Glut wird auf dich ausstrahlen, und du wirst sengende Hitze verspüren. Deshalb hüte dich vor ihrer Nähe; denn sonst verbrennst du. Bleibe vielmehr stehen und grüße sie. Dann wird sie dich ansprechen, du aber vertraue ihren Worten, bedenke, was sie dir sagt, und handele danach, so wirst du Ruhm erlangen. Sie ist nämlich die Hüterin der Schätze deines Ahnherrn Misrām, die dieser zu den hängenden Wunderstädten hinaufgebracht hat, und sie wird dir den Weg zu ihnen weisen. Dadurch wirst du in deinem Land Ruhm erlangen und bei deinen Untertanen Gehorsam finden.« Sprach's und verließ ihn.

Vom Schlaf erwacht, begann Sahlūk, über seinen Traum nachzudenken und sich über ihn zu wundern. Weil er es für richtig hielt, den Auftrag seines Vaters zu erfüllen, ging er zu dem Berg, nahm die beiden Vögel mit und tat alles, was ihn sein Vater geheißen hatte, bis er vor der Frau stand und sie grüßte. Diese fragte ihn: »Kennst du mich?« – »Nein«, erwiderte er, »denn ich habe dich bis heute noch nie gesehen.« Da sprach sie: »Ich bin das Bild des Feuers, das bei den Völkern früherer Zeiten angebetet worden ist. Ich wünsche, daß du mich wieder zu Ehren bringst, mir einen Tempel errichtest, in dem du ein Feuer anzündest, das stets in gleicher Höhe brennen soll, und daß du für das Feuer einen Tag im Jahr zum Festtag bestimmst, an dem du und dein Volk in diesem Tempel weilen sollen. Zum Lohn dafür wird dir meine Hilfe zuteil werden, und du wirst durch sie Ruhm und noch mehr Macht erlangen. Ich werde von dir und deinem Lande jeden abhalten, der im Bösen nach dir trachtet und Ränke wider dich schmiedet, und ich werde dir den Weg zu den Schätzen deines Ahnherrn Misrām weisen.« Nachdem Sahlūk dies von ihr gehört hatte, versicherte er ihr hoch und heilig, ihren Auftrag zu erfüllen. Sie aber verriet ihm den Weg zu den Schätzen seines Ahnherrn unter den hängenden Städten und sagte ihm, wie er den Zugang zu ihnen ermöglichen, sich vor den Geistern, die sie hüteten, schützen und welche Rauchopfer er ihnen darbringen könnte. Nachdem dies geschehen war, fragte er sie: »Wie kann ich dich zu gegebener Zeit wiedersehen und dich wegen meiner Absichten befragen? Soll ich zu dir hierherkommen, oder kann ich dich anderswo treffen?« Sie antwortete: »Nachdem du nun hierhergekommen bist, kannst du diesen Ort nicht zum zweitenmal betreten. Die Viper, die du hier gesehen hast, bewacht ihn nämlich, weil sich hier ein Wunderwerk befindet, dessen Entdeckung sie zu unserer Zeit verhindert. Wenn du mich jedoch sehen willst, so räuchere mir in dem Tempel, den du mir errichten wirst, mit den und den Mitteln« – unter den Dingen, die sie dabei aufzählte, war das Beste, was er an Opfern, Schlachttieren und Harzen zu ihm bringen konnte – »dann werde ich dir im Geiste erscheinen und dir alles verkünden, was richtig und falsch in deinem Lande ist.« Nachdem er dies von ihr vernommen hatte, freute er sich. Sie aber entschwand. Als dann die Viper auftauchte, lief er schnell hinaus und versperrte die Erdöffnung. In der Folge tat er, was sie ihm befohlen hatte, und er hob die Schätze seines Ahnherrn.

3. Die Erbauung der Pyramiden von Giseh

Den Anlaß zur Erbauung der beiden großen Pyramiden bildete ein Traum, den der König Saurīd dreihundert Jahre vor der Sintflut hatte. Er träumte, die Erde kehrte sich mit ihren Bewohnern von unten nach oben, die Menschen flöhen blindlings, die Sterne stürzten einer nach dem anderen herab und prallten unter schauerlichem Getöse wider einander. Der Traum bedrückte ihn sehr, obwohl er ihn keinem erzählte; denn er erkannte, daß sich in der Welt etwas Entsetzliches ereignen werde. Einige Tage später hatte er wieder einen Traum. Dieses Mal war es, als ob sich die Fixsterne in Gestalt weißer Vögel auf die Erde niedersenkten, die Menschen davontrügen und zwischen zwei große Berge würfen, die sie dann zudeckten, und als ob die leuchtenden Sterne finster und dunkel wären. Voller Angst und Schrecken wachte er auf. Er ging in den Sonnentempel. Dort warf er sich demütig nieder, wälzte seine Wangen im Staub und weinte. Am nächsten Morgen rief er die Oberwahrsager – es waren einhundertdreißig an der Zahl – aus allen Gauen Ägyptens zusammen, und als er mit ihnen allein war, erzählte er ihnen beide Träume. Diese deuteten sie in der Weise, daß sich in der Welt etwas Entsetzliches ereignen werde.

Am Schluß erklärte der höchste der Wahrsager namens Fīlamūn: »Die Würde der Könige schließt aus, daß ihre Träume sinnlos sind. Ich will meinerseits dem König einen Traum erzählen, den ich vor Jahresfrist geträumt, aber keinem erzählt habe. Mir war, als säße ich mit dem König auf dem Turm in Amsūs. Das Himmelsgewölbe senkte sich hernieder und schwebte am Ende als eine uns umschließende Kuppel dicht über unseren Häuptern. Der König reckte beide Hände gegen den Himmel, und die Sterne fielen in mancherlei und verschiedenförmigen Gestalten zwischen uns. Das Volk floh zum Schlosse des Königs, um seine Hilfe zu erbitten. Der König hielt seine Hände empor, um zu verhindern, daß das Himmelsgewölbe seinen Kopf berühre, und er befahl mir, das gleiche zu tun. Namenlose Furcht hatte uns ergriffen. Auf einmal sahen wir, wie der Himmel sich an einer Stelle öffnete. Strahlendes Licht drang aus ihm hervor, und, aus ihm heraustretend, ging die Sonne über uns auf. Als wir sie um Hilfe baten, sagte sie uns, das Himmelsgewölbe werde an seinen früheren Platz zurückkehren. Dann erwachte ich angsterfüllt. Nachdem ich wieder eingeschlafen war, träumte ich, Amsūs würde samt seinen Bewohnern von unten nach oben gekehrt. Die Götterbilder stürzten auf den Kopf. Vom Himmel stiegen menschliche Wesen hernieder, in den Händen eiserne Keulen, mit denen sie auf die Menschen einschlugen. Ich fragte sie: ›Warum behandelt ihr die Menschen in dieser Weise?‹ Sie antworteten: ›Weil sie nicht an ihren Gott glauben.‹ Ich fragte weiter: ›Gibt es denn keine

Rettung mehr für sie?‹ und sie sprachen: ›Ja, freilich. Wer gerettet werden will, der soll sich dem Herrn der Arche anschließen.‹ Dann erwachte ich wieder angsterfüllt.«

Danach befahl der König: »Messet die Höhe der Gestirne und schauet, ob sich etwas ereignen wird.« Nachdem sie sich bis zum Äußersten bemüht hatten, die Dinge zu erforschen, berichteten sie, es werde eine Sintflut kommen und nach ihr ein Feuer, das aus dem Sternbild des Löwen hervorbrechen und die Welt verzehren werde. Da befahl der König: »Schauet, ob dieses Unheil auch unser Land heimsuchen wird.« – »Ja«, gaben sie zur Antwort, »die Sintflut wird den größten Teil unseres Landes bedecken, und eine Verwüstung wird es treffen, die viele Jahre dauern wird.« Weiter befahl er: »So schauet, ob es eines Tages seine Blüte wiedererlangen wird oder ob es auf ewig von der Flut bedeckt bleibt.« Sie erwiderten: »Nein, das Land wird wieder werden wie einst und zu neuer Blüte erstehen.« Auf die Frage »Was dann?« fuhren sie fort: »Ein König wird das Land überfallen, der die Einwohner töten und ihre Habe rauben wird.« Auf die erneute Frage »Was dann?« erklärten sie: »Vom Oberlauf des Niles her wird ein häßliches Volk das Land überfallen und den größten Teil einnehmen.« Noch einmal fragte er: »Was dann?« und sie schlossen mit der Kunde: »Der Nil wird nicht mehr durch das Land fließen, und es wird menschenleer werden.«

Da befahl der König, die Pyramiden zu erbauen und Kanäle bei ihnen zu ziehen, durch die der Nil selber bis zu einem bestimmten Ort gelangen und dann in gewisse Gegenden des Westens und Oberägyptens fließen sollte. Die Pyramiden füllte er mit Talismanen, Wunderwerken, Schätzen, Götterbildern und mit den Mumien der ägyptischen Könige, und nachdem er die Wahrsager damit beauftragt hatte, verzeichneten sie auf den Wänden alles, was die Weisen gesprochen hatten . . .

Für jede Pyramide bestellte er einen besonderen Schatzhüter. Der Hüter der westlichen Pyramide war ein Bildwerk aus buntem Granit. Es stand aufrecht und hatte eine Art Speer. Um sein Haupt war eine Schlange gelegt. Sobald sich ihm jemand näherte, stürzte sie sich auf ihn, wand sich um seinen Hals, und nachdem sie ihn getötet hatte, kehrte sie auf ihren Platz zurück. Zum Hüter der östlichen Pyramide bestellte er ein Bildwerk aus schwarzem Onyx mit schwarzen und weißen Streifen. Es hatte weitgeöffnete, blitzende Augen, saß auf einem Thron und war mit einem Speer bewaffnet. Wenn es einer anschaute, vernahm er von ihm her eine Stimme, die ihn derart erschauern ließ, daß er auf sein Angesicht fiel und liegenblieb, bis er starb. Zum Hüter der bunten Pyramide bestellte er ein Bildwerk aus Adlerstein auf einem ebensolchen Sockel. Wer es anschaute, den zog es an sich, bis er daran haftete, und dann kam er nicht mehr davon los, bis er starb.

Nachdem er hiermit fertig war, machte er die Pyramiden durch Geister unzugänglich. Diesen brachte er Opfer dar, damit sie jeden von sich fernhielten, der zu ihnen wollte, mit Ausnahme von denen, die die für den Zugang erforderlichen heiligen Gebräuche übten.

4. Die Königin Hūrijā und die Wiedererbauung Alexandrias

Als Hūrijā, die Tochter des Tūtīs, zur Herrschaft gelangte und den Königsthron bestieg, versprach sie dem Volk, huldvoll zu regieren. Sie begann, Schätze zu sammeln und zu horten, und hatte schließlich an Wertstücken und Edelsteinen, Schmucksachen und Duftmitteln soviel beisammen, wie noch nie ein König besessen hatte. Den Wahrsagern, Weisen und höchsten Zauberern erwies sie große Ehren und verlieh ihnen höhere Würden. Die Tempel ließ sie erneuern und prächtig ausstatten. Die Untertanen aber, denen ihre Herrschaft nicht behagte, wanderten nach Atrīb aus und erwählten sich einen Sohn dieser Stadt namens Andāchas zum König. Nachdem er sich eine Krone aufs Haupt gesetzt und viele seiner Vettern und Verwandten sich ihm angeschlossen hatten, sandte sie ein Heer wider ihn aus. Diesem stellte er sich zum Kampf. Als er aber sah, daß er nichts gegen Hūrijā ausrichten konnte, bot er ihr an, daß sie miteinander Frieden schlössen, bat sie um ihre Hand und ließ ihr sagen: »Die Königsherrschaft hat bei den Frauen keinen Bestand.« Ja, er wollte bei ihr die Befürchtung wecken, die Ägypter könnten durch sie ihre Machtstellung verlieren. Da ließ Hūrijā ein Gastmahl bereiten und gebot, daß die Untertanen je nach ihrem Rang daran teilnähmen. Nachdem sie sich eingefunden hatten, schmausten und zechten sie. Die Königin aber machte ihnen üppige Geschenke und teilte ihnen mit, daß Andāchas um ihre Hand angehalten habe. Während die einen zustimmten, setzten sich die anderen zur Wehr und erklärten: »Kein anderer als sie soll über uns herrschen; denn wir kennen ihren Verstand und ihre Weisheit, und sie ist die rechtmäßige Erbin des Reiches.« Dann stürzten sie sich auf einige, die Hūrijās Gegner waren, töteten sie und zogen mit einem großen Heer aus. Nachdem sie bei Atrīb auf das Heer des Auswanderers gestoßen waren, schlugen sie ihn in die Flucht und töteten viele von seinen Anhängern. Er selbst floh nach Syrien, wo die Kanaanäer wohnten, die Nachkommen 'Amlīks waren. Er bat ihren König um Hilfe und versicherte ihm, daß er Ägypten erobern und unterjochen werde. So rüstete ihn dieser mit einem großen Heer aus und schickte ihn nach Ägypten.

Jetzt strömte das ganze Volk bei Hūrijā zusammen. Sie öffnete die Schatzkammern ihres Vaters, verteilte alles, was darinnen war, an ihre Untertanen, und diese gewannen sie recht lieb. Die Zauberer ermutigte sie mit Geld und versprach ihnen ihre Huld. Als dann Andāchas mit seinen Heerscharen heranrückte, befahl sie den Zauberern, ihm entgegenzuwirken. Nun stand an der Spitze des feindlichen Heeres einer von den großen Befehlshabern ihres Königs mit Namen Dschairūn. Nachdem das Heer in Ägypten haltgemacht hatte, sandte Hūrijā eine Amme von sich, eine kluge Frau, ohne Wissen des Andāchas zu Dschairūn. Diese sollte ihm mitteilen, Hūrijā hege den Wunsch, ihn zu heiraten, weil sie keinen aus ihrer Sippe zum Mann haben wolle. Wenn er Andāchas umbringe, werde sie ihn heiraten, die Herrschaft über Ägypten an ihn abtreten und ihn vor seinem Oberherrn schützen. Dies war Dschairūn sehr erwünscht. Er flößte Andāchas ein Gift ein, das sie ihm geschickt hatte, und brachte ihn um. Danach ließ sie ihm ausrichten: »Ich kann dich aber erst dann heiraten, wenn du in meinem Lande ein Zeugnis deiner Tüchtigkeit und Weisheit abgelegt und mir eine wunderbare Stadt gebaut hast.« Die

Kanaanäer rühmten sich nämlich damals ihrer Baukunst und ihrer Fähigkeit, Burgen und andere Wunderwerke zu schaffen. Sie fügte hinzu: »Begib dich von deinem Aufenthaltsort in den Westen meines Landes. Dort haben wir viele Baudenkmäler. Nimm dir diese Wunderwerke zum Vorbild und baue nach ihnen.« Dies tat er und baute für sie in der westlichen Wüste eine Stadt mit Namen Tandūma. Er leitete vom Nil her einen Wasserlauf dorthin, pflanzte viele Bäume in der Stadt und erbaute daselbst einen hohen Turm. Auf der Spitze des Turmes schuf er einen Ausguck, den er mit Gold, Silber und Messing, mit buntem Marmor und Glas auslegte und prächtig herrichtete. Hūrijā unterstützte ihn fleißig mit Geld, unterhielt aber gleichzeitig einen Briefwechsel mit seinem Oberherrn über ihn und machte auch diesem Geschenke, ohne daß Dschairūn davon wußte.

Nachdem er die Stadt vollendet hatte, sprach sie zu ihm: »Wir haben auch noch eine andere, feste Stadt, die bereits unsere Ahnen besessen haben. Sie ist aber an manchen Stellen zerstört, und ihre Burg ist verfallen. Gehe dorthin und sorge für ihre Wiederherstellung, bis ich in diese von dir neuerbaute Stadt übersiedele und alles Nötige dorthin mitbringe. Wenn du mit der Wiederherstellung fertig bist, so entsende ein Heer zu mir. Dann will ich zu dir kommen und schauen, was du gemacht hast. Ich werde meinen Wohnsitz und meine Sippe verlassen; denn ich möchte nicht als Braut zu dir kommen, wenn sie in der Nähe sind.« So ging Dschairūn und arbeitete emsig an der Wiedererbauung von Alexandria.

Die Chronisten bringen noch einige weitere Nachrichten über Andāchas; sie erzählen aber auch, der Amalekiter al-Walīd ibn Dūma', der zweite der Pharaonen, sei es gewesen, der nach Ägypten gezogen sei, und dies sei aus folgendem Grunde geschehen:

Al-Walīd litt an einer Krankheit. Er schickte deshalb in alle Lande Boten, um sich von überallher Wasser zu beschaffen, weil er feststellen wollte, welches Wasser seinem Leibe bekömmlich sei. So schickte er auch einen Diener aus, der nach Ägypten kam. Dieser sah, welch eine Fülle des Guten es hier gab, nahm für seinen Herrn Wasser und andere köstliche Dinge mit und kehrte zu ihm zurück. Er berichtete ihm, was es in Ägypten alles gab, und so machte sich jener mit einem großen Heer dorthin auf. Nachdem er auf ägyptischem Boden haltgemacht hatte, schrieb er an die Königin und bat sie um ihre Hand. Diese schickte jemand zu ihm, der seine Stärke erkunden sollte. Als er feststellte, daß der Leute zuviele waren, als daß er einen Kampf mit ihnen hätte wagen können, gab sie ihm ihr Jawort, behandelte ihn freundlich, legte ihm aber die Bedingung auf, daß er ihr zum Beweis seiner Macht und Kraft eine Stadt erbaue und sie ihr als Morgengabe schenke. Al-Walīd sagte ihr dies zu und zog dann weiter nach Ägypten hinein, bis zum Westen hin, um die Stadt in der Gegend von Alexandria zu erbauen. Sie aber befahl, ihm mit Duftkräutern und Früchten aller Art entgegenzugehen und die Gesichter seiner Pferde mit Wohlgerüchen einzureiben. So ging er nach Alexandria, das in Trümmern lag, seitdem die ʿĀditen die Stadt verlassen hatten. Was es dort noch an Steinen, Gebäuderesten und Säulen gab, übernahm er, legte den Grund zu einer großen Stadt und stellte hunderttausend Arbeiter ein. So war er lange Zeit mit dem Bau der Stadt beschäftigt und gab alles Geld, das er besaß, dafür aus; doch immer, wenn er wieder ein neues Stück gebaut hatte, stiegen Tiere aus dem Meer, die es wieder niederrissen, so daß er am nächsten Morgen nichts mehr davon fand. Dies bekümmerte ihn sehr.

Nun hatte ihm Hūrijā tausend Milchziegen geschickt, deren Milch er in seiner Küche verwerten sollte. Sie befanden sich in der Obhut eines Hirten, auf den er sich verließ und der sie dort umhertrieb und weidete. Nun geschah es, wenn er abends den Heimweg antreten wollte, daß eine wunderschöne Nixe aus dem Meer zu ihm emporstieg. Dann erfaßte sein Herz eine heiße Sehnsucht nach ihr. Redete er mit ihr, so stellte sie ihm aber die Bedingung, daß sie erst einen Ringkampf mit ihm führen müßte. Wenn er sie dann niederwerfen werde, solle sie ihm gehören; doch wenn sie ihn niederwerfe, so dürfe sie sich zwei von den Ziegen nehmen. Nun warf sie ihn Tag für Tag zu Boden und nahm immer wieder Ziegen an sich. Schließlich hatte sie bereits mehr als die Hälfte genommen, und der Rest siechte dahin, weil der Hirt durch seine Liebe zu jener Mädchengestalt sich davon abhalten ließ, sie in der rechten Weise zu weiden. Doch auch seinen eigenen Leib ergriff das Siechtum, und er magerte ab. Als nun sein Herr eines Tages bei ihm vorbeikam und sich nach ihm und den Ziegen erkundigte, erzählte er ihm aus Angst vor seiner Strenge sein Erlebnis. Da fragte er: »Wann kommt sie aus dem Meer?« – »Gegen Abend«, antwortete er. Nun zog al-Walīd die Kleider des Hirten an und übernahm es, die Ziegen an jenem Tage bis zum Abend zu hüten. Da entstieg die Nixe wieder dem Meere und stellte ihm die gleiche Bedingung wie dem Hirten. Er nahm sie an, rang mit ihr und warf sie zu Boden. Als er sie dann ergriff und in Fesseln legte, bat sie ihn: »Wenn du mich unbedingt mitnehmen mußt, so überlasse mich wenigstens meinem früheren Gegner; denn er hat mich gut behandelt, obwohl ich ihn Mal für Mal gepeinigt habe.« Da gab er sie ihm zurück und befahl ihm: »Frage sie, wie es kommt, daß das, was ich hier baue, in der nächsten Nacht wieder zerstört ist, wer dies tut und ob es beim Bauen ein Mittel gibt, dies zu verhindern.« Als der Hirte sie danach fragte, sagte sie: »Die Tiere des Meeres sind es, die eure Bauten niederreißen.« – »Gibt es denn kein Mittel gegen sie?« fragte er weiter. Dies bejahte sie, und auf seine Frage, was dies für ein Mittel sei, erklärte sie: »Du läßt aus dickem Glas Laden mit Deckel machen und setzt gute Zeichner hinein. Diese versiehst du mit Tafeln, Griffeln und Mundvorrat für mehrere Tage. Dann bringst du die Laden, nachdem du an ihnen Seile befestigt hast, auf Schiffe. Wenn die Laden nun ins Wasser hinabgelassen sind, fertigen die Zeichner Bilder von allem an, was an ihnen vorbeikommt. Dann werden die Laden wieder aus dem Wasser hochgezogen. Wenn ihr vor diesen Zeichnungen steht, so nehmt sie als Muster für Standbilder aus Messing, Stein oder Blei und stellt sie am Meer vor den Bauwerken auf. Sobald die Tiere dann aus dem Meer kommen und ihre eigenen Bilder sehen, werden sie fliehen und nie mehr wiederkehren.« Der Hirt teilte dies al-Walīd mit. Der aber führte alles aus und brachte den Bau der Stadt zu einem glücklichen Ende.

Einige Chronisten erzählen jedoch, der Erbauer und Ziegenbesitzer sei Dschairūn gewesen und er habe seinen Zug nach Ägypten vor al-Walīd unternommen ...

Sie berichten nämlich, Dschairūn habe jene Zeit hindurch alles, was er besaß, ausgegeben, ohne den Bau vollenden zu können. Der Hirt fragte deshalb auf seinen Befehl die Nixe um Rat. Da sprach sie: »In dem noch zerstörten Teil der Stadt befindet sich eine runde, von sieben Säulen umgebene Stätte für Kampfspiele. Auf den Säulen stehen Standbilder aus Messing. Opfere jedem dieser Standbilder einen fetten Stier, bestreiche die Säule, auf der es steht, mit dem Blut des Stieres und räuchere ihm mit Schwanzhaaren und einigen Spänen von seinen Hörnern und Hufen, indem du sprichst: ›Dies opfere ich dir. Gib mir dafür, was du besitzt.‹ Danach miß von jeder Säule in der Richtung, in der das Gesicht des Standbildes schaut, hundert Ellen und grabe am Ende dieser Strecke. Dies soll aber geschehen, wenn Vollmond ist und der Saturn aufgeht. Nachdem du fünfzig Ellen tief gegraben hast, wirst du auf eine große Platte stoßen. Bestreiche sie mit der Galle des Stieres und hebe sie hoch. Von dort steigst du in eine unterirdische, fünfzig Ellen lange Halle hinab, an deren Ende sich eine verschlossene Schatzkammer befindet. Der Schlüssel zum Schloß liegt unter der Türschwelle. Nimm ihn, bestreiche die Tür mit dem, was von der Galle und dem Blut des Stieres noch übrig ist, räuchere sie mit den Horn- und Fußspänen und dem Haar des Stieres und tritt durch die Tür, nachdem die in der Kammer befindlichen Gerüche aus ihr gewichen sind. Jetzt stehst du vor einem Götterbild, das am Hals eine Tafel aus Messing hängen hat, auf der alles verzeichnet ist, was die Schatzkammer an Geld, Edelsteinen, Bildwerken und Wunderdingen birgt. Nimm davon, was du willst, hüte dich aber, eine Leiche, die du dort finden könntest, oder irgend etwas, was an ihr ist, zu berühren. Das gleiche tue bei jeder Säule und ihrem Standbild; denn in diesen Schatzkammern findest du die Grabstätten und Schätze von sieben Königen.« Als Dschairūn dies hörte, freute er sich und tat, was ihm befohlen war. Er fand unbeschreibliche Schätze und eine Fülle von Wunderdingen. So führte er den Bau der Stadt glücklich zu Ende.

Als aber Hūrijā davon erfuhr, ärgerte sie sich, hatte sie ihm doch nur Qual bereiten und ihn arglistig umbringen wollen. Unter den dortigen Wunderdingen soll sich auch ein goldener, mit einem ebensolchen Siegel verschlossener Behälter befunden haben, in dem eine mit grünem Puder gefüllte Schminkdose aus Chrysolith sowie ein Stäbchen aus roten Edelsteinen lag. Wer diesen Puder auf die Augenlider brachte und bereits graue Haare hatte, wurde wieder zum Jüngling, bekam wieder schwarze Haare und dazu einen solch leuchtenden Blick, daß er die Geister aller Art erkennen konnte. Weiter fand sich dort, wie man sagt, ein goldenes Standbild, das den Himmel mit Wolken bezog und regnen ließ, sobald es hervorgeholt wurde, ferner das Bild eines Raben aus Stein, der sprach und Antwort gab, wenn man ihn etwas fragte. Jede von den Schatzkammern soll zehn Wunderdinge enthalten haben.

Nachdem Dschairūn den Bau der Stadt vollendet hatte, schickte er einen Boten zu Hūrijā, um sie davon zu unterrichten und sie dringend um ihr Kommen zu ersuchen. Darauf ließ sie ihm üppige Teppiche überbringen und sagen: »Breite sie in dem Raum aus, in dem du zu sitzen pflegst. Im übrigen teile dein Heer in drei Teile und schicke ein Drittel zu mir her. Wenn ich ein Drittel des Weges zurückgelegt habe, dann schicke mir das zweite Drittel, und wenn ich die Hälfte zurückgelegt habe, das letzte Drittel. So werden die Leute hinter mir sein, weil ich will, daß mich keiner sieht, wenn ich zu dir komme. Du selbst sollst nur einige Vertrauensleute bei dir haben, die dich versorgen; denn ich werde eine für deine Bedienung ausreichende Anzahl von Mädchen mitbringen und sie nicht als Zofen für mich in Anspruch nehmen.« Dies tat er, während sie dauernd Einrichtungsgegenstände und andere Güter zu ihm schaffen ließ. So gewann er die Überzeugung, daß sie auf dem Wege zu ihm sei, und sandte ihr ein Drittel seines Heeres entgegen. Sie aber ließ vergiftete Speisen und Getränke für die Leute bereiten. Als sie bei ihr eintrafen, nahmen ihre Zofen und ihr Gefolge sie freundlich in Empfang und reichten ihnen diese Speisen und Getränke, dazu Duftmittel, Kleider und Dinge zum Zeitvertreib. Am nächsten Morgen war keiner von ihnen mehr am Leben. Als dann das zweite und das letzte Drittel bei ihr eintrafen, tat sie das gleiche mit ihnen, indes sie Dschairūn bestellen ließ, sie habe sein Heer zum Schutze ihres Schlosses und ihrer Hauptstadt fortgeschickt. Schließlich kam sie in Begleitung ihrer Amme und einiger Zofen bei ihm an. Da blies die Amme ihm ein einziges Mal ins Gesicht, worauf er sie nur noch verblüfft anstarren konnte. Als sie ihn dann mit einem Wasser, das sie bei sich hatte, besprengte, fingen seine Gelenke an zu zittern, und er sprach: »Wer da glaubt, er könne die Frauen besiegen, der betrügt sich selbst, und die Frauen werden ihn besiegen.« Danach schnitt Hūrijā ihm die Adern durch, ließ sein Blut verströmen und sagte: »Das Blut der Könige ist eine Arznei.« Sie nahm sein Haupt, schickte es zu ihrem Schloß und ließ es auf den Zinnen aufpflanzen. Alle jene Schätze brachte sie nach Memphis. In Alexandria aber erbaute sie einen Turm, auf den sie ihren und seinen Namen schreiben ließ sowie das, was sie mit ihm gemacht hatte, nebst einer Chronik ihrer Zeit.

5. Der Tempel der Tadūra

Es war einmal in Ägypten eine alte Zauberin namens Tadūra. Die übrigen Zauberer zollten ihr große Achtung, und wenn sie ihre eigenen Kenntnisse und Zauberkünste betrachteten, mußten sie ihr den Vorrang zuerkennen. Eines Tages ließ Dalūka ihr durch einen Boten ausrichten: »Wir brauchen deine Zauberkunst und bitten dich um Hilfe; denn wir sind nicht sicher davor, daß es die Könige nach unserem Land gelüstet. Stelle uns deshalb etwas her, was uns den Königen ringsum überlegen macht. Pharao hat deiner bereits bedurft. Wievielmehr gilt dies nun für uns, nachdem die Großen unseres Landes umgekommen sind« – sie waren nämlich mit dem Pharao des Mose ertrunken – »und die wenigsten von uns übriggeblieben sind.« Danach erbaute Tadūra mitten in der Stadt Memphis einen Tempel aus Stein mit vier Toren, je eines im Süden, Norden, Westen und Osten. Im Inneren brachte sie Bilder an von Pferden, Maultieren, Eseln, Schiffen und Männern und sprach sodann zu den Leuten: »Ich habe für euch ein Werk hergestellt, das alle vernichten wird, die sich euch aus irgendeiner Richtung nähern, gleich ob sie zu Lande oder über See heranrücken. Dieses Werk erspart euch alle Befestigungen und nimmt euch die Sorge vor allen Angreifern, woher sie auch kommen mögen. Wenn sie nämlich auf Pferden, Maultieren oder Kamelen über Land heranreiten oder sich auf Schiffen oder zu Fuß nähern, dann werden sich die Bilder auf der Seite des Tempels bewegen, von der sie kommen. Was ihr auch immer dann mit den Bildern tut, das wird den Feinden auch selbst geschehen, wie ihr es ihnen eben antun wollt.«

Als die Könige ringsum erfuhren, daß die Herrschaft über die Ägypter in Frauenhände übergegangen war, da gelüstete es sie nach ihnen, und sie machten sich auf den Weg dorthin. Kaum hatten sie sich dem Land genähert, da gerieten die Bilder in dem Tempel in Bewegung. Nun aber machten sich die Ägypter ans Werk. Sie taten den Bildern nichts Erregendes an und nahmen nichts mit ihnen vor, ohne daß das gleiche auch dem Heer, das sich gegen sie in Marsch gesetzt hatte, widerfuhr. Was immer sie mit den Pferdebildern im Tempel anstellten, ob sie ihnen die Köpfe oder die Unterschenkel abhackten, die Augen ausschlugen oder die Leiber spalteten, dies geschah ebenso mit den Pferden, die sich ihnen näherten. Den Schiffen und den Fußsoldaten erging es nicht anders. Die Ägypter waren eben die größten und mächtigsten Zauberer. Die Kunde davon verbreitete sich allenthalben, und die Menschen hießen einander auf der Hut sein vor ihnen.

Durch die Regelung dieser alten Zauberin blieb Ägypten ohne Unterbrechung ungefähr vierhundert Jahre unantastbar. Wenn in dem Tempel, in dem die Bilder angebracht waren, etwas zerstört war, konnte es keiner wieder instandsetzen außer jener Alten oder ihren Kindern und Kindeskindern. Dies verstanden nur die Angehörigen ihrer Sippe. Nachdem sie ausgestorben waren, wurde zur Zeit des Königs Lukās, des Sohnes des Marīnūs, ein Teil des Tempels zerstört. Weil keiner ihn wieder instandsetzen konnte und keiner über die nötigen Kenntnisse verfügte, blieb er in diesem Zustand liegen. So ging den Ägyptern das Mittel verloren, das ihnen die Weltherrschaft gesichert hatte, und sie unterschieden sich hinfort von anderen Völkern nur noch dadurch, daß sie größer an Zahl und reicher waren.

6. Wie es zur Anbetung des Geiers kam

Die Mutter des Markūnos war die Tochter des Königs von Nubien. Ihr Vater betete den Stern an, der as-Suhā heißt, und nannte ihn Gott. Eines Tages bat sie ihren Sohn, ihr einen besonderen Tempel zu errichten. Markūnos erbaute den Tempel, ließ ihn mit goldenen und silbernen Platten bekleiden und stellte ein Götzenbild darin auf, das er hinter seidenen Hüllen verbarg. Danach pflegte sie mit Zofen und Gesinde in den Tempel zu gehen und sich dreimal täglich vor dem Götzenbild niederzuwerfen. Allmonatlich feierte sie ein Fest, an dem sie ihm Tag und Nacht Opfer darbrachte und es mit Weihrauchdüften umgab. Sie setzte ferner einen nubischen Priester ein, dessen Aufgabe es war, das Götzenbild zu betreuen, ihm Opfer darzubringen und zu räuchern. Solange drang sie in ihren Sohn, bis auch er sich vor dem Bilde niederwarf und das Volk zur Anbetung aufrief.

Als der Priester sah, daß die Verehrung der Gestirne dem König als ein feststehender Brauch galt, hegte er den Wunsch, daß es für den Stern as-Suhā ein Sinnbild in Tiergestalt auf Erden gebe, dem Anbetung zuteil werde. Unaufhörlich war er bestrebt, sich zu diesem Zweck etwas auszudenken, bis zufällig die Geier in Ägypten überhandnahmen und zu einer Plage für das Volk wurden. Der König ließ nun diesen Priester kommen und befragte ihn über die Ursache für die Vermehrung der Geier. Der Priester antwortete: »Dein Gott hat sie gesandt, damit du ein Ebenbild von ihnen herstellen läßt, vor dem man sich niederwerfen soll.« Markūnos sprach: »Wenn ihn dies zufriedenstellt, will ich es tun.« – »Freilich wird ihn dies zufriedenstellen«, bestätigte der Priester. Da befahl der König, einen zwei Ellen langen und eine Elle breiten Geier aus Gold zu gießen. Als Augen wählte er zwei Rubine. Um den Hals ließ er ihm zwei Perlenketten legen. Diese waren auf Reifen gereiht, die aus grünen Edelsteinen bestanden. An seinem Schnabel hing eine Perle, und die Beine bekleidete er dicht mit roten Perlen. Diesen Geier stellte er auf einen Sockel aus verziertem Silber, der seinerseits wieder auf einer Unterlage aus blauem Glas ruhte. Das Ganze setzte er in eine gewölbte Halle an der rechten Seite des Tempels und verdeckte es mit seidenen Hüllen. Er ließ ihm mit Wohlgerüchen und Harzen aller Art räuchern und brachte ihm als Opfer ein schwarzes Kalb dar sowie junges Geflügel und die Erstlinge von Früchten und Duftpflanzen. Nachdem sieben Tage vergangen waren, forderte er alle auf, sich vor dem Bildwerk niederzuwerfen. Das Volk folgte seinem Befehl, indes der Priester nicht müde wurde, für die Anbetung des Geiers zu sorgen, und er bestimmte für ihn einen Festtag. Nachdem vierzig Tage vergangen waren, begann der Teufel aus dem Bauch des Geiers zu reden. Zunächst verlangte er von den Leuten, daß ihm in jeder Monatsmitte mit feinstem Aloeholz geräuchert und der Tempel mit altem, dem oberen Teil der Krüge entnommenem Wein besprengt werde. Weiter teilte er ihnen mit, daß er sie nunmehr von den Geiern und ihren Schäden befreie und daß er dies auch mit anderen Plagen tun werde, vor denen sie sich fürchteten. Der Priester freute sich hierüber und begab sich zu der Mutter des Königs, um sie davon zu unterrichten. Diese eilte zu dem Tempel, lauschte der Rede des Geiers, und voller Freude erwies sie ihm ihre Verehrung. Als der König dies erfuhr, ritt er zu dem Tempel, und der Geier sprach zu ihm, indem er ihm Befehle erteilte und Verbote erließ. Da warf sich der König vor ihm nieder. Er bestellte Diener für ihn und ließ ihn mit Schmuck aller Art umgeben. In der Folge sorgte Markūnos für diesen Tempel und warf sich vor dem Bilde nieder. Dabei fragte er nach seinen Wünschen, und dieses teilte sie ihm mit.

7. Der König und die Frau des Fīrūz

Eines Tages, so wird erzählt, stieg ein König auf das höchste Dach seines Schlosses, um sich zu erholen. Als er sich dort umschaute, gewahrte er auf dem Dach eines Nachbarhauses eine Frau, wie man schöner noch keine geschaut hatte. Zu einem seiner Mädchen gewandt, fragte er: »Wem gehört diese Frau?« »Hoher Herr«, antwortete sie, »dies ist die Frau deines Dieners Fīrūz.« Als der König wieder in sein Schloß hinunterging, hatte die Liebe zu ihr sein Herz bereits ergriffen, und er war von Leidenschaft für sie erfüllt. Er ließ deshalb Fīrūz kommen und hub an: »Fīrūz!« »Ich stehe zu deinen Diensten, hoher Herr«, gab dieser zur Antwort. Der König fuhr fort: »Nimm diesen Brief, trage ihn in die und die Stadt und bringe mir Antwort.« Da nahm Fīrūz den Brief und begab sich nach Hause. Dort legte er ihn unter sein Kopfkissen, bereitete sich zur Reise vor und ließ die Nacht verstreichen. Am nächsten Morgen verabschiedete er sich von seinen Angehörigen und machte sich auf den Weg, um den Wunsch des Königs zu erfüllen, ohne zu wissen, was der König inzwischen ersonnen hatte.

Nachdem Fīrūz seine Reise angetreten hatte, eilte der König heimlich zum Hause des Fīrūz. Als er leise an die Tür pochte, fragte dessen Frau: »Wer ist da?« »Ich bin der König, der Gebieter deines Mannes«, gab er zur Antwort. Nachdem sie ihm geöffnet hatte, trat er ein und nahm Platz. »Was verschafft mir die Ehre, unseren Herrn heute bei uns zu sehen?« fragte sie erstaunt, und er erwiderte: »Ich komme, um dich zu besuchen.« Sie entgegnete: »Ich nehme meine Zuflucht zu Gott vor diesem Besuch, und ich glaube nicht, daß er zum Guten gereicht.« Er sprach: »Wehe dir! Ich bin fürwahr der König, der Gebieter deines Herrn. Mich dünkt, du hast mich nicht erkannt.« Sie widersprach: »Ja, freilich habe ich dich erkannt, Gebieter, und ich weiß, daß du der König bist. Aber lange vor dir haben unsere Ahnen gesagt:

Ich meide euren Quell, mag ihn nicht trinken;
Denn Wandrer suchen ihn in großer Zahl.
Wenn auf die Speise Fliegen niedersinken,
Zieh ich die Hand zurück, acht nicht der Qual.
Die Löwen vor dem Gang zum Wasser zagen,
Wenn Hunde schon am Brunnenrand geleckt.
Der Edle kehret heim mit leerem Magen,
Wenn unter Toren ihm der Tisch gedeckt.

Wie schön ist auch, Gebieter, das Wort des Dichters:

O sage ihm, der sich um mich verzehrt,
Denn wer nicht treu, ist keines Freundes wert:
›Nie wird man hören, daß ein Löwe frißt,
Was von des Wolfes Mahlzeit übrig ist.‹«

Danach fuhr sie fort: »Du kommst also, König, zu der Stätte, wo dein Hund trinkt, um selber dort zu trinken!« Der König aber schämte sich ihrer Rede, rannte hinaus und ließ ab von ihr. Dabei vergaß er seine Schuhe in ihrem Hause. Soweit die Ereignisse bei dem König.

Von Fīrūz aber ist zu vermelden: Nachdem er seine Reise angetreten hatte, suchte er plötzlich den Brief. Als er ihn nicht unter seiner Kopfbedeckung fand, fiel ihm ein, daß er ihn unter seinem Kissen liegengelassen hatte, und er kehrte nach Hause zurück. Er kam dort an, als der König eben gegangen war, und so fand er des Königs Schuhe in seinem Hause. Da verlor er schier den Verstand, erkannte er doch, daß der König ihn nur auf die Reise geschickt hatte, weil er etwas Bestimmtes unternehmen wollte. Er schwieg jedoch und ließ kein Wort davon verlauten, nahm vielmehr den Brief, reiste wieder ab, um dem Wunsch des Königs zu entsprechen, und erfüllte seinen Auftrag. Nach seiner Rückkehr schenkte ihm der König zur Belohnung hundert Dinare. Darauf ging Fīrūz zum Markt. Dort kaufte er Dinge, wie sie Frauen gebrauchen können, und stellte ein schönes Geschenk zusammen. Dann kam er zu seiner Frau, grüßte und sprach: »Mache dich auf, um deinen Vater zu besuchen.« – »Was bedeutet dies?« fragte sie, und er antwortete: »Der König hat uns seine Gunst erwiesen, und ich möchte, daß du dies deine Angehörigen sehen läßt.« – »Herzlich gern«, sprach sie, brach sofort auf und begab sich zum Hause ihres Vaters. Ihre Angehörigen freuten sich über sie und über das, was sie mitbrachte. So blieb sie einen Monat bei ihnen.

Weil nun aber ihr Mann nicht mehr von ihr sprach noch sie besuchte, kam ihr Bruder zu ihm und sagte: »Entweder verrätst du uns, Fīrūz, warum du ergrimmt bist, oder du rufst den König wider uns an.« Er antwortete: »Wenn ihr eine höchstrichterliche Entscheidung wollt, so veranlaßt das Nötige; denn ich habe meiner Frau gegenüber keine Pflicht versäumt.« Da forderten sie ihn auf, wegen dieser Entscheidung mitzukommen. Als er in ihrer Begleitung im Schlosse erschien, saß der Richter gerade neben dem König. Der Bruder der jungen Frau hub an: »Gott verleihe unserem Herrn, dem Oberrichter, seinen Beistand! Ich habe diesem jungen Mann einen Garten mit unversehrten Mauern, mit einem feinen Brünnlein fließenden Wassers und mit Früchte spendenden Bäumen verpachtet. Er hat die Früchte des Gartens gegessen, die Mauern zerstört und das Brünnlein zu einer verlassenen Trümmerstätte gemacht.« Da wandte sich der Richter an Fīrūz mit der Frage: »Was sagst du dazu, junger Mann?« Fīrūz erwiderte: »Hoher Richter, ich habe in der Tat diesen Garten in Besitz genommen, habe ihn aber in bestmöglichem Zustand zurückgegeben.« Der Richter fragte den Schwager: »Hat er dir den Garten in dem Zustand zurückgegeben, in dem er vorher gewesen ist?« – »Ja«, räumte er ein, »aber ich möchte von ihm wissen, warum er ihn zurückgegeben hat.« Auf die Frage des Richters, was er dazu zu sagen habe, erklärte Fīrūz: »Hoher Herr, ich habe den Garten, bei Gott, nicht deshalb zurückgegeben, weil er mir etwa nicht mehr gefiel. Es ist vielmehr nur deshalb geschehen, weil ich eines Tages beim Besuch des Gartens Fußspuren des Löwen in ihm entdeckt habe. Da habe ich Angst bekommen, er könnte sich plötzlich auf mich stürzen, und so habe ich mir aus lauter Achtung vor dem Löwen versagt, den Garten noch einmal zu betreten.« Bis jetzt hatte der König in Stützhaltung dagelegen, nun aber setzte er sich aufrecht hin und sprach: »Kehre getrost und beruhigt in deinen Garten zurück, Fīrūz; denn, bei Gott, der Löwe hat zwar deinen Garten betreten, aber er hat keine Spur in ihm hinterlassen, hat kein Blatt, keine Frucht und auch sonst nichts in ihm angerührt. Er hat sich nur einen winzigen Augenblick in ihm aufgehalten und ihn verlassen, ohne irgendeinen Schaden angerichtet zu haben. Ich habe wahrhaftig noch nie einen Garten wie den deinen gesehen, noch nie einen, dessen Bäume von den Mauern wirkungsvoller beschützt werden.« Da kehrte Fīrūz nach Hause zurück, und er holte seine Frau heim, ohne daß der Richter oder ein anderer etwas von dem Geschehen erfuhr. Gott aber weiß alles am besten.

8. *Die Macht der Veranlagung*

Ein persischer König hatte einmal einen weisen und erfahrenen Wesir. Er hielt sich an seine Vorschläge, und sein Rat führte ihn zum Erfolg. Eines Tages starb der König, und auf dem Throne folgte ihm ein Sohn, der von sich selbst überzeugt und unbelehrbar war. Den Wesir bestätigte er nicht in seinem Amt, und was er meinte und riet, war dem König gleichgültig. Man hielt ihm deshalb vor: »Dein Vater hat niemals eine Angelegenheit ohne ihn entschieden.« Er erwiderte jedoch: »Mein Vater hat ihn falsch eingeschätzt. Ich werde ihn selbst auf die Probe stellen.« Danach ließ er ihn durch einen Boten fragen: »Was ist stärker im Mann, Erziehung oder Veranlagung?« Der Wesir antwortete: »Die Veranlagung ist stärker; denn sie ist etwas Eingewurzeltes, die Erziehung dagegen ein äußeres Anhängsel. Es gibt kein äußeres Anhängsel, das nicht das Eingewurzelte wieder durchbrechen ließe.« Darauf ließ der König seine Speisetafel kommen. Nachdem sie aufgestellt war, erschienen Katzen, die in ihren Pfoten Kerzen trugen, und blieben rings um die Tafel stehen. Da sprach der König zum Wesir: »Jetzt kannst du über deinen Irrtum und deinen falschen Standpunkt nachdenken! Denn wann ist etwa der Vater dieser Katzen ein Lichtzieher gewesen?« Der Wesir aber vermochte ihm nichts zu erwidern und bat: »Laß mir für die Antwort Zeit bis zur nächsten Nacht.« – »Du sollst sie haben«, sprach der König. Der Wesir aber rief, nachdem er gegangen war, einen seiner Sklaven herbei und befahl ihm: »Besorge mir einige Mäuse, binde sie mit einem Faden fest und bringe sie her.« Als der Sklave sie ihm brachte, band er sie in ein Tüchlein und steckte sie in seinen Ärmel. Am nächsten Abend ging er zum König. Als seine Tafel wieder aufgestellt wurde, erschienen auch wieder die Katzen und umsäumten die Tafel. Jetzt löste der Wesir die Mäuse aus seinem Tüchlein und warf sie den Katzen zu. Diese aber sprangen um die Wette auf sie los und warfen die Kerzen fort, so daß um ein Haar das Schloß über ihnen in Brand geraten wäre. Da fragte der Wesir: »Willst du immer noch bestreiten, daß die Veranlagung stärker als die Erziehung ist und daß ein äußeres Anhängsel das Eingewurzelte wieder durchbrechen läßt?« –

»Du hast recht«, antwortete der König und er behandelte den Wesir wieder, wie es sein Vater getan hatte.

Ein jedes Ding kreist nämlich einzig und allein in der Angel seines tiefsten Wesens, und unnatürlicher Zwang ist in jedem Fall tadelnswert. Gott, der Gesegnete und Erhabene, hat zu seinem Propheten gesagt (Koran 38, 86): »Sprich Muhammad: ›Und ich gehöre nicht zu denen, die sich Zwang antun.‹« Man hat auch gesagt: Wenn einer sich ein falsches Wesen zulegt, dann zerrt die Gewohnheit solange an ihm, bis es ihr gelingt, ihn zu seinem wahren Wesen zurückzubringen, gleichwie das Wasser, wenn du es erhitzt und dann eine Weile läßt, seine natürliche Kälte wiedererlangt, und selbst wenn du einen bitteren Baum mit Honig bestreichen würdest, brächte er doch nur bittere Früchte.

9. Ardaschīrs treuer Wesir

Ein ungewöhnliches Geschehnis und ein erstaunliches Ereignis aus alter Zeit enthält die folgende Geschichte:

Es war einmal ein König unter den Königen der Perser mit Namen Ardaschīr. Sein Reich war groß, seine Heeresmacht stark, und er selbst war ein gewaltiger Held. Als man ihm eines Tages die einzigartige Schönheit der Tochter des Königs vom Jordanland beschrieben und erzählt hatte, dieses Mädchen sei eine hinter Schleiern wohlbehütete Jungfrau, sandte er einen Boten aus, der bei ihrem Vater um die Hand seiner Tochter anhalten sollte. Dieser aber wies ihn zurück und entsprach seiner Bitte nicht. Schwergekränkt über die Zurückweisung, leistete Ardaschīr heilige Eide, den königlichen Vater des Mädchens zu überfallen, ihn und seine Tochter aufs grausamste zu töten und beide zu einem Beispiel höchster Schande zu machen. So zog Ardaschīr mit seinem Heerbann gegen ihn aus, kämpfte wider ihn und tötete ihn nebst seinen Günstlingen. Als er sich dann nach seiner Tochter erkundigte, um die er gefreit hatte, erschien ihm eine Magd aus dem Schloß, ein herrliches Weib, ein Mädchen, vollendet in ihrer Schönheit und Anmut, in ihrem Wuchs und Ebenmaß. Ardaschīr war sprachlos ob ihres Anblicks. »Hoher König«, sagte sie zu ihm, »ich bin die Tochter des Königs Soundso, des Königs der und der Stadt. Der König, den du getötest hast, hat unser Land mit Krieg überzogen und meinen Vater nebst allen seinen Freunden getötet, bevor du ihm den Garaus gemacht hast. Mich aber hat er mit allen Gefangenen weggeführt und hat mich in dieses Schloß gebracht. Als seine Tochter, um deren Hand du durch einen Boten angehalten hast, mich erblickte, gewann sie mich lieb und bat ihren Vater, mich als Freundin bei ihr zu lassen. So überließ er mich ihr, und wir beide waren wie zwei Seelen in einem Leib. Nachdem der Bote deine Werbung um sie überbracht hatte, fürchtete ihr Vater, es drohe ihr Gefahr von dir, und so hat er sie auf eine Insel im Salzmeer zu einem verwandten König geschickt.« Ardaschīr erwiderte: »Oh, hätte ich sie doch in meine Gewalt bekommen! Ich hätte sie aufs grausamste umgebracht.« Als nun Ardaschīr das Mädchen betrachtete, sah er, wie wunderschön sie war. Er gewann sie lieb und nahm sie zur Beischläferin. Er sagte sich: »Für den König war sie ja eine Fremde. Ich breche deshalb nicht meinen Eid, wenn ich sie nehme.« Dann wohnte er bei ihr und raubte ihr die Jungfernschaft. Sie aber wurde von ihm schwanger. Nachdem sichtbar geworden war, daß sie ein Kind erwartete, geschah es, daß sie eines Tages mit ihm plauderte, und da sie bemerkte, daß er vergnügten Sinnes war, sprach sie zu ihm: »Du hast meinen Vater besiegt. Ich aber habe dich besiegt.« – »Wer war denn dein Vater?« fragte er, und sie antwortete: »Er war der König des Jordanlandes, und ich bin seine Tochter, um deren Hand du bei ihm angehalten hast. Ich habe gehört, daß du geschworen hast, mich zu töten, und die Kunde davon hat mich bewogen, dich zu überlisten. Jetzt trage ich dieses Kind von dir unter dem Herzen, so daß es dir nicht möglich ist, mich zu töten.«

Dies war sehr bitter für Ardaschīr, hatte ihn doch eine Frau besiegt und überlistet und sich dadurch seiner Willkür entzogen. Er verstieß sie deshalb, ging haßerfüllt von ihr fort und faßte den Entschluß, sie zu töten. Danach erzählte er seinem Wesir, was er mit ihr erlebt hatte. Als der Wesir sah, daß sein Entschluß, sie zu töten, feststand, fürchtete er, die übrigen Könige würden einen solchen Fall zum Anlaß nehmen, über ihn zu reden, der

König selbst aber werde keiner Fürsprache für sie, von wem sie auch komme, zugänglich sein. Er sagte deshalb zu ihm: »Dein Gedanke, o König, ist der richtige, und was du dir ausgedacht hast, ist das Zweckmäßigste. Am besten ist es, dieses Mädchen sofort umzubringen, und etwas Richtigeres kann es gar nicht geben. Denn dies ist angebrachter, als daß es heißt: ›Einer Frau ist es gelungen, den König aus Sinnlichkeit von seinem Plan abzubringen und eidbrüchig zu machen.‹« Und er fuhr fort: »Ihre Gestalt, o König, erregt Mitleid, trägt sie doch ein Kind des Königs unter dem Herzen. Man sollte deshalb ihren Fall geheimhalten. Ich sehe aber keine unauffälligere und für sie schonendere Hinrichtungsart, als sie zu ertränken.« Der König erwiderte: »Das ist ein ausgezeichneter Gedanke! Nimm sie mit und ertränke sie.« So nahm der Wesir sie mit und führte sie bei Nacht unter Fackelschein und in Begleitung von Dienern und Wachleuten zum Jordan. Dort bewerkstelligte er durch List, etwas in den Fluß zu werfen, was seinen Begleitern als das Mädchen erscheinen mußte, verbarg dann aber das Mädchen in seinem Hause. Am nächsten Morgen erschien er beim König und verkündete ihm, er habe sie ertränkt. Nachdem der König ihm für seine Tat gedankt hatte, überreichte ihm der Wesir eine versiegelte Büchse mit den Worten: »Hoher König, ich habe die Stellung der Gestirne in meiner Geburtsstunde betrachtet und gesehen, daß nach den Berechnungen der persischen Sterndeuter bald mein letztes Stündlein schlägt. Ich habe Kinder und besitze ein Vermögen, das ich mir aus deinen Hulderweisen erspart habe. Nimm es bei meinem Tode an dich, wenn du willst. Diese Büchse enthält einen Edelstein, dessen Erlös ich den König zu gleichen Teilen unter meine Kinder zu verteilen bitte. Er ist nämlich das Erbe, das mir von meinem Vater überkommen ist, und außer diesem Edelstein besitze ich nichts, was mir von ihm zuteil geworden wäre.« Der König entgegnete: »Möge dir Gott ein langes Leben schenken! Was dir gehört, gehört dir und deinen Kindern, gleichgültig, ob du lebst oder tot bist.« Weil der Wesir ihn aber drängte, die Büchse bei sich zu hinterlegen, nahm der König sie an und verwahrte sie bei sich in einem Schrein.

Nachdem ihre Zeit abgelaufen war, brachte das Mädchen

einen Knaben zur Welt, schön und lieblich wie die Scheibe des noch nicht vollendeten Mondes. Bei der Benennung des Knaben war der Wesir bestrebt, sich an das Gebot des Schicklichen zu halten. Er meinte nämlich, es könnte ihm, wenn der Vater später einmal in dem Knaben seinen Sohn erkennen sollte, als eine Verletzung des Anstandes ausgelegt werden, wenn er ihm einen selbstgewählten Namen gäbe. Anderseits erschien es ihm unmöglich, ihn ohne Namen zu lassen. Er nannte ihn deshalb einfach Schāhpūr. Dies ist die persische Bezeichnung für »Königssohn«. Diese Benennung erschien ihm unangreiflich. In der Folge hörte der Wesir nicht auf, das Mädchen und den Knaben liebevoll zu versorgen, bis der Knabe das Alter erreichte, in dem er einer Ausbildung bedurfte. Nun ließ er ihn in allem unterrichten, was sich für Königssöhne geziemt, Schreiben, Lebensweisheit und Reitkunst. Dabei galt er allgemein als ein Diener des Wesirs mit Namen Schāhpūr. Dies währte, bis er beinahe die Reife erlangte.

Nun hatte Ardaschīr keinen Sohn. Er war bereits hochbetagt, und die Altersschwäche lähmte seine Bewegungsfreiheit. Als er schließlich krank wurde und dem Tod ins Auge schaute, sagte er zu dem Wesir: »Lieber Wesir, mein Leib ist hinfällig und meine Kraft gebrochen. Ich sehe, daß ich gewiß sterbe und der mir von Gott bestimmte Nachfolger die Herrschaft übernimmt.« Der Wesir erwiderte: »Wenn der König nach Gottes Willen einen Sohn hätte, so wäre ihm nach dem Tod des Königs die Herrschaft übertragen worden.« Dann erinnerte er ihn an das Erlebnis mit der Tochter des Königs des Jordanlandes und ihre Schwangerschaft. Der König aber sprach: »Ich habe längst bereut, sie ertränkt zu haben. Hätte ich ihr bis zur Niederkunft das Leben geschenkt, so wäre es vielleicht ein Knabe geworden.« Als der Wesir sah, daß der König hiermit das Geschehene billigte, erklärte er: »Hoher König, das Mädchen lebt und befindet sich in meinem Hause. Sie hat einen an Leib und Seele ungewöhnlich schönen Knaben zur Welt gebracht.« – »Ist dies wirklich wahr, was du sagst?« fragte der König, und der Wesir leistete einen Eid, daß es so sei. Danach fuhr er fort: »Hoher König, der Sohn hat etwas in seinem Wesen, was den Vater, und der Vater etwas, was den Sohn verrät. Beides ist unauslöschlich. Ich werde dir diesen

Knaben unter zwanzig anderen vorführen, die ihm an Alter, Aussehen und Kleidung gleichen und deren Väter alle bekannt sind mit Ausnahme von dem dieses einen. Jedem von ihnen werde ich einen Schläger und eine Kugel überreichen und sie hier vor dir in deinem Audienzsaal Golf spielen lassen. Der König möge dann Gestalt, Art und Wesen von ihnen betrachten. Wem sich dann Herz und Gemüt zuneigen, der ist es.« Der König antwortete: »Der Plan, den du mir vorgetragen hast, ist ausgezeichnet.«

Danach ließ der Wesir Knaben der geschilderten Art kommen, und sie spielten Golf vor dem König. Wenn nun einer von ihnen die Kugel schlug und diese in die Nähe des Königsthrones rollte, dann hielt die Ehrfurcht den Jungen davon ab, näher heranzukommen, um die Kugel zu holen. Nur Schāhpūr bildete eine Ausnahme; denn wenn er die Kugel schlug und diese in die Nähe des Thrones rollte, näherte er sich ihm und holte sie, ohne daß er Scheu vor dem König empfand. Nachdem Ardaschīr dies mehrere Male an ihm beobachtet hatte, fragte er ihn: »Wie heißt du, Junge?« – »Schāhpūr«, gab er zur Antwort. Da sprach der König: »Du hast recht; denn du bist in der Tat mein Sohn.« Dann drückte er ihn an sich und küßte ihn auf die Stirn. Jetzt sagte der Wesir: »Dieser ist dein Sohn, hoher König.« Dann ließ er die übrigen Knaben in Begleitung von Zeugen kommen, bewies in Gegenwart des Königs, daß jeder von ihnen einen Vater hatte, und es bestätigte sich, daß seine Behauptung zutraf. Danach erschien das Mädchen. Ihre Schönheit und Anmut hatten sich inzwischen verdoppelt. Sie küßte dem König die Hand, und er schenkte ihr wieder seine Huld. Darauf erklärte der Wesir: »Hoher König, jetzt muß unbedingt die versiegelte Büchse geholt werden.« Nachdem sie der König hatte holen lassen, nahm der Wesir sie in die Hand, brach das Siegel und öffnete sie. Siehe, da enthielt die Büchse das Gemächt des Wesirs, das er nach der Abnahme in der Büchse aufgehoben hatte, bevor ihm das Mädchen vom König übergeben worden war. Er ließ auch ärztliche Zeugen kommen. Es waren die Ärzte, die damals den Eingriff an ihm vorgenommen hatten. Sie bezeugten vor dem König: »Eine Nacht, bevor ihm das Mädchen übergeben worden ist, haben wir diesen Eingriff an ihm vorgenommen.« Da geriet der König Ardaschīr außer sich vor Staunen über die große Gefolgstreue und Rechtlichkeit, die dieser Wesir an den Tag gelegt hatte. Seine Freude wurde immer größer, ja, sein Glück verdoppelte sich, weil das Mädchen unberührt geblieben, die Abstammung seines Sohnes bewiesen und er nun mit ihm verbunden war. In der Folge genas der König von der Krankheit, an der er gelitten hatte, und sein Leib wurde wieder gesund. Seines Glückes war kein Ende; denn sein Sohn gereichte ihm zur Freude, bis er starb und die Herrschaft auf seinen Sohn Schāhpūr nach dem Tode seines Vaters überging. Jener Wesir diente danach auch dem Sohn des Königs Ardaschīr, und Schāhpūr wahrte seine Stellung und achtete seinen Rang, bis Gott der Erhabene ihn zu sich nahm. Gott weiß am besten, was richtig ist. Zu ihm kehren wir heim. Zu ihm finden wir zurück. Gott ist unser Genügen und der beste Anwalt. Es gibt keine Macht und keine Kraft außer bei Gott dem Mächtigen und Erhabenen. Er segne unseren Herrn Muhammad, seine Angehörigen und Freunde und schenke ihnen Heil in Fülle bis zum Tage des Jüngsten Gerichts.

10. Bahrāms Herrschaftswende

Eines Tages war Bahrām zur Jagd an einen seiner Lustorte hinausgeritten. Als er auf dem Heimweg nach al-Madā'in war, brach die Nacht herein. Es war eine Mondscheinnacht. Da ihm eben etwas einfiel, rief er den Oberpriester herbei. Dieser schloß sich ihm an und ritt neben ihm her. Über dies und das aus der Geschichte von Bahrāms Vorfahren befragt, wandte er sich dem König zu und sprach mit ihm. Ihr Weg führte sie über Trümmerstätten auf den bedeutendsten Landgütern, Trümmer, die erst unter Bahrāms Herrschaft entstanden waren. Eulen waren das einzige, was dort hauste. Schrie eine von ihnen, so antwortete ihr eine andere irgendwoher aus den Ruinen.

Da fragte der König den Oberpriester: »Kennst du einen Menschen, dem die Gabe zuteil geworden ist zu verstehen, was der Vogel sagt, der da in der stillen Nacht seine Stimme erschallen läßt?« – »Ich selbst, verehrter König, bin einer von denen, die Gott mit diesem Verständnis begnadet hat«, antwortete er, und auf die Frage des Königs, was die Eule soeben gesagt habe, gab er ihm die Auskunft, daß sie die Wahrheit gesprochen habe. Der König aber wollte wissen: »Was sagt denn nun dieser Vogel, und was antwortet der andere?« Da erklärte der Oberpriester: »Die eine Eule ist ein Männchen, das um ein Weibchen wirbt und sie bittet: ›Ach, werde doch die meine! Dann bekommen wir Junge, die Gottes Lob verkünden, und wir behalten in dieser Welt Nachkommen, die immer wieder freundlich unser gedenken werden.‹ Das Weibchen hat ihm geantwortet: ›Es gibt kein größeres Glück und keine höhere Seligkeit weder im Diesseits noch im Jenseits als das, was du von mir begehrst, aber ich muß dir einige Bedingungen stellen. Wenn du sie annimmst, so gebe ich dir mein Jawort. Die eine besteht darin, daß du mir auf den bedeutendsten Landgütern zwanzig Trümmerdörfer schenkst, die in der Herrschaftszeit unseres jetzigen Königs, dem das Glück hold sein möge, verfallen sind.‹« Der König fragte: »Und was hat das Männchen ihr geantwortet?« Der Oberpriester fuhr fort: »Es hat zu ihr gesagt: ›Wenn unser König, dem das Glück hold sein möge, die Herrschaft noch lange ausübt, so werde ich dir sogar tausend auf den Landgütern verfallene Dörfer zu Lehen geben. Doch was willst du mit ihnen machen?‹ Sie hat geantwortet: ›Unser Zusammenleben bedeutet Nachkommenschaft und viele Kinder. Dann können wir eben jedem Kind ein Landgut mit diesen Trümmern geben.‹ Das Eulenmännchen hat darauf geantwortet: ›Dies ist das Leichteste, was du von mir begehren, und das Einfachste, was du von mir verlangen kannst. Es ist dir hiermit bereits fest zugesagt; denn davon besitze ich eine wahre Fülle. Doch sage nun, was du außerdem noch verlangst.‹«

Als der König diese Worte des Oberpriesters hörte, zeigte er sich tief beeindruckt, wachte auf aus seinem Schlaf und dachte nach über das, was ihm gesagt worden war. Er unterbrach sofort die Reise, und auch seine Leute stiegen vom Pferd. Dann zog er sich mit dem Oberpriester zurück und sprach zu ihm: »O du, der du über dem Glauben wachst, dem König Ratschläge erteilst und seinen Blick auf die Versäumnisse seiner Herrschaft und auf die Schäden lenkst, die er Land und Volk zufügt, was bedeuten diese Worte, die du an mich gerichtet hast? Du hast nämlich etwas in mir erregt, was vorher ruhig war, und meine Neugier nach etwas geweckt, was mir einst fern lag.« Der Oberpriester antwortete: »Es hat sich mir zufällig beim König, dem das Schicksal hold sein möge, eine Stunde des Glückes für Volk und Land ergeben. Die Antwort auf die Frage des Königs an mich habe ich deshalb als Lehre und Mahnung den Vögeln in den Mund gelegt.« Der König sprach: »Mein guter Ratgeber, so offenbare mir, worauf du hinauswillst und was du sagen möchtest. Was bedeuten deine Worte, und worauf beziehen sie sich?« Der Oberpriester fuhr fort: »O König, dem das Glück hold sein möge, ohne Gesetz, ohne Sorge für den Gehorsam wider Gott den Erhabenen und ohne Wandel nach Gottes Geboten und Verboten ist keine Königsherrschaft vollkommen. Der König ist es, der dem Gesetz Bestand verleiht. Anderseits sind die Untertanen die Bürgen der Königsherrschaft. Die Untertanen können aber nur bestehen durch Einkünfte. Einkünfte wieder sind nur zu erzielen durch wirtschaftliche Nutzung des Landes. Voraussetzung für sie aber ist die Gerechtigkeit. Ja, die Gerechtigkeit ist eine Waage, die Gott der Herr inmitten der Menschen aufgestellt und für die er einen Betreuer bestimmt hat. Dieser Betreuer ist der König.« – »Was du gesagt hast«, antwortete ihm der König, »ist wohl richtig, doch erkläre mir näher, was du meinst, und sprich deutlicher.«

Jetzt eröffnete ihm der Oberpriester folgendes: »Ja, verehrter König, du hast Hand an die Landgüter gelegt. Nachdem du sie ihren Eigentümern und Bearbeitern abgenommen hast, obwohl sie es waren, die die Steuern zahlten und von denen die Abgaben erhoben wurden, hast du sie Günstlingen, Hofschranzen, Faulenzern und anderen zu Lehen gegeben. Diesen kam es dort nur auf schnelle Erträge an. So haben sie ihre Lehen schnell nutzbringend für sich verwertet und es unterlassen, die Güter zu bearbeiten und weitschauend auf ihr Gedeihen bedacht zu sein. Weil sie dem König nahestanden, wurden ihnen die Steuern erlassen. Auf diese Weise ist den übrigen Steuerzahlern und Gutsbesitzern Unrecht geschehen. Sie haben deshalb ihre Güter aufgegeben, ihre Häuser verlassen, auf einem der bevorrechtigten Güter Unterschlupf gesucht und sind dort geblieben. So ist die Landwirtschaft sehr zurückgegangen, die Güter sind verödet, und die Gelder sind zusammengeschrumpft. Heer und Volk kommen schier um vor Hunger, und weil die Persien benachbarten Fürsten und Völker wissen, daß die Dinge, die den Pfeilern des Staates Halt verleihen, nicht mehr vorhanden sind, gelüstet es sie nach Eroberung des Landes.«

Nachdem der König dies vom Oberpriester vernommen hatte, blieb er drei Tage an Ort und Stelle und rief die Wesire, Kanzleiräte und Amtsvorsteher zu sich. Nach Herbeischaffung der Listen wurden den Höflingen und Günstlingen die Landgüter entzogen und ihren früheren Eigentümern wieder zugesprochen. Sie erhielten ihre alten Aufgaben zurück, begannen mit der Bewirtschaftung, und wer schwach war, erstarkte wieder. Das Land wurde gut bebaut, die Gaue brachten üppige Erträge, und die Steuereinnahmen wuchsen. Das Heer vergrößerte sich, die Absichten der Feinde wurden zunichtegemacht, und die Grenzfestungen erhielten neue Besatzungen. Der König begann, sich selbst von früh bis spät um die Verwaltung zu kümmern und für hoch und niedrig zu sorgen. Ja, seine Jahre waren so glücklich, und er herrschte so weise, daß man seine Zeit, da Wohlstand, Hulderweise und Gerechtigkeit alle umschloß, die »Festzeit« nannte.

11. Sābūrs Kundschaftsfahrt ins Römische Reich

Als Sābūr ibn Hurmiz beschloß, sich verkleidet ins Römische Reich einzuschleichen, versuchten seine aufrichtigen Ratgeber und klugen Wesire, ihn davon abzuhalten, und sie warnten ihn, doch er folgte ihnen nicht. Ja, man sagt mit Recht: »Kein Mensch trägt schwerere Last als der Wesir eines jugendlichen Königs und der blindlings ergebene Gefolgsmann eines jungen Scheichs.« So machte sich denn Sābūr auf den Weg ins Römische Reich. Als Begleiter nahm er sich einen Wesir, der ihm und vor ihm bereits seinem Vater gedient hatte: ein ungewöhnlich kluger Mann, umsichtig, vernünftig in seinen Anschauungen und vertraut mit den Unterschieden zwischen den Religionen und mit ihren Sprachen, dazu gründlicher Kenner der Wissenschaften und ein gewitzter Ränkeschmied. Sābūr übertrug ihm die Sorge für alles, was er auf der Reise benötigte und befahl ihm, nicht zu schnell zu reisen und sich nicht von ihm zu entfernen, so daß er ihn Tag und Nacht in allen Dingen betreuen könne.

Ihr Weg führte sie zunächst nach Syrien. Dort legte der Wesir Mönchstracht an, redete in der Landessprache und betätigte sich als Wundarzt. Er war im Besitz von chinesischem Öl. Wenn man mit ihm die Wunden bestreicht, schließen sie sich schnell und heilen. So pflegte er auf seiner Reise ins Römische Reich die Wunden mit Heilmitteln zu behandeln, denen er ein wenig von diesem Öl beifügte, so daß sie in Kürze heilten. Wenn er aber einen hochstehenden Mann behandelte, verwendete er bei ihm das Öl unvermischt, so daß er sofort geheilt wurde, ohne daß er einen Lohn dafür nahm. Sein Ruhm verbreitete sich im Römischen Reich, man betrachtete ihn als den besten Wundarzt, und die Leute bezeugten ihm ihre Wertschätzung. War er aber mit Sābūr allein, so kümmerte er sich um alles, was ihn betraf. In dieser Weise durchquerten sie ganz Syrien und reisten weiter in Richtung auf Konstantinopel.

Nachdem sie dort angekommen waren, begab sich der Wesir zum Patriarchen – dies heißt »der oberste Vater« – und bat um Einlaß. Der Patriarch ließ ihn vor und fragte ihn nach seinen Absichten. Jener erklärte ihm, er habe seine Heimat verlassen und sei zu ihm gekommen, um der Ehre seines Dienstes teilhaftig und unter seine Gefolgsleute aufgenommen zu werden. Dann überreichte er ihm ein wertvolles Geschenk, das dem Patriarchen sehr gefiel. Jetzt zeigte er sich aufgeschlossener. Er behandelte ihn ehrenvoll, gewährte ihm Gastfreundschaft und schenkte ihm sein Vertrauen. Als er ihn prüfte, merkte er, daß er über die Religion der Römer Bescheid wußte, nein, sie hervorragend kannte. Dies freute ihn sehr. Der Wesir aber begann, das Verhalten des Patriarchen zu beobachten, um ihn in geeigneter und angenehmer Weise unterhalten zu können. Dabei stellte er fest, daß der Patriarch Scherze liebte und Freude an Schwänken hatte. Deren aber kannte der Wesir eine Überfülle, und so begann er, ihm mit lauter ungewöhnlichen Schwänken und wunderbaren Späßen aufzuwarten. Allmählich konnte es der Patriarch ohne den Wesir überhaupt nicht mehr aushalten, weil es ihm ein Vergnügen war, ihn zu sehen, und er ihm recht ans Herz gewachsen war. Trotzdem betätigte er sich auch hier als Wundarzt, ohne sich dafür bezahlen zu lassen. So gewann er bei den Leuten große Achtung. Bei alledem vernachlässigte er Sābūr keinen Augenblick.

Dies währte, bis der Kaiser eines Tages ein Gelage veranstaltete und sich die Leute je nach ihrem Rang einfanden. Nun hegte Sābūr den Wunsch, daran teilzunehmen, um sich über die Verhältnisse des Kaisers, seine Machtstellung im Palast und den Aufwand bei seinem Gelage zu unterrichten. Sein Wesir versuchte ihn davon abzuhalten; doch er ließ sich nicht von ihm überreden, sondern verkleidete sich derart, daß er sich für unkenntlich hielt, und betrat mit den Teilnehmern an dem Gelage den Kaiserpalast. Nun hatte der Kaiser aus übergroßer Vorsicht vor Sābūr und aus Angst, er könnte nächtlicherweise in sein Land eindringen und seine große Tatkraft und das Ungestüm der Jugend könnten ihm dies gelingen lassen – aus solchen Erwägungen hatte er in seinem Audienzsaal, auf den Vorhängen seines Gemaches, seinen Polstern und seinen Eß- und Trinkgeräten Sābūrs Bild anbringen lassen. Nachdem Sābūr am Tage des Gelages eingetreten war, sich auf seinen Platz gesetzt und mit den Anwesenden gespeist hatte, wurde der Wein in Bechern aus Kristall, Gold, Silber und starkem Glas gereicht. Nun befand sich im Saal ein weiser und schlauer Römer. Als sein Blick auf Sābūr fiel, erschien er ihm unbekannt. Er begann ihn deshalb näher zu betrachten und glaubte schließlich an ihm die Merkmale fürstlicher Würde zu entdecken. Er schaute ihn immer noch an, als der Becher auf seiner Runde ihm gereicht wurde. Jetzt betrachtete er das Bild auf dem Becher und ließ den Blick sogleich zu Sābūr zurückkehren. Da zweifelte er nicht mehr daran, daß das Bild auf dem Becher nach dem Unbekannten gezeichnet war, und gewann die feste Überzeugung, daß dieser Sābūr war. Lange hielt er den Becher in der Hand. Dann rief er mit lauter Stimme: »Dieses Bild hier auf dem Becher verrät mir etwas Seltsames.« Auf die allgemeine Frage, was es ihm denn verrate, erklärte er: »Es verrät mir, daß der, den es darstellt, sich mit uns in diesem Saale befindet.« Sprach's und schaute zu Sābūr hinüber, der bei den Worten des Römers die Farbe gewechselt hatte und so seine Meinung bestätigte. Bald drang die Kunde auch zum Kaiser. Er rief den Römer herbei, ließ ihn nähertreten und befragte ihn. Dieser erklärte ihm, Sābūr sei mit ihm in seinem Saale, und zeigte auf ihn.

Da befahl der Kaiser, ihn festzunehmen. Nachdem er ihm vorgeführt worden war, fragte der Kaiser, wer er sei. Als er allerlei unglaubwürdige Ausreden vorbrachte, sagte jener Mann mit dem feinen Erkennungsvermögen: »Erhabener Herrscher, glaube nicht, was er spricht; denn er ist bestimmt Sābūr.« Erst auf des Kaisers Drohung, ihn hinrichten zu lassen, gestand er, daß er Sābūr war. Danach warf ihn der Kaiser ins Gefängnis und ließ ihn gut versorgen. Er befahl, daß für ihn aus Rindshäuten die Gestalt eines Stieres hergestellt werde. Sie sollte sieben Hautschichten, einen Eingang und ein Loch zum Wasserlassen haben. In diesen Stier sollte Sābūr gesetzt, und seine Hände sollten ihm mit einem goldenen Ring nebst Kette derart an den Hals gefesselt werden, daß es ihm noch möglich war, die für ihn bereiteten Speisen und Getränke sowie anderes in Empfang zu nehmen. Nachdem Sābūr in das Innere dieser Gestalt gesteckt worden war, sammelte der Kaiser seine Heerscharen und rüstete zu einem Kriegszug wider Persien. Mit der Aufsicht über Sābūr in dem Stier betraute er hundert kühne und beherzte Männer, die den Stier mitnahmen. Den Oberbefehl über diese übertrug er dem Mitrān. Das ist der Stellvertreter des Patriarchen. Danach wurde jene Gestalt stets vor ihm hergetragen. Machte das Heer halt, so machte auch die Gestalt mit Sābūr inmitten des Heeres halt, und dann wurde ein Zelt darüber gespannt. Neben dem Zelt Sābūrs wurde ein anderes für den Mitrān errichtet. So zog der Kaiser aus, eifrig um seine Heerscharen und Krieger bemüht, und er war entschlossen, Persien in Schutt und Asche zu legen.

Nachdem der Kaiser seinen Eilmarsch angetreten hatte, sagte Sābūrs Wesir zu dem Patriarchen: »Ehrwürdiger Vater, der Dienst bei dir hat mir als Gewinn eingetragen, daß ich von dem Verlangen erfüllt bin, Gutes zu wirken. Es gibt aber keine grössere Wohltat, als den Bedrängten von seinem Leid zu befreien und dem Notleidenden zu helfen. Meine Bemühungen, die Verwundeten zu heilen, sind dir bekannt. Ja, es treibt mich nach nichts anderem, als den Kaiser auf diesem Feldzug zu begleiten. Vielleicht rettet Gott der Erhabene durch mich ein frommes Leben und ermöglicht es mir, einen verwundeten Krieger zu heilen, damit meine Seele durch diese verdienstlichen Werke geläutert werde.« Dies mißfiel jedoch dem Patriarchen, und er antwortete: »Du weißt, daß mir die Trennung von dir unerträglich ist. Wie kannst du da von mir verlangen, daß ich dir diese weite Reise erlaube?« Der Wesir Sābūrs hörte aber nicht auf, den Patriarchen zu bestürmen, bis er sich schließlich vor ihm schämte und es ihm gestattete. Er versah ihn mit Reisevorrat und gab ihm einen Brief an den Mitrān. Darin teilte er mit, welche Stellung er bei ihm einnehme, und befahl ihm, dem Wesir die höchsten Ehren zu erweisen und seinem Rat zu folgen, wenn ihm irgendetwas schwierig erscheine. Nachdem der Wesir Sābūrs bei dem Mitrān eingetroffen war, erwies dieser ihm alle gebührenden Ehren, beherbergte ihn in seinem eigenen Zelt, ja er legte den Zügel der Gebote und Verbote in seine Hand. Der Wesir aber begann, ihn durch Eingehen auf seine Neigungen günstig zu stimmen und ihm Nacht für Nacht neue Nachrichten zu bringen. Diese trug er ihm mit lauter Stimme vor, damit Sābūr seine Worte höre und dadurch von seinem Kummer abgelenkt werde. In seine Nachrichten flocht er ein, was er Sābūr mitteilen wollte und was er an Geheimnissen wußte. Dies erleichterte Sābūrs Lage sehr. Außerdem hatte sich der Wesir zur Befreiung Sābūrs allerlei Listen erdacht, die er nach seiner Ankunft beim Mitrān ins Werk setzte. Eine davon bestand darin, daß er sich weigerte, zusammen mit dem Mitrān zu speisen, und ihm angab, er dürfe die Speisen des Patriarchen, damit sie ihm bekämen, nicht mit anderen vermischen. Deshalb holte er, wenn das Essen des Mitrān aufgetragen wurde, seinen Reisevorrat heraus und aß für sich allein.

Ohne Unterlaß setzte der Kaiser seinen Heereszug fort, bis er Persien erreichte. Dort ließ er viele Menschen hinmorden oder als Gefangene fortschleppen, ließ allenthalben die gestauten Wasser ablaufen, die Obstbäume roden und Städte und Burgen zerstören. Dabei unterbrach er seinen Marsch nicht, weil er das Königsschloß Sābūrs erobern wollte, bevor die Perser etwas von seinem Schicksal erführen und einen anderen aus dem Volk zum König erhöben. Sie aber waren einzig und allein darauf bedacht, vor ihm zu fliehen und in den Festungen und Burgen Schutz zu suchen. In dieser Weise zog der Kaiser weiter, bis er die Hauptstadt und den Königssitz Sābūrs erreichte. Er schloß die Stadt ein und brachte die Belagerungsgeräte in Stellung, ohne daß sich bei ihr Streitkräfte oder Verteidiger zeigten, weil er die meisten von den Leuten, die die Mauern und den Kampf auf ihnen befehligten, vertrieben hatte. Sābūr erfuhr dies alles aus den Andeutungen, die der Wesir ihm in seinen Gesprächen mit dem Mitrān machte. Dieser jedoch hörte von ihm kein Wort, nachdem der Kaiser ihn in jene Gestalt hatte einschließen lassen. Sobald Sābūr über die Wucht des kaiserlichen Ansturms im Bilde war und wußte, daß die Stadt fallen werde, erlahmte seine Geduld. Ihm schwante Unheil, und er zweifelte an seinem Leben. Er sagte deshalb zu dem Mann, der mit seiner Verpflegung betraut war, als er wieder zu ihm kam: »Dieser Ring quält mich seit langem so sehr, daß ich ihn mit meinen schwachen Kräften nicht mehr ertragen kann. Wenn ihr wollt, daß ich am Leben bleibe, so erleichtert mir seine Qual, indem ihr meine Hände und meinen Hals durch einige Seidenfetzen vor ihm schützt.« Der Essenbringer ging zum Mitrān und teilte ihm mit, was Sābūr gesagt hatte. Als der Wesir dies hörte, erkannte er, daß Sābūrs Geduld am Ende war und böse Ahnungen ihn plagten, und er verstand, was Sābūr wollte. Nachdem das Dunkel der Nacht hereingebrochen war und der Wesir sich niedergelassen hatte, um mit dem Mitrān zu plaudern, sprach er zu ihm: »Mir ist heute abend eine wunderbare Geschichte eingefallen, an die ich so und so lange nicht mehr gedacht habe und die ich dem Patriarchen gern vor meiner Reise erzählt hätte.« Der Mitrān sagte: »Ich bitte dich herzlich, weiser Mönch, sie mir heute nacht zu erzählen.« – »Das will ich gerne tun«, antwortete der Wesir. Dann fing er an, ihm zu erzählen, und erhob dabei seine Stimme, damit auch Sābūr es hörte, den tieferen Sinn verstünde und sich die Geschichte zu Herzen nähme. Er sprach:

»Wisse, verehrter Mitrān: Es war einmal in meiner Heimat ein junger Mann und eine junge Frau, wie es schöner keine zu ihrer Zeit gab. Der Name des jungen Mannes war 'Ain-ahlih (»Auge seiner Leute«), der der Frau Saijidat-an-nās (»Herrin der Menschen«). Sie bildeten ein trautes Paar, und keiner von beiden hätte sich statt seines Liebsten einen anderen gewünscht. Eines Tages saß 'Ain-ahlih mit seinen Freunden zusammen. Sie unterhielten sich über die Frauen, bis schließlich einer von ihnen eine nannte, die er über alle Maßen pries und von der er sagte, daß sie Saijidat-adh-dhahab (»Herrin des Goldes«) heiße. Da ward 'Ain-ahlihs Herz von Liebe zu ihr erfüllt. Er fragte den Künder ihres Ruhmes, wo sie wohne, und jener sagte ihm, daß sie in einer Nachbarstadt zu Hause sei. Jetzt sann 'Ain-ahlih über sie nach, und die Liebe zu ihr umnebelte seine Sinne. So machte er sich auf den Weg in die Stadt, in der sie wohnte, und erkundigte sich nach ihrem Hause. Nachdem er erfahren hatte, wo es war, fand er sich immer wieder an ihrer Haustür ein, bis sie ihm schließlich zu Gesicht kam. Da bot sich ihm ein herrlicher Anblick, jedoch schöner als seine eigene Frau war sie nicht. Nein, die Sucht nach Abwechslung ist's, was uns die seelischen Nöte bereitet. 'Ain-ahlih gab es nicht auf, immer wieder zum Hause der Saijidat-adh-dhahab zurückzukehren, bis es ihr Mann merkte. Dieser war ein Rohling, Grobian und kühner Draufgänger namens adh-Dhi'b (»Wolf«). Er lauerte nun 'Ain-ahlih auf, bis er wieder einmal bei ihm vorbeikam. Als er ihn gewahrte, stürzte er sich auf ihn, tötete sein Pferd, riß ihm die Kleider in Fetzen und rief seine Freunde zu Hilfe wider ihn herbei. Sie schleppten ihn in Dhi'bs Haus hinein, banden ihn an einer im Hause befindlichen Säule fest, und Dhi'b bestellte zu seiner Wärterin ein altes, einäugiges, häßliches Weib, dem eine Hand abgehackt und dessen Gesicht verstümmelt war. Als es dunkel wurde, zündete die Alte in seiner Nähe ein Feuer an und begann, sich daran zu wärmen. 'Ain-ahlih aber dachte daran, wie gesund und munter, sorglos und angesehen er bisher gelebt hatte, und er weinte bitterlich. Da wandte sich die Alte ihm zu und fragte: ›Welche Schuld hat dir dies eingebracht?‹ – ›Ich bin mir keiner Schuld bewußt‹, erwiderte 'Ain-ahlih. Die Alte sprach: ›Dies hat auch das Pferd zu dem Schwein gesagt und hat dabei gelogen.‹ – ›Inwiefern hat denn das Pferd das Schwein belogen?‹ fragte ʿAin-ahlih, und die Alte fuhr fort:

›Ein kühner Recke – so wird erzählt – besaß einmal ein Pferd, das er über alle Maßen freundlich und liebevoll behandelte. Wenn er etwas Ernstes unternehmen wollte, schirrte er es, und nicht einmal eine kleine Weile konnte er es ohne sein Pferd aushalten. Tag für Tag zog es mit ihm zur Stadt hinaus. Dann nahm er ihm Zaum und Sattel ab und lockerte seinen Zügel, so daß es sich herumwälzen und überall auf saftiger Wiese weiden konnte, bis der Tag sich seinem Höhepunkt näherte und er es an der Hand heimführte. Eines Tages ritt er auf dem Pferd zur Wiese hinaus und stieg dort ab. Kaum stand er mit den Füßen auf der Erde, da ergriff das Pferd die Flucht, ging durch und rannte mit Sattel und Zaum davon. Den ganzen Tag über versuchte der Reiter, es wieder einzufangen; doch es gelang ihm nicht, und gegen Sonnenuntergang entschwand es seinen Blicken. Bar aller Hoffnung, das Pferd wiederzufinden, kehrte der Reiter zu den Seinen zurück. Nachdem er die Suche aufgegeben hatte und es dunkle Nacht geworden war, bekam das Pferd Hunger und wollte weiden. Dabei war ihm aber der Zaum hinderlich. Es wollte sich im Grase wälzen; das aber erlaubte der Sattel nicht. Schließlich wollte es sich niederlegen. Nun war es der Steigbügel, der dies unmöglich machte. So verbrachte es eine üble Nacht. Am nächsten Morgen ging es fort, in dem Bestreben, Rettung aus seiner Not zu finden. Als ihm ein Fluß den Weg versperrte, watete es hinein, um ihn zu überqueren. Weil er sehr tief war, mußte es schwimmen. Nun waren aber sein Bauch- und Brustgurt aus schlecht gegerbtem Leder hergestellt. Sie trockneten daher, nachdem es das Wasser wieder verlassen hatte, durch den Sonnenschein aus und verursachten Schmerzen. Die Stellen, wo die beiden Gurte saßen, schwollen an. Seine Bedrängnis wurde schlimm und sein Hunger stark. Darüber verstrichen einige Tage. Inzwischen war seine Schwäche noch größer geworden, und es besaß keine Kraft mehr zum Gehen.

Da kam ein Schwein an ihm vorbei. Erst wollte es das Pferd umbringen. Als es aber sah, daß es sehr schwach war, fragte es das Pferd, was es für eine Bewandtnis mit ihm habe. Dieses erzählte ihm, welche Beschwerden der Zaum und der Brust- und Bauchgurt ihm verursachten, und bat es, sich seiner freundlich anzunehmen und es aus seiner Pein zu befreien. Das Schwein fragte, welche Schuld ihm diese Strafe eingebracht habe. Als das Pferd behauptete, es habe keine Schuld begangen, sagte das Schwein zu ihm: ›Du hast gelogen. Wenn du die Wahrheit sprächest, würde ich dich aus deiner Pein befreien. Wer seine Vergehen nicht erkennt und darin verharrt, kann nicht auf Erlösung hoffen. Erzähle mir, Pferd, von Anfang an, was dir zugestoßen und wie es dir vorher ergangen ist.‹ Da sagte ihm das Pferd die Wahrheit. Es erzählte ihm seine ganze Geschichte, wie es einst in bester Hut bei seinem Reiter gelebt habe, wie es ihm dann entlaufen sei und was ihm bis zur Begegnung mit dem Schwein unterwegs widerfahren war. Das Schwein antwortete: ›Gott verdamme dich! Du hast Wohltaten mit Undank vergolten und viele Missetaten begangen. Dazu gehören die Widersetzlichkeit wider deinen Reiter, der dich über alle Maßen liebevoll betreut und dich stets geschirrt hat, wenn es etwas Ernstes zu unternehmen galt, die Undankbarkeit, mit der du seine Güte vergolten hast, deine schlechte Behandlung von Dingen, die dir nicht gehören, wie Sattel und Zaum, die Selbstschädigung durch deine Hingabe an das Leben in Freiheit, für das du nicht taugst und das du gar nicht aushalten kannst, schließlich das Verharren in deiner Schuld, obwohl es dir möglich gewesen wäre, zu deinem Reiter zurückzukehren, bevor du durch die Schmerzen, die dir Zaum und Hunger, Bauch- und Brustgurt verursachen, hinfällig geworden warst.‹ Da sprach das Pferd zum Schwein: ›Ich sehe meine Schuld ein. Gehe fort und laß mich; denn ich verdiene das Vielfache des Leides, das ich ertragen muß.‹ Jetzt erklärte ihm das Schwein: ›Nachdem du deine Schuld eingesehen, dich selbst bezichtigt und dich trotz der früheren Leugnung zu der Strafe bekannt hast, ist es klar, daß mit deiner Errettung begonnen werden kann.‹ Danach riß es ihm den Zügel an der Backe entzwei, so daß der Zaum zu Boden fiel, und tat das gleiche mit dem Bauchgurt. So schaffte es dem Pferd Erleichterung.‹

Nachdem ʿAin-ahlih die Erzählung der Alten gehört hatte, sprach er zu ihr: ›Es ist wahr, was du gesagt hast. Du hast mir eine Lehre erteilt, und ich habe sie mir zu Herzen genommen.‹ Dann berichtete er ihr sein Erlebnis. Am Ende bat er sie, ihn gnädig zu befreien, wie es ja auch das Schwein mit dem Pferd getan habe. Die Alte erwiderte jedoch: ›Jetzt ist es mir nicht möglich, deine Bitte zu erfüllen, aber vielleicht finde ich in naher Zukunft einen Weg, dich zu erretten und zu befreien. Du wirst dich also gedulden müssen.‹ Danach sagte die Alte nichts mehr zu ihm.«

Nachdem der Wesir seine Geschichte bis hierher erzählt hatte, wandte er sich an den Mitrān und sprach: »Ich fühle Müdigkeit in den Gliedern, und mein Kopf schmerzt mich. Ich kann die Geschichte deshalb heute nacht nicht zu Ende führen. Vielleicht bin ich in der nächsten Nacht frisch genug.« Damit erhob er sich und ging zu seinem Lager.

Jetzt begann Sābūr, über die Geschichte des Wesirs und die Vergleiche, die er seinetwegen angestellt und in seine nächtliche Erzählung eingeflochten hatte, nachzudenken. Da erkannte er, daß der Wesir mit ʻAin-ahlih ihn selbst, mit Saijidat-an-nās sein Land, mit Saijidat-adh-dhahab das Römische Reich und mit adh-Dhi'b, der angeblich der Ehemann der Saijidat-adh-dhahab war, den Kaiser gemeint hatte. Sābūrs Verlangen nach dem Römischen Reich entsprach wohl ʻAin-ahlihs Begierde, Saijidat-adh-dhahab zu schauen, und seine Gefangennahme durch den Kaiser der ʻAin-ahlihs durch adh-Dhi'b. Sich selbst aber, seine Lage und seine Ohnmacht hatte der Wesir gewiß im Bilde der Alten mit der abgehackten Hand geschildert und damit sagen wollen, daß er ihn im Augenblick nicht befreien könne, ebenso wie die Alte dies ʻAin-ahlih erklärt hatte, daß er jedoch mit der Arbeit daran begonnen habe. Da roch Sābūr den Wohlgeruch der Erlösung. Sein Gemüt beruhigte sich, und er vertraute auf seinen Wesir.

Nachdem der Mitrān am nächsten Abend gespeist und sich zu nächtlicher Plauderei niedergelassen hatte, bat er den Wesir: »Erzähle mir, weiser Mönch, was sich weiter mit ʻAin-ahlih zugetragen und ob ihn die Alte aus der Gefangenschaft Dhi'bs befreit hat oder nicht.« – »Deinem Wunsche will ich gern Folge leisten«, antwortete der Wesir, hub mit seiner Erzählung an und sprach:

»Lange Zeit mußte ʻAin-ahlih in seiner Lage verharren, indes adh-Dhi'b täglich bei ihm erschien, ihn mit dem Tod bedrohte und seine Fesseln verstärkte. Danach kam die Alte eines Nachts wieder einmal zu ihm, steckte sich in seiner Nähe ein Feuer an und nahm Platz, um sich zu wärmen. Nach einer Weile wandte sie sich 'Ain-ahlih zu und sagte zu ihm: ›Unterstütze mich in meinen Bemühungen, dich zu befreien, indem du die Geduld nicht verlierst.‹ 'Ain-ahlih erwiderte: ›Wer in Freiheit lebt, betrachtet die Leiden des Gefangenen als geringfügig.‹ Da sprach sie: ›Du bist noch jung, zu jung, um die Tatsachen voll zu erfassen. Willst du eine Geschichte hören, die dir Trost spenden könnte?‹ Als er es bejahte, hub die Alte an:

›Es war einmal ein Kaufmann – so wird erzählt – der hatte einen Sohn, den er zärtlich liebte. Eines Tages schenkte ihm einer seiner Bekannten ein Gazellchen. Der Knabe hing sein Herz an das kleine Tier und mochte sich nicht mehr von ihm trennen. Sie banden ihm wertvollen Schmuck um den Hals, und es zu nähren, legten sie ein Mutterschaf an den Strick. Als das Gazellchen kräftiger wurde und ihm die Hörner zu wachsen begannen, freute sich der Knabe über ihren schwarzen Glanz. Er fragte die Seinen: ›Was ist dies, was sich am Kopf des Gazellchens zeigt?‹ Sie sagten ihm, dies seien seine Hörner und sie würden später groß und lang. Da bat der Knabe seinen Vater: ›Ich möchte einmal eine große Gazelle mit richtigen Hörnern sehen.‹ Der Vater befahl einem Jäger, eine solche für ihn einzufangen. Als er ihm eine Gazelle brachte, die ihre Vollkraft erreicht hatte und ausgewachsen war, freute sich der Knabe und schmückte auch ihren Hals. Infolge der angeborenen Artverwandtschaft befreundete sich die große Gazelle mit der kleinen. Eines Tages sagte die kleine zu der großen: ›Ich bin nie auf den Gedanken gekommen, daß es noch andere Wesen wie mich auf Erden geben könnte, bevor ich dich gesehen habe.‹ Die große erwiderte: ›Wesen deinesgleichen gibt es viele.‹ Auf die Frage, wo sie sich befänden, berichtete sie ihr weiter, daß sie auf Erden in den Wüsten frei und ohne Menschen lebten und sich vermehrten. Dies machte der kleinen Spaß, und sie verlangte danach, ihre Artgenossen zu sehen. Die große warnte sie jedoch: ›Das ist ein Wunsch, der zu nichts Gutem für dich führt, weil du in üppigen Verhältnissen aufgewachsen bist. Du würdest es bereuen, wenn er dir erfüllt würde.‹ Das Gazellchen bestand jedoch darauf: ›Ich muß unbedingt zu meinen Artgenossen.‹ Als die große Gazelle sah, daß die kleine ihren Wunsch nicht aufgab, erschien es ihr des guten Einvernehmens wegen unausweichlich, ihn ihr zu erfüllen. So warteten sie einen günstigen Augenblick ab und liefen dann zusammen fort, bis sie die Wüste erreichten. Als das Gazellchen mit seinen Augen die Wüste gewahrte, wurde es lustig und ausgelassen, und es rannte von dannen, ohne hinter sich zu schauen. Auf einmal stürzte es in eine enge, von einem Sturzbach aufgerissene Spalte. Nun wartete es auf die große Gazelle, daß sie zu seiner Befreiung komme. Allein die große erschien nicht.

Der Sohn des Kaufmanns war derweilen untröstlich über den Verlust des kleinen Tieres wie auch der großen Gazelle. Sein Vater empfand Mitleid mit ihm. Er rief deshalb alle Männer zu sich, die dem Waidwerk oblagen. Nachdem er sie über das Ereignis unterrichtet hatte, beauftragte er sie, nach den beiden Tieren zu suchen, und versprach ihnen eine Belohnung. Dann stieg er gleichzeitig mit ihnen zu Pferde, verteilte seine Diener auf die Tore der Stadt, wo sie auf die heimkehrenden Jäger warten sollten, und ritt in Begleitung seiner Knechte fort. Nachdem sie die Wüste erreicht hatten, erblickten sie in der Ferne einen Mann, der sich über etwas beugte, was er vor sich hatte. Auf ihn zueilend, erkannten sie in ihm einen Jäger, der eine große Gazelle gefesselt hatte und im Begriff stand, sie zu schlachten. Als der Kaufmann sie näher betrachtete, stellte er zu seiner Überraschung fest, daß es die große Gazelle seines Sohnes war. Er rettete sie vor dem Jäger, und als die Knechte sie auf seinen Befehl untersuchten, entdeckten sie an ihr den Schmuck, den die Gazelle getragen hatte. Der Kaufmann fragte den Mann, wie er das Tier gefangen und wo er es gefunden habe. Da sprach er: ›Ich war die Nacht über in dieser Wüste, habe Schlingen gelegt und bin in der Nähe geblieben. Am Morgen kam die Gazelle an mir vorbei. Sie hatte ein Junges bei sich, das dort, wo keine Schlingen lagen, lief und tollte, während diese hier gemessen einherschritt, bis sie in eine von ihnen geriet. Ich habe sie gefangen und mich mit ihr auf den Weg in die Stadt gemacht. Als ich bis hierher gekommen war, wurde mir klar, daß es falsch von mir wäre, sie lebendig in die

Stadt zu bringen, weil ich wußte, daß ich ihren Schmuck abgeben müßte, wenn man sie lebendig sähe. Deshalb schien es mir gut, sie zu schlachten und sie als Wildbret mitzubringen. Das ist mein Erlebnis.‹ Der Kaufmann erwiderte: ›Deine Habgier hat dir nun Enttäuschung bereitet. Was hätte es dir schon ausgemacht, wenn du sie freigelassen und ihr nur den Schmuck abgenommen hättest?‹ Nachdem der Kaufmann einen von seinen Knechten mit der Gazelle zu seinem Sohn geschickt hatte, befahl er dem Jäger: ›Kehre mit mir um und zeige mir, in welcher Richtung du das Jungtier hast laufen sehen.‹ So ging der Kaufmann mit ihm zu der Stelle zurück. Da vernahm er auf einmal die Stimme des Tierchens in der Nähe. Als er ihm etwas zurief, erkannte es seine Stimme. Es gab ihm Antwort, und der Kaufmann hörte es schreien. Am Ende fand er den Weg zu ihm. Siehe, da lag es in jener Spalte. Nachdem die Leute es herausgeholt hatten, beschenkte der Kaufmann den Jäger zu seiner Zufriedenheit und schickte ihn fort. Er selbst kehrte mit dem Tierchen zu seinem Sohn zurück. Da war die Freude des Knaben vollkommen. Das kleine Gazellchen begann aber nun, der großen aus dem Wege zu gehen, wenn es sie sah, und sie abweisend zu behandeln. Dadurch wurde die Freude des Knaben getrübt. Die Seinen bemühten sich deshalb mit allen Mitteln, die beiden Tiere wieder zusammenzubringen, doch sie vermochten es nicht. Als das Jungtier eines Tages auf seinem Lager schlief, kam die große Gazelle zu ihm herein, weckte es und machte ihm Vorwürfe, weil es sie mied. Das Jungtier erwiderte: ›Bist nicht du es, der untreu gewesen ist, weil du gewußt hast, daß ich in der Ferne deine Hilfe brauchte?‹ Die große Gazelle antwortete: ›Bei Gott, nur dadurch, daß ich mich in den Schlingen des Jägers verfangen habe, bin ich daran gehindert worden.‹ Und sie erzählte ihm die ganze Geschichte. Das Jungtier aber nahm die Entschuldigung an, und sie wurden wieder Freunde wie zuvor.‹

Nachdem ʻAin-ahlih die Erzählung der Alten gehört und verstanden hatte, daß sie ihm damit hatte sagen wollen, daß sie zu schwach sei, ihn zu befreien, unterließ er es, sie noch einmal darauf anzusprechen.«

An dieser Stelle brach der Wesir Sābūrs seine Erzählung ab.

Da fragte der Mitrān: »Was bedeutet dieses Schweigen, weiser Mönch?« Der Wesir antwortete: »Die Müdigkeit, die ich manchmal in meinen Gliedern spüre, ist wieder da.« Der Mitrān bat jedoch: »Laß dein Schweigen; denn es wäre für mich ein harter Schlag.« Da sprach der Wesir: »Gut, ich will es dir zu Gefallen tun.« Also setzte er seine Erzählung fort:

»Nachdem 'Ain-ahlih jene Nacht in bitterster Drangsal verbracht hatte, trat adh-Dhi'b am Morgen bei ihm ein, tat ihm allerlei Unbill an und bedrohte ihn mit dem Tode. Als er dann wieder ging, stimmte ihn dies für den Rest des Tages hoffnungsvoll und ließ ihn doch noch mit seiner Befreiung rechnen. Erst beim Einbruch der Nacht kam Unruhe über ihn, und er wartete darauf, daß sich die Alte zu ihm setzen und ihm etwas erzählen möchte. Weil sie jedoch keine Anstalten dazu machte, gewann er die Überzeugung, daß man ihn in dieser Nacht umbringen werde, und begann zu weinen. Nachdem ein großer Teil der Nacht vergangen war, fragte er die Alte: ›Warum bleibt mir heute nacht die Freude deiner Unterhaltung versagt?‹ Sie antwortete: ›Es hat mich sehr verletzt, daß du zu mir gesagt hast: ›Wer in der Freiheit lebt, betrachtet die Leiden des Gefangenen als geringfügig.‹ Wenn du einmal darüber nachdächtest, wie es in Wirklichkeit um mich bestellt ist, würdest du erkennen, daß meine Gefangenschaft härter als die deine ist. Höre mir zu, so will ich dir erzählen.

Du mußt wissen, junger Mann, daß ich die Frau eines Ritters gewesen bin, der mich lieb hatte. Ich führte mit ihm das glücklichste Leben und gebar ihm viele Kinder. Eines Tages geriet der König in Zorn wider meinen Mann, weil irgend etwas mit ihm geschehen war. Er ließ ihn und meine Söhne töten, während er mich und meine Töchter als Sklavinnen verkaufte. Der Ritter hier, der dich so feindselig behandelt, erwarb mich und brachte mich in diese Stadt. Er war böse zu mir und übertrug mir Aufgaben, denen ich nicht gewachsen bin. Nachdem ich sieben Jahre bei ihm in dieser Weise verbracht hatte, entfloh ich ihm, doch er wurde meiner wieder habhaft, ließ mir die Hand abhacken und behandelte mich aufs neue hart und ungerecht. Ich habe nun den Plan gefaßt, dich heute nacht zu befreien, obwohl ich keinen Zweifel daran hege, daß er mich töten wird. Ich bin fest dazu entschlossen, weil ich von diesem Leben erlöst werden möchte. Dies ist der Grund meines ständigen Kommens und Gehens; denn ich bin völlig kopflos vor lauter Angst und Kummer.‹

Danach öffnete sie ʿAin-ahlihs Schellen, schnitt seine Fesseln durch und griff nach einem Messer, um sich selbst zu töten. ʿAin-ahlih aber sprach zu ihr: ›Wenn ich schon dulde, daß du dir das Leben nimmst, so soll mein Blut mit dem deinen fließen.‹ Dann riß er ihr das Messer aus der Hand und sagte: ›Komm, gehe mit mir fort, auf daß wir uns gemeinsam retten oder gemeinsam umkommen.‹ Sie wandte ein: ›Mein hohes Alter und meine schwachen Augen machen es mir unmöglich, dir zu folgen.‹ ʿAin-ahlih meinte jedoch: ›Die Nacht dauert noch lange, und mein Wohnort ist nicht weit. Im übrigen bin ich stark genug, dich zu tragen.‹ Die Alte erwiderte: ›Nachdem du die Absicht hast, mich zu tragen, – ich werde es für *meinen* Teil gewiß nicht nötig machen, daß du *mich* trägst!‹ Dann gingen sie zusammen hinaus, und ehe die Nacht zu Ende war, brachten sie sich in Sicherheit. ʿAin-ahlih lohnte ihr mit Gutem, was sie an ihm getan hatte, und er nahm sie sich als Mutter. Dies ist die Geschichte, wie ich sie gehört habe.«

Da sprach der Mitrān: »Wie wunderbar sind deine Märchen, du Weiser! Am liebsten würde ich mich nie mehr von dir trennen.« Dann erhoben sie sich beide und gingen zu ihrem Lager.

Sābūr aber verbrachte die Nacht damit, über die Geschichte des Wesirs nachzudenken und Betrachtungen über ihre Vergleiche anzustellen. Da erkannte er, daß die kleine Gazelle Sābūr, die große dagegen dem Wesir entsprach. Der Gang des Jungtiers mit der großen in die Wüste und sein Sturz in die Spalte bedeutete sicher die Freundschaft Sābūrs mit seinem Wesir bis zu seiner Gefangennahme durch den Kaiser. Mit der Abkehr des Jungtiers von der großen konnte nichts anderes gemeint sein als Sābūrs Verdächtigung seines Wesirs, weil er mit seiner Errettung scheinbar zauderte. Ferner wurde ihm klar, daß der Wesir sich nunmehr entschlossen habe, ihn zu befreien und mit ihm bei Nacht in die Stadt zu entfliehen, sowie, daß die Stadt in der Nähe sei und er ihn tragen werde, falls er zu schwach zum Gehen sei. So erhielt Sābūr die Gewißheit, daß seine Rettung bevorstand.

In der folgenden Nacht gelang es Sābūrs Wesir, sich auf geschickte Weise Eintritt in das Zelt zu verschaffen, in dem die Speisen für den Mitrān gekocht wurden und die Aufseher über Sābūrs Zelt in Erwartung ihres Essens schliefen. Durch List brachte er es fertig, ein starkes Schlafmittel in die Speisen zu werfen. Als dann dem Mitrān das Essen aufgetragen wurde, aß der Wesir wie üblich für sich allein von seinem Reisevorrat. Es dauerte nur eine Weile, bis die Leute alle zu Boden sanken. Jetzt öffnete der Wesir schleunigst die Tür des Stieres, holte seinen Herrn heraus und nahm ihm den Ring von Hals und Händen. Auf listige Weise führte er ihn aus dem Lager des Kaisers hinaus und machte sich mit ihm auf den Weg in die Stadt. Als sie zusammen die Mauer erreichten, schrieen die Wächter sie an. Da trat der Wesir auf sie zu, befahl ihnen, leise zu sprechen, und teilte ihnen mit, daß der König wohlauf sei. Nachdem er sich ihnen zu erkennen gegeben hatte, eilten die Wächter zu den beiden hin und führten sie in die Stadt hinein. Jetzt gewannen die Einwohner neuen Mut. Sābūr ließ sie zusammenkommen, verteilte Waffen unter sie und befahl ihnen, sich zum Kampf zu rüsten und, wenn die Glocken der Christen zum ersten Mal läuteten, aus der Stadt auszurücken und sich auf das Lager der Römer zu verteilen. Wenn dann die Glocken zum zweiten Mal läuteten, sollten sie alle zusammen angreifen. Die Einwohner taten, wie er sie geheißen hatte. Nachdem Sābūr einen großen Sturmtrupp mit seinen kühnsten Reitern ausgewählt hatte, stellte er sich mit ihnen in der Nähe der kaiserlichen Zelte auf. Als die Glocken zum zweiten Mal läuteten, griffen sie von allen Seiten an. Sābūr selbst stürmte auf die kaiserlichen Zelte zu. Die Römer aber waren unvorbereitet, da sie die feste Meinung hatten, die Perser seien unfähig, ihnen entgegenzutreten, und sie hätten sich hinter den Stadttoren verschanzt. So merkten sie nichts, bis die Perser über sie kamen. Sābūr nahm den Kaiser gefangen, erbeutete alles, was in seinem Lager war, und bemächtigte sich seines gesamten Schatzes. Von seinen Kriegern konnten sich nur wenige retten. Nachdem Sābūr in seine Stadt und in sein Königsschloß zurückgekehrt war, verteilte er die Beute unter die Soldaten, bedachte die Hüter seines Reiches mit Hulderweisen und übertrug dem Wesir alle Vollmachten.

Danach ließ er den Kaiser kommen. Er behandelte ihn freundlich und ehrenvoll und sprach zu ihm: »Ich schenke dir dein Leben, wie du mir das meine geschenkt hast, und vergelte dir die Drangsal nicht, die du mir bereitet hast. Ich verpflichte dich jedoch, alles, was du in meinem Reiche zerstört hast, wiederherzustellen. Du wirst wiederaufbauen, was du niedergerissen, und alle Bäume neupflanzen, die du gerodet hast. Auch wirst du alle gefangenen Perser freilassen.« Dies alles sicherte ihm jener zu und führte es getreulich aus. Als Sābūr sah, daß er alle Wünsche erfüllt hatte, behandelte er den Kaiser huldvoll, schenkte ihm die Freiheit und schickte ihn wohlversorgt heim in seinen Palast. Der Kaiser aber griff in Zukunft nicht mehr zu den Waffen und blieb für immer ein getreuer Vasall.

12. Die Entdeckung des Basilienkrautes

Das persische Basilienkraut, so wird erzählt, hat es vor Kisrā nicht gegeben. Es ist zu seiner Zeit entdeckt worden, und dies geschah so:

Als Kisrā eines Tages an einem seiner Lustorte weilte, kam plötzlich eine Schlange zu ihm angekrochen. Sie lief vor ihm hin und her, wand sich und wurde von einer Unruhe ergriffen wie einer, der Klage führt. Als einige von den Wachleuten sie töten wollten, verbot der König es ihnen. Dann befahl er: »Gebt acht, was sie tut.« Als die Schlange diese Worte gehört hatte, lief sie wieder vor ihm umher. Er aber befahl den Leuten, ihr zu der Stelle zu folgen, zu der sie kriechen werde. Bei einem Brunnenschacht angekommen, begann sie hineinzuschauen. Als nun auch die Leute hineinschauten, gewahrten sie zu ihrer Überraschung in dem Schacht eine große Schlange mit einem schwarzen Skorpion auf dem Rücken. Nachdem einer von ihnen den Skorpion mit einer Lanze gestochen und getötet hatte, ließen sie ihn liegen, kehrten um und berichteten dies dem König. Am nächsten Tag kam die Schlange wieder zum König. Sie hatte Samenkörner im Maul. Diese streute sie vor ihm aus und verschwand wieder. Da sagte der König: »Sie hat sich bestimmt uns gegenüber erkenntlich zeigen wollen. Säet die Körner aus, auf daß wir sehen, was daraus wird.« Dies taten sie, und es erwuchs daraus das Basilienkraut. Nachdem sich das Kraut voll entwickelt hatte, brachten sie es dem König. Da er gerade Schnupfen hatte, roch er daran, und da genas er.

13. Anūscharwān und der Höfling

Es wird erzählt, Anūscharwān habe einmal gegen einen seiner Höflinge den Verdacht gehegt, ihn mit einer seiner Haremsdamen hintergangen zu haben. Da wußte er nicht, wie er ihn umbringen konnte. Ihm fiel nämlich weder ein klarer Tatbestand ein, auf den der Richter ein Todesurteil hätte gründen können, noch konnte er seine Schuld untersuchen, weil dies für den König und das Reich peinlich gewesen wäre. Ebensowenig fand er für sich eine Entschuldigung in dem Fall, daß er ihn meuchlings ermorden ließe, weil dies nach den Satzungen ihres Glaubens und dem Herkommen ihrer Ahnen nicht erlaubt war. So bestellte er den Mann ein Jahr nach Begehung seines Verbrechens in ein Gemach, wo sie allein waren, und sprach zu ihm: »Mich bekümmert seit geraumer Zeit eine Geheimsache des byzantinischen Kaisers, die ich gern wissen möchte. Ich finde nun, daß ich mich auf keinen so verlassen kann wie auf dich, weil du in meinem Herzen einen einzigartigen Platz einnimmst. So bin ich auf den Gedanken gekommen, du könntest dich mit Waren von mir auf den Weg dorthin machen, um Handel zu treiben. Du würdest in das Land der Byzantiner gehen und dort bleiben. Wenn du die mitgenommenen Waren verkauft hättest, würdest du Handelsgüter, die sich in ihrem Lande finden, aufladen und wieder zu mir kommen. In der Zwischenzeit würdest du lauschen, was bei ihnen erzählt wird, und die Tatsachen und Geheimnisse von ihnen, die ich gern wissen möchte, auskundschaften.« Er antwortete: »Dies will ich tun, o König, und ich hoffe, mir dabei die Wertschätzung und das Wohlgefallen des Königs zu erwerben.« Nachdem der König ihm einen Geldbetrag hatte zahlen lassen, stattete sich der Mann aus und zog mit seinen Waren von dannen. Er blieb im

Lande der Byzantiner und trieb Handel. Ihre Sprache und Redeweise verstand er so gut, daß er in ihre Unterhaltungen und in einige Geheimnisse ihres Kaisers eindringen konnte. Mit diesem Ergebnis kehrte er zu Anūscharwān zurück, der ihn freigebig beschenkte und ihm noch mehr Wohltaten erwies als zuvor. Dann schickte er ihn aufs neue in das Land der Byzantiner und befahl ihm, dort zu bleiben und auf günstige Handelsgelegenheiten zu warten. Dies tat er, so daß er am Ende bekannt wurde und man allerorts von ihm sprach. An alldem änderte sich sechs Jahre lang nichts.

Nachdem das siebente Jahr angebrochen war, gab der König den Auftrag, auf einem seiner Trinkbecher sein Bild und auf der anderen Seite das jenes Mannes einzuritzen. Dabei sollte dieser in der Weise dargestellt werden, daß er zu Anūscharwān sprach, ihm mit einer Geste einen Rat erteilte und seinen Kopf in dem Bilde dem König näherte, als ob er ihm ein Geheimnis mitteilte. Diesen Becher schenkte er einem seiner Diener und sprach: »Die Könige wünschen sich solche Becher. Wenn du ihn verkaufen willst, so gib ihn dem Soundso, wenn er wieder mit seinen Waren in das Land der Byzantiner aufbricht, und sage ihm, er solle ihn selbst dem Kaiser verkaufen; denn dies wird einträglich für ihn sein. Wenn es ihm aber nicht möglich ist, ihn dem Kaiser zu verkaufen, dann soll er ihn an seinen Wesir oder an irgendeinen von seinen Höflingen verkaufen.« Als der Mann seinen Fuß bereits in den Steigbügel gesetzt hatte, kam der Diener des Königs mit dem Becher herbei und bat ihn, er möchte seinen Becher an den Kaiser verkaufen und ihm auf diese Weise einen Gefallen tun. Weil der König jenen Diener hochschätzte und er zu den Spitzen seiner Dienerschaft gehörte und des Königs Mundschenk war, willfahrte er seinem Wunsche und ließ den Becher dem Hüter seiner Reisetruhe übergeben. Diesem befahl er: »Verwahre ihn, und wenn ich an den Hof des Kaisers gehe, dann soll er bei den Dingen sein, die ich ihm anbieten will.«

Als er schließlich an den Hof des Kaisers kam, übergab ihm der Hüter der Truhe den Becher, und mit dem, was der Mann dem Kaiser anbot, bot er ihm auch den Becher an. Er sah sich das Bild Anūscharwāns auf ihm an, ferner das Bild des Mannes, und wie sein Körper Teil für Teil und Glied für Glied gestaltet war. Danach sprach er zu dem Mann: »Sage mir doch, ob es üblich ist, den König zusammen mit einem gewöhnlichen Manne darzustellen.« Als jener dies verneinte, fuhr er fort: »Ist es üblich, das Gefäß des Königs mit einem Bilde zu versehen, das keinen tieferen Sinn und keine Ursache hat?« Auch dies mußte jener verneinen. So fuhr er abermals fort: »Gibt es im Schloß des Königs zwei Menschen, die sich äußerlich so völlig gleichen, daß der eine genauso aussieht wie der andere, und die beide Höflinge des Königs sind?« – »Einen solchen kenne ich nicht«, erwiderte er. Da befahl der Kaiser ihm, sich aufrecht hinzustellen. Dies tat er, und nun sah der Kaiser deutlich, daß das Bild am Becher sein Bild war. Dann befahl er ihm: »Kehre dich um.« Nachdem er sich umgekehrt hatte, betrachtete der Kaiser wieder sein Bild am Becher und stellte fest, daß beide Gestalten sich aufs Haar glichen. Jetzt mußte er lachen, während der Mann aus Achtung und Ehrerbietung vor ihm nicht nach dem Grund seines Lachens zu fragen wagte. Der byzantinische Kaiser sagte sich: »Das Schaf war klüger als der Mensch, weil es sein Messer zu verstecken und vergraben pflegte. Du hast uns dagegen dein Messer eigenhändig überreicht.« Und zu dem Manne gewandt, sprach er: »Hast du schon gefrühstückt?« Auf sein Nein befahl er: »Bringet ihm zu essen.« Jener wandte ein: »Ich bin ein Knecht, o Kaiser, und der Knecht sollte nicht in Gegenwart des Kaisers essen.« Der Kaiser erwiderte: »Du bist ein Knecht, solange du beim byzantinischen Kaiser weilst, um seine Angelegenheiten zu erkunden und seine Geheimnisse auszuspähen, jedoch ein König, wenn du nach Persien kommst, und dazu der Tischgenosse des persischen Großkönigs. Gebt ihm zu essen.« Da reichten sie ihm Speisen und gaben ihm Wein zu trinken. Als er schließlich betrunken war, sagte der Kaiser: »Es ist hierzulande bei den Fürsten üblich, einen Kundschafter nur an dem höchstmöglichen Ort und weder hungrig noch durstig hinzurichten.« Darauf wurde er seinem Befehl gemäß auf ein Dach gebracht, von dem man auf alle Einwohner der Stadt hinunterschauen konnte, wenn man hinaufstieg. Dort wurde er enthauptet. Seine Leiche wurde von dem Dach hinuntergeworfen, sein Kopf aber den Leuten zur Schau gestellt.

Als der persische Großkönig dies erfuhr, befahl er dem Wachhauptmann, die goldenen Glocken schlagen und im Vorbeigang an den Häusern der Frauen und Mädchen des Königs ausrufen zu lassen: »Jedes Lebewesen bekommt den Tod zu kosten, wenn es die Todesstrafe verdient, und es wird auf der Erde hingerichtet. Wer sich aber am Harem des Königs vergreift, der wird im Himmel hingerichtet.« Keiner von den Würdenträgern verstand, was er damit sagen wollte, bis der König starb.

14. Der König und der Wanderer

Irgendwo in Indien lebte einmal ein tugendhafter König. Er pflegte nichts Auge in Auge anzunehmen oder zu geben, sondern legte seine Hand auf den Rücken, um in dieser Haltung mit ihr zu nehmen und zu geben. Man tat dies aus Achtung vor dem König, und es war dort Brauch durch Geschlechter hindurch. Als der König starb, erhob sich ein Mann, der nicht zu den Würdenträgern des Reiches gehörte, und riß die Herrschaft an sich. Ein Sohn des früheren Königs, der sich sehr zur Herrschaft geeignet hätte, ergriff die Flucht, weil er Böses für sich von dem Thronräuber befürchtete. Nun ist es bei den indischen Königen Brauch, daß der König, wenn er, gleich zu welchem Zweck, seinen Thronsaal verläßt, dies nur in einem Wams tut, das mit lauter wertvollen und kostbaren Edelsteinen und Juwelen besetzt ist, die über die Seide des Wamses verteilt sind. Soviele Edelsteine befinden sich an ihm, daß er gegebenenfalls mit ihrer Hilfe seine Herrschaft wiedererlangen könnte, wenn er es wollte. Sie sagen sich, wer ohne ihn seinen Thron verlasse, werde nie wieder zur Herrschaft gelangen, wenn ein Unglück über ihn hereinbreche, dies geschehe vielmehr nur dann, wenn er durch Flucht in dem Wams die Möglichkeit besitze, den Thron zurückzuerobern. Als daher jenes Unglück über den König hereinbrach, nahm sein Sohn sein Wams und ergriff in ihm die Flucht.

Drei Tage lang zog er des Weges, ohne daß ich – er erzählt nun selber – etwas aß. Ich hatte ja auch weder Silber noch Gold, von dem ich mir etwas Eßbares hätte kaufen können. Anderseits war ich nicht in der Lage zu offenbaren, was ich besaß. Ich verschmähte es aber, um Nahrung zu bitten. Als ich mich nun an einer Wegkreuzung niedergelassen hatte, näherte sich mir auf einmal ein Inder mit einer Last auf der Schulter. Nachdem er sie abgesetzt und mir gegenüber Platz genommen hatte, fragte ich ihn nach seinem Ziel. Als er mir ein bestimmtes Dorf nannte, sagte ich, daß auch ich zu diesem Dorf unterwegs sei. Er meinte: »Dann können wir ja gemeinsame Sache machen.« Ich bejahte dies und schloß mich ihm an in der Hoffnung, er werde mir von seinem Mundvorrat etwas anbieten. Er legte also seine Last ab und speiste, während ich ihm zusah, ohne daß er mir etwas von seinem Mundvorrat anbot, aber auch ohne daß ich es über mich gebracht hätte, ihn von mir aus um etwas zu bitten. Nachdem er seine Mahlzeit beendet hatte, setzte er seinen Weg fort. Ich wanderte mit ihm und verbrachte auch die Nacht mit ihm in der Hoffnung, unsere Gemeinschaft werde ihn doch noch dazu bewegen, mir etwas anzubieten. Er verhielt sich aber bei Nacht nicht anders als am Tage. Am nächsten Morgen setzten wir unsere Wanderung fort. Vier Tage lang behandelte er mich in der gleichen Weise. Schließlich wurden es sieben Tage, an denen ich nichts zu mir genommen hatte.

Am Morgen des achten Tages war ich so schwach und elend, daß ich nicht mehr weiter wandern konnte. Ich bog daher vom Wege ab und trennte mich von dem Manne. Als ich nun einige Leute erblickte, die mit einem Bau beschäftigt waren, sowie einen Mann, der sie beaufsichtigte, bat ich diesen: »Nimm mich wie die anderen hier als Arbeiter an gegen einen Lohn, den du mir abends auszahlst.« Der Aufseher sagte: »Ja, reiche ihnen den Lehm an.« Ich bat ihn: »Gib mir doch einen Tageslohn im voraus.« Dies tat er. Nachdem ich mir dafür etwas gekauft und es gegessen hatte, schickte ich mich an, ihnen den Lehm zu reichen. Weil es nun einmal Gewohnheit des Königs ist, streckte ich dabei meine Hand nach hinten aus und reichte ihnen den Lehm auf diese Weise. Als mir aber einfiel, daß dies ein Fehler sei, der mich das Leben kosten könnte, beeilte ich mich, ihn wieder gutzumachen, und zog meine Hand schleunigst zurück, ehe sie mein Verhalten bemerkten. Eine Frau, die gerade dort stand, beobachtete mich jedoch und teilte ihrer Herrin, die gleichzeitig die Bauherrin war, mit, was ich getan hatte. Diese sprach: »Er ist zweifellos ein Königssohn.« Dann befahl sie dem Aufseher, er solle mich davon abhalten, mit den Arbeitern fortzugehen. So hielt er mich zurück, während die Arbeiter fortgingen. Nun brachte sie mir Öl und Wurzeln zum Waschen her. – Dies ist dort eine erste Ehrung und ein Brauch gegenüber den Würdenträgern. – Nachdem ich mich damit gewaschen hatte, brachte man mir Reis und Fische, worauf ich aß. Nun fragte mich die Frau, ob ich sie nicht heiraten wolle. Ich gab ihr mein Jawort, schloß den Bund mit ihr und ging noch in der gleichen Nacht zu ihr ein. Vier Jahre lang lebte ich mit ihr zusammen, bemüht um meine und ihre Dinge, und sie war mit Glücksgütern gesegnet.

Als ich eines Tages an der Tür ihres Hauses saß, gewahrte ich auf einmal einen Mann aus meiner Vaterstadt. Ich rief ihn zu mir heran, und er kam. Dann fragte ich ihn: »Woher stammst du?« – »Aus der und der Stadt«, gab er zur Antwort und nannte dabei meine Vaterstadt. Weiter fragte ich ihn: »Was tust du hier?« Er erwiderte: »Wir hatten einen tugendhaften König. Als er starb, riß ein Mann die Herrschaft an sich, der nicht zum Königshause gehörte, obwohl der frühere König einen Sohn hatte, der sich sehr zur Herrschaft geeignet hätte. Da dieser für sich fürchtete, floh er. Nachdem der Thronräuber zehn von seinen Untertanen Gewalt angetan hatte, haben wir uns wider ihn erhoben und ihn umgebracht. Dann haben wir uns im Lande verstreut, um den Sohn des einst verstorbenen Königs zu suchen und ihn auf den Thron seines Vaters zu setzen. Allein wir haben nichts von ihm in Erfahrung bringen können.« Ich fragte: »Kennst du ihn denn?« Als er es verneinte, erklärte ich ihm: »Ich bin es, den ihr sucht«, und ich tat ihm meine Kennzeichen kund. Da erkannte er, daß ich ihm die Wahrheit gesagt hatte, und brachte mir seine Ergebenheit sehr untertänig zum Ausdruck. Ich bat ihn: »Lasse dir nichts von unserer Sache anmerken, bis wir beiseite gehen.« Dies sagte er mir zu und tat es auch. Nun ging ich zu meiner Frau hinein und teilte ihr das Ereignis mit. Nachdem ich ihr mein ganzes Schicksal erzählt hatte, überreichte ich ihr das Wams mit den Worten: »Es ist so und so viel wert, und es hat mit ihm die und die Bewandtnis. Ich werde jetzt mit dem Mann fortgehen. Wenn seine Worte wahr sind, so sollst du dies daran erkennen, daß mein Bote zu dir kommt und dich über den Gang der Ereignisse unterrichtet. Handelt es sich jedoch um eine Falle, so ist das Wams dein.« (Ein anderer erzählt:) Darauf ging er mit dem Manne fort. Die Angelegenheit erwies sich aber als wahr; denn als er sich seiner Vaterstadt näherte, kamen ihm die Leute in untertänigster Haltung entgegen und setzten ihn in die Herrschaft ein. Dann schickte er einen Boten zu seiner Frau, der sie mitnahm, und sie kam zu ihm.

Als sie wieder beisammen waren und für ihn alles wieder gut war, ließ er sich ein großes Gästehaus bauen und befahl, daß keiner seinen Herrschaftsbereich kreuzen dürfe, ohne daß er dorthin geführt, drei Tage dort bewirtet und für drei weitere Tage mit Wegzehrung versorgt werde. Er machte dies zu einem festen Brauch mit Rücksicht auf den Mann, der ihn einst auf seiner Reise begleitet hatte, und in der Erwartung, daß er ihm einmal in die Hände fallen werde. Nachdem ein Jahr vergangen war, begann er, sich die Leute vorführen zu lassen. Dies tat er täglich, bekam aber nie jenen Mann unter ihnen zu Gesicht, so daß er sie stets alle wieder fortschickte. Schließlich gewahrte er ihn doch eines Tages unter ihnen. Nachdem er ihn erblickt hatte, überreichte er ihm ein Betelblatt. Wenn ein König dies einem seiner Untertanen gegenüber tut, so ist dies das Zeichen größter Achtung und höchster Ehrerbietung. Als der König dies dem Manne erwies, brachte ihm der Mann seine Ergebenheit sehr untertänig zum Ausdruck und küßte den Fußboden. Nachdem ihm der König befohlen hatte sich zu erheben, schaute er den König an, doch siehe, er erkannte ihn nicht. Da ließ der König sein Äußeres in Ordnung bringen und ihn gut bewirten. Nachdem dies geschehen war, bestellte er ihn wieder zu sich und fragte ihn: »Kennst du mich?« Jener erwiderte: »Wie könnte dies sein? Ich kann doch den König in seiner Herrlichkeit und Machtfülle nicht kennen!« Der König entgegnete: »Dies habe ich auch nicht gemeint. Kennst du mich vielmehr in einem früheren Zustand?« Als er auch dies verneinte, erzählte ihm der König, wie er ihm damals auf der Wanderung nichts von seiner Wegzehrung mitgegeben hatte. Da verlor der Mann die Fassung. Der König aber befahl: »Führet ihn ins Gästehaus zurück.« Nachdem sie ihn zurückgebracht hatten, erwies er ihm noch mehr Ehren und ließ Speisen bringen, mit denen er bewirtet wurde. Als der Mann sich zur Ruhe legen wollte, sagte der König zu seiner Frau: »Gehe und beobachte ihn verstohlen, bis er schläft.« Da ging die Frau und beobachtete ihn ohne Unterlaß, bis er schlief. Dann kehrte sie zum König zurück und sprach: »Er ist soeben eingeschlafen.« Der König entgegnete: »Dies ist kein Schlaf. Rüttelt ihn.« Als sie ihn rüttelten, siehe, da war er tot. »Was ist denn das?« fragte die Frau des Königs. Jetzt erzählte er ihr sein Erlebnis mit ihm und schloß mit den Worten: »Nachdem er mir in die Hände gefallen war, habe ich ihn mit Freundlichkeiten bis zur Grenze des Möglichen überhäuft. Die Inder haben aber ein empfindsames Gemüt und ein feines Gewissen. So habe ich ihm großen Schmerz bereitet, weil er mich damals nicht gut behandelt hat, und ihn in den Tod getrieben. Freilich hatte ich seinen Tod schon früher erwartet, weil der übermäßige Schmerz ihm seinen seelischen Mangel vor Augen geführt und ihm die Empfindung dafür geweckt hat.«

15. Die Königstochter von Cadiz

Es war einmal ein griechischer König, der im Westen Spaniens auf einer Halbinsel mit Namen Cadiz herrschte. Er hatte eine über alle Maßen schöne Tochter. Die Kunde von ihr drang auch zu den übrigen Königen Spaniens. Damals gab es nämlich im Lande viele von ihnen. Ja, jeder einzelne Gau oder je zwei hatten einen eigenen König. Als diese um die Hand der Königstochter anhielten, hegte ihr Vater Bedenken, sie einem von ihnen zur Frau zu geben, weil er die anderen nicht erzürnen wollte. In seiner Ratlosigkeit ließ er seine Tochter kommen. Nun war die Weisheit tief im Wesen jener Menschen verwurzelt, gleich ob Mann oder Frau. Heißt es doch: »Die Weisheit ist vom Himmel in drei Körperteile der Erdbewohner herabgestiegen: in die Hirne der Griechen, die Hände der Chinesen und die Zungen der Araber.« Der König sprach also zu seiner Tochter: »Mein liebes

Kind, ich bin ratlos, was ich mit dir anfangen soll. Die Könige halten um deine Hand an; ich kann aber keinen zufriedenstellen, ohne die anderen zu erzürnen.« Sie riet ihm: »Überlasse die Wahl mir, dann bist du aller Sorgen ledig.« – »Und was wünschst du dir?« fragte er. Sie antwortete: »Nichts anderes, als daß er ein weiser König sei.« Da rief er aus: »Welch gute Wahl hast du für dich getroffen!« Den fürstlichen Brautbewerbern aber schrieb er: »Sie hat sich unter allen möglichen Männern für den weisesten König entschieden.«

Als jene die Antwort lasen, gaben sich die von ihnen, die nicht weise waren, zufrieden und schwiegen. Unter den fürstlichen Brautbewerbern befanden sich aber zwei, die weise waren. Beide schrieben an den König von Cadiz: »Ich bin der weiseste König.« Nachdem dieser die beiden Briefe gelesen hatte, sprach er zu seiner Tochter: »Mein liebes Kind, die Sache ist ebenso schwierig wie zuvor. Hier haben wir nun zwei weise Könige, wenn ich aber einen von ihnen zufriedenstelle, erzürne ich den anderen.« Sie erwiderte: »Ich werde von jedem von beiden etwas verlangen, was er mir verschaffen soll, und wer meine Forderung zuerst erfüllt, den werde ich heiraten.« Auf seine Frage, was sie von beiden verlangen werde, fuhr sie fort: »Da wir hier auf einer Halbinsel leben, brauchen wir eine Mühle, die sich auf der Insel dreht. Ich werde deshalb von dem einen verlangen, daß er eine Mühle mit Süßwasser treibt, das vom Festland dort auf die Halbinsel herfließen soll. Von dem anderen werde ich verlangen, daß er mir einen Talisman verschafft, mit der er die iberische Halbinsel vor den Berbern schützt.« Ihr Vater fand dies ausgezeichnet und schrieb den beiden Königen, was seine Tochter gesagt hatte. Diese erklärten sich einverstanden, übernahmen ihre besondere Aufgabe und machten sich ans Werk, je nachdem was ihnen übertragen war.

Der König, der die Mühle bauen sollte, beschaffte sich nun gleichförmige Steine. Diese schichtete er in dem Salzmeer zwischen der iberischen Halbinsel und dem großen (afrikanischen) Festland an der Stelle übereinander, die als Meerenge von Ceuta bekannt ist. Die Zwischenräume zwischen den Steinen füllte er so aus, wie es ihm sein weiser Sinn gebot. Den Steindamm führte er vom Festland bis zur (iberischen) Halbinsel. Bis auf den heutigen Tag finden sich Überreste von ihm in der Meerenge zwischen Ceuta und Algeciras. Die meisten Einwohner Spaniens behaupten, dies sei der Rest einer Brücke, die Alexander der Große erbaut habe, damit man von Ceuta nach der (iberischen) Halbinsel hinübergehen könne. Gott weiß am besten, welche von beiden Ansichten richtiger ist; die bis heute allgemein verbreitete ist allerdings die zweite. Als der weise König mit dem Schichten der Steine fertig war, leitete er das Süßwasser von einem hohen Berg auf dem großen Festland her, ließ es durch eine gut ausgebaute Wasserrinne laufen und errichtete über ihr auf der iberischen Halbinsel eine Mühle.

Der König aber, der den Talisman beschaffen sollte, schob den Beginn seiner Arbeit hinaus, weil er auf eine für sie günstige Stellung der Gestirne wartete. Gleichwohl nahm er sie eines Tages auf und führte sie mit weisem Bedacht durch. Er errichtete nämlich auf einem Sandhügel am Meer einen quadratischen Block aus weißem Gestein. Um ihm festen Halt zu geben, legte er sein Fundament so tief, daß der Block ebenso tief unter die Erde reichte, wie er über sie aufragte. Als der quadratische Block so war, wie er wünschte, verfertigte er aus Kupfer und reinem Eisen, die bestens vermischt waren, die Gestalt eines bärtigen Berbers. Auf dem Haupte hatte er ein Büschel Haare, die so kraus waren, daß der Büschel auf dem Kopfe feststand. Unter der Achsel hielt er ein aufs feinste und kunstvollste dargestelltes Gewand, dessen beide Zipfel auf seiner linken Hand ruhten. Seine Füße waren mit Sandalen bekleidet. Er stand auf dem Unterbau auf einem Sockel, der oben nicht breiter war als seine Füße. Dieser ragte nämlich mehr als sechzig oder siebzig Ellen hoch in die Luft und verjüngte sich nach oben bis zu einer Breite von nur noch einer Elle. In der ausgestreckten Rechten hielt er einen Schlüssel und zeigte in das Meer hinaus, als ob er sagen wollte: »Hier kommt keiner vorbei!« Dieser Talisman hatte die Wirkung, daß man das vor ihm liegende Meer nie mehr ruhig sah und kein Berberschiff mehr auf ihm fuhr, bis der Schlüssel seiner Hand entfiel.

Die beiden Könige, die die Mühle und den Talisman herstellen sollten, arbeiteten um die Wette, winkte doch dem Sieger die Hand des Mädchens als Preis. Nun wurde der Erbauer der Mühle zwar zuerst fertig, allein er verbarg sein Ergebnis vor dem Hersteller des Talismans, damit dieser nicht in Kenntnis der Sachlage die Arbeit an dem Talisman einstellte, wollte er doch, daß dem Mädchen sowohl die Mühle als auch der Talisman zuteil werde. Erst als er wußte, daß der Hersteller des Talismans an jenem Tag die letzte Hand an sein Werk legen werde, ließ er das Wasser von seinem Ursprungsort zu der Insel laufen und setzte die Mühle in Gang. Die Kunde davon verbreitete sich und drang auch zu dem Erbauer des Talismans, der gerade oben auf dem Kopf des Talismans saß und das Gesicht putzte. Der Talisman war nämlich vergoldet. Als ihm bewußt wurde, daß der andere ihm zuvorgekommen war, verlor sein Herz den Mut, und er stürzte von dem Bauwerk tot zur Erde nieder. So gewann der Erbauer der Mühle gleichzeitig das Mädchen, die Mühle und den Talisman.

16. Die Heirat der Umm Ijās

Als 'Amr ibn Hudschr bei 'Auf ibn Muhallim asch-Schaibānī um die Hand seiner Tochter Umm Ijās anhielt, erklärte ihm dieser: »Ja, ich gebe sie dir unter der Bedingung zur Frau, daß ich die Namen ihrer Söhne bestimmen und ihre Töchter verheiraten darf.« 'Amr ibn Hudschr erwiderte: »Unseren Söhnen pflegen wir unsere eigenen Namen und die unserer Väter und väterlichen Oheime zu geben, und unsere Töchter werden von ihnen ebenbürtigen Königen geheiratet. Ich will ihr jedoch als Morgengabe Liegenschaften im Stammesgebiet der Kinda geben und will ihr die Wünsche ihrer Sippe in der Weise erfüllen, daß keinem einzigen aus ihr ein Wunsch versagt wird.« Dieses Angebot nahm ihr Vater von ihm an, und er gab sie ihm zur Frau.

Als nun die Stunde heranrückte, da sie ihm als Braut zugeführt werden sollte, zog ihre Mutter sich mit ihr zurück und sprach zu ihr: »Mein liebes Töchterlein, du scheidest nun aus dem Zelt, das du verläßt, und dem Nest, in dem du flügge geworden bist, zu einem Mann, den du nicht kennst, und einem Gatten, der dir noch fremd ist. Sei ihm eine Magd, so wird er dir ein Knecht sein, und bewahre ihm zehn Tugenden, so findest du in ihm einen Schatz. Die ersten beiden Tugenden sind, daß du dich ihm in Genügsamkeit fügst und gut auf ihn hörst und ihm gehorchst. Die dritte und vierte, daß du pflegst, was sich seinem Auge und seiner Nase bietet, so daß sein Auge nichts Häßliches an dir findet und er nur den köstlichsten Duft von dir einatmet. Die fünfte und sechste, daß du darauf achtest, wann er schlafen und wann er essen will; denn ständiger Hunger ist eine Qual, und Störung des Schlafes ist ärgerlich. Die siebente und achte, daß du sein Hab und Gut zusammenhältst und seine Angehörigen und Hausgenossen betreust; denn beim Hab und Gut ist die Hauptsache, richtig darüber zu verfügen, und bei den Hausgenossen, gut für sie zu planen. Die neunte und zehnte schließlich sind, daß du dich keinem Befehl von ihm widersetzt und kein Geheimnis von ihm ausplauderst; denn wenn du seinem Befehl widersprichst, erhitzt du sein Gemüt, und wenn du sein Geheimnis ausplauderst, bist du nicht davor sicher, daß er treulos an dir handelt. Im übrigen hüte dich davor, in seiner Gegenwart heiter zu sein, wenn er bekümmert ist, und traurig, wenn er heiter ist.« –

In der Folge gebar sie ihm al-Hārith ibn ʿAmr, den Großvater des Dichters Imra'lkais.

17. Die Bürgschaft

Al-Mundhir ibn Mā'-as-samā' hatte sich einmal mit zwei Männern aus dem Stamm der Banū Asad zu einer Zecherei niedergelassen. Der eine hieß Chālid ibn al-Mudallal, der andere ʿAmr ibn Masʿūd ibn Kalada. Da sie mit irgendwelchen Bemerkungen seinen Zorn erregten, befahl er, für sie außerhalb Hīras je eine Grube auszuheben, sie in zwei Laden zu stecken und in den beiden Gruben zu begraben. So geschah es. Als er am nächsten Morgen nach ihnen fragte, teilte man ihm mit, daß sie inzwischen verstorben seien. Da bereute er seinen Befehl, und er grämte sich darüber.

In der Folge ritt er hinaus und nahm die beiden Gräber in Augenschein. Er befahl, die beiden bekannten Grabmäler über ihnen zu errichten, wie es auch geschah, und bestimmte für sich zwei Tage im Jahr, die er bei den Grabmälern verbringen wollte, von denen er den einen Glückstag, den anderen Unglückstag nannte. Wer ihm nämlich an seinem Glückstag als erster zu Gesicht kam, dem schenkte er hundert schwarze Kamele. Wer ihm aber an seinem Unglückstag als erster zu Gesicht kam, dem schenkte er den Kopf eines schwarzen Iltisses, ließ ihn dann niedermetzeln und ließ mit seinem Blut die beiden Grabdenkmäler bestreichen.

Dies war zu einem ständigen Brauch geworden, als eines Tages ein Mann aus dem Stamm der Tai' namens Hanzala ibn abī 'Afrā' an ihm vorbeikam und zu ihm sprach: »Lade keinen Fluch auf dich! Bei Gott, ich bin weder gekommen, um dich zu besuchen noch um den Meinen aus deiner Fülle Nahrung zu verschaffen. Darum soll ihre Nahrung nicht meine Hinrichtung sein.« Al-Mundhir erwiderte: »Deine Hinrichtung ist unabwendbar. So äußere denn einen Wunsch, den ich dir erfüllen werde.« Jener sprach: »Gewähre mir ein Jahr Aufschub. Inzwischen will ich zu den Meinen heimkehren und ihre Angelegenheiten regeln, soweit ich es möchte. Danach finde ich mich wieder bei dir ein, und dann magst du dein Urteil an mir vollstrecken.« – »Und wer bürgt für dich bis zu deiner Rückkehr?« fragte al-Mundhir. Als Hanzala nun seinen Blick prüfend über die Gesichter der Männer gehen ließ, die mit al-Mundhir zusammensaßen, erkannte er unter ihnen Scharīk ibn 'Amr. Nachdem er einige Verse an ihn gerichtet hatte, sprang Scharīk auf und rief aus: »Lade keinen Fluch auf dich! Meine Hand für seine Hand und mein Blut für sein Blut! Kehrt er zu seiner Todesstunde nicht zurück, dann soll al-Mundhir ihn laufen lassen.«

Übers Jahr saß al-Mundhir wieder an seinem Platz und hielt Ausschau nach Hanzala, ob er nicht wiederkomme. Weil dieser jedoch auf sich warten ließ, wurde auf Mundhirs Befehl Scharīk zur Hinrichtung geholt. Da sah al-Mundhir plötzlich einen Reiter bei ihnen auftauchen. Bei näherer Betrachtung zeigte sich, daß es Hanzala war. In ein Leichentuch gehüllt und wie ein Toter mit Wohlgerüchen gesalbt, erschien er und brachte gleich sein eigenes Klageweib mit, das die Totenklage über ihn anstimmen sollte, nachdem sich das Klageweib des Scharīk bereits erhoben hatte, um diesen zu beklagen. Als Mundhir ihn sah, staunte er über beider Treue und Edelmut, schenkte ihnen die Freiheit und machte mit jenem Brauch ein Ende.

18. Die Araber im Kreise der Völker

An-Nuʻmān ibn al-Mundhir kam eines Tages zu Kisrā, als gerade die Gesandtschaften der Byzantiner, Inder und Chinesen bei ihm weilten. Als sie nun dies und jenes von ihren Königen und Ländern rühmend erzählten, sprach auch an-Nuʻmān voller Stolz von den Arabern und erhob sie über alle übrigen Völker, ohne die Perser oder ein anderes Volk auszunehmen. Kisrā erwiderte ihm jedoch, erfüllt von königlichem Stolz:

»Ich habe über die Araber und die anderen Völker nachgedacht, Nuʻmān, und habe mir über die Gesandtschaften der verschiedenen Volksstämme Gedanken gemacht. Dabei bin ich zu der Überzeugung gelangt, daß die Byzantiner freundschaftlichen Zusammenhalt, gewaltige Macht, zahlreiche Städte und feste Bauwerke besitzen sowie einen Glauben, der lehrt, was ihnen erlaubt und verboten ist, und der dem Unverschämten wehrt und dem Einfältigen Unterstützung leiht. Ich habe festgestellt, daß die Inder in ähnlicher Weise über philosophische und medizinische Kenntnisse verfügen, daß es in ihrem Land eine Fülle von Strömen und Früchten gibt, daß sie erstaunliche Kunstfertigkeiten beherrschen, herrliche Bäume haben, genau rechnen können und sehr volkreich sind. Auch die Chinesen haben Sinn für Zusammenhalt, verstehen sich auf die Anfertigung zahlreicher Waffen und eiserner Geräte, sind gute Reiter und tapfere Krieger und sind unter *einer* Herrschaft vereinigt. Obwohl bei den Türken und Chasaren die Ernährungsverhältnisse schlecht sind, sie wenig anbaufähiges Land, wenig Früchte und wenig Festungen besitzen und in Wohnung und Kleidung am Anfang der Gesittung stehen, so haben sie doch Fürsten, die die fernen Gaue zusammenhalten und für Ordnung bei ihnen sorgen. Bei den Arabern vermag ich aber weder im geistlichen noch im weltlichen

Bereich irgendeine gute Eigenart zu entdecken, auch nichts von Umsicht und Kraft. Ihre Verächtlichkeit, ihre Niedrigkeit und ihr Mangel an höherem Streben zeigen sich auch darin, daß sie ihre Wohnstätten mit dem flüchtigen Wild und dem scheuen Gevögel teilen, indes sie aus Armut ihre eigenen Kinder töten und sich aus Not gegenseitig auffressen, nehmen sie doch in Speise, Kleidung, Trank, Spiel und Lustbarkeiten eine Ausnahmestellung in der Welt ein. Die köstlichste Speise, die sich ein Wohlhabender bei ihnen verschaffen kann, ist nämlich Kamelfleisch, das sogar viele wilde Tiere wegen seiner schweren Verdaulichkeit, seines schlechten Geschmackes und aus Angst vor seiner Ungenießbarkeit ablehnen. Wenn dagegen ein Araber einen Gast bewirtet, betrachtet er Kamelfleisch als eine Auszeichnung, und wenn etwas Eßbares gereicht wird, so gilt ihm dies als etwas Besonderes. So künden es ihre Lieder, und ihre Männer rühmen sich dessen. Eine Ausnahme bilden nur die Stämme der Tanūch, die ihren Zusammenschluß, die Festigung ihres Staatswesens und den Schutz vor ihren Feinden meinem Großvater verdanken. Bis auf den heutigen Tag erfreuen sie sich dieser Güter. Unter diesen Umständen gibt es bei ihnen auch Denkmäler, Kleider, Städte und Festungen sowie Verhältnisse, die eine gewisse Ähnlichkeit mit denen anderer Menschen aufweisen.« – Mit der letzten Bemerkung war der Jemen gemeint. – »Im übrigen sehe ich euch trotz der Niedrigkeit und Armut, der Not und dem Elend, in dem ihr lebt, keineswegs bescheiden, so daß ihr sogar prahlt und euch anderen Menschen überlegen dünkt.«

An-Nu'mān erwiderte: »Gott schenke dem König Heil! Es versteht sich für ein Volk, dem der König angehört, daß es einen großen Vorzug genießt, sich glücklicher Verhältnisse erfreut und auf hoher Stufe steht. Allein ich könnte auf alles, was der König gesagt hat, eine Antwort geben, obwohl es sich nicht geziemt, ihm zu widersprechen und seine Behauptungen in Abrede zu stellen. Wenn er mir aber Sicherheit vor seinem Zorn gewähren will, so werde ich ihm Antwort geben.« – »Sprich. Du hast nichts zu befürchten«, sagte Kisrā, worauf an-Nu'man fortfuhr: »Was dein Volk, o König, betrifft, so steht es durch das ihm eigene Maß an Verstand und Klugheit, durch die Weite seines Siedlungsbereiches und die Fülle seiner Macht sowie durch den Gottessegen deiner und deiner Väter Herrschaft außerhalb jedes Wettstreites. Was aber die anderen Völker betrifft, deren du rühmend gedacht hast, – welches von ihnen könntest du wohl mit den Arabern vergleichen, ohne daß sich diese als überlegen erweisen?« – »Wodurch denn eigentlich?« fragte Kisrā. Da sprach an-Nuʿmān:

»Durch Macht und Unüberwindlichkeit, durch ihre schönen Gesichter, durch Mut und Freigebigkeit, durch die Weisheit ihrer Zungen, die Schärfe ihres Verstandes sowie durch ihren Stolz und ihre Treue.

Ihre Macht und Unüberwindlichkeit haben sie dadurch bewährt, daß sie sich stets als Grenzvolk deiner Väter gehalten haben, die die Länder ringsum erobert, ihre Herrschaft gefestigt und ihr Heer in den Kampf geführt haben, ohne daß es einen nach den Arabern gelüstet oder einer sie angerührt hätte. Ihre Festungen sind die Rücken der Rosse. Ihr Pfühl ist die Erde, ihr Dach der Himmel, ihr Schirm das Schwert und ihre Ausrüstung die Standhaftigkeit. Die Macht der anderen Völker gründet sich nämlich nur auf Steine, Lehm und Meeresinseln.

Von der Schönheit und der Farbe ihrer Gesichter ist bekannt, daß sie darin anderen Völkern überlegen sind, wie den schrägäugigen Indern, den ausgezehrten Chinesen, den häßlichen Türken und den schuppenhäutigen Byzantinern.

Was Abstammung und Ruhm der Völker betrifft, so gibt es kein Volk, das nicht seit je in Unwissenheit über seine Vorfahren und seinen Ursprung gelebt, und keines, das viel von seinem Anfang gewußt hätte, so daß niemand auf die Frage nach den nächsten Vorfahren des eigenen Vaters dessen Abstammung nennen könnte oder ihn überhaupt nur kennte. Hingegen gibt es keinen Araber, der nicht seine Ahnen nennen könnte, Ahn um Ahn. Auf diese Weise haben sie die Kenntnis ihres alten Ruhmes bewahrt und ihre Stammbäume im Gedächtnis behalten, so daß sich keiner in einen fremden Stamm eingliedert, sich eine andere Herkunft zuschreibt oder sich einen falschen Vater zulegt.

Ein Beweis für die Freigebigkeit der Araber ist dies: Auch der Niedrigste, der nur eine junge oder eine alte Kamelin sein eigen nennt, die ihm als Lasttier und zur Stillung von Hunger und Durst ausreicht, schlachtet sie für einen Wanderer, der nachts zu ihm kommt und sich mit einem Happen Fleisch begnügen und mit einem Schluck vorliebnehmen würde, und er verzichtet ganz auf seinen irdischen Besitz, weil es ihm einen vortrefflichen Leumund und einen guten Ruf verschafft.

Die Weisheit ihrer Zungen rührt daher, daß Gott der Erhabene ihnen mit ihrer Dichtung und in der Schönheit und dem Zauber sowie den Maßen und Reimen ihrer Sprache, in Verbindung mit ihrer Kenntnis der Dinge, ihrer Befähigung zu bildhafter Redeweise und ihrer Kunst anschaulicher Schilderung eine Gabe verliehen hat, wie sie die Zunge keines anderen Wesens besitzt. Auch sind ihre Rosse die edelsten, ihre Frauen die keuschsten und ihre Gewänder die vorzüglichsten. Ihre Gruben bergen Gold und Silber und die Felsen ihrer Gebirge Edelsteine. Mit Reittieren wie den ihren sieht man sonst nirgends Reisende an ihrem Ziel eintreffen, und kein anderes Wüstenland wird mit solchen Tieren durchquert.

An ihrem Glauben und ihrem Gesetz halten sie mit Zähigkeit fest. Ja der Frömmigkeit eines von ihnen verdanken sie es, daß sie mehrere fehdefreie Monate, eine heilige Stadt und ein Wallfahrtshaus besitzen, wo sie ihre Pilgerbräuche üben und ihre Opfer darbringen. Dann begegnet ein Mann dem Mörder seines Vaters oder Bruders, und obwohl er in der Lage wäre, Blutrache an ihm zu nehmen und seine Rechnung mit ihm zu begleichen, hindert ihn seine Großmut und verbietet ihm sein Glaube, sich an ihm zu vergreifen.

Ihre Treue geht soweit, daß, wenn einer nur einen Blick wirft oder ein Zeichen macht, dies einen Bund und einen Vertrag bedeutet, den nur der Tod zu lösen vermag. Wenn einer ein Stück Holz von der Erde aufhebt, so gilt dies als Pfand für seine Schuld. Sein Pfand läßt er aber nicht verfallen, und er bricht seinen Vertrag nicht. Wenn einer von einem Mann um Schutz ersucht wird, weil er vielleicht fern von Hause und deshalb von seinen Feinden hart bedrängt ist, dann hat er keine Ruhe, bis er entweder den Stamm, der jenen bedrängt hat, vernichtet oder sein eigener Stamm zugrundegeht, weil er treu zu seiner

Schutzpflicht steht. Wenn ein Übeltäter und Verbrecher ohne Bekannte und Verwandte bei ihnen Zuflucht sucht, so setzen sie ihr Leben für sein Leben und ihr Hab und Gut für das seine ein.

Du sagst, o König, daß sie ihre Kinder lebendig begraben. Wer von ihnen dies mit seinen Töchtern tut, tut es aber nur aus Angst vor Schande und aus Ehrgefühl vor dem Ehegatten.

Du sagst, ihre köstlichste Speise sei nach ihren Schilderungen der Fleischarten Kamelfleisch. Sie verzichten aber nur deshalb auf weniger gutes Fleisch, weil sie weniger gutes ablehnen und lieber das beste und vorzüglichste wählen. So dienen ihnen die Kamele sowohl als Reittier wie auch als Speise. Die Kamele haben ja auch unter den Vierbeinern das meiste Fett, das leckerste Fleisch, die feinste Milch, die wenigsten Mängel, und ihr Fleisch ist am besten zu kauen. Wie auch immer man Fleisch zubereiten will, Kamelfleisch ist offensichtlich besser als jede andere Fleischart.

Weiter sagst du, sie bekämpften sich gegenseitig, fräßen einander auf und leisteten keinem Mann Gefolgschaft, der sie führen und einigen könnte. Völker, die einem Manne Gefolgschaft leisten, tun dies aber nur dann, wenn Willensschwäche ihnen zur Gewohnheit geworden ist und sie beim Vormarsch den Ansturm der Feinde fürchten. Auch gibt es in einem großen Reich nur eine einzige Sippe, deren Überlegenheit über alle anderen gemeinhin bekannt ist und denen sie deshalb ihr Schicksal anvertrauen und Gefolgschaft leisten. Solcher Sippen gibt es aber bei den Arabern viele, so daß sie allesamt nach der Königswürde gestrebt haben, zumal da sie zu stolz sind, Steuern zu zahlen und sich gewaltsam treiben zu lassen.

Und wenn der König schließlich meint, auf die Verhältnisse im Jemen hinweisen zu können, so ist der Mann, der nach dem Sieg der Abessinier über den Großvater des Königs zu diesem gekommen ist, als ein mächtiger Herrscher und anerkannter Fürst gekommen. Beraubt, vertrieben und um Hilfe flehend hat er deinen Großvater angetroffen. Sein Schloß hat nicht genügt, den Araber zu beherbergen, und der Bau, den er errichtet hatte, war klein in seinen Augen. Hätte er nicht den benachbarten Arabern Schaden zugefügt, so wären sie gern für ihn in den Kampf gezogen, und er hätte in ihnen Leute gefunden, die die Lanzen zu schwingen verstehen und sich mit Ungestüm für edle Männer wider den Sieg nichtswürdiger Sklaven einsetzen.«

Da wunderte sich Kisrā über die Antwort des Nu'mān und sprach: »Wahrlich, du verdienst deine Würde als Herrscher über die Einwohner deines Landes, ja du verdienst noch höhere Würden.« Dann verlieh er ihm Ehrengewänder und entließ ihn mit der Bestätigung seines Amtes in al-Hīra.

19. 'Amr ibn al-'Ās und der Königsball

Als der gottselige 'Umar ibn al-Chattāb im Jahre 18 der Hidschra nach al-Dschābija kam, hatte 'Amr ibn al-'Ās eine geheime Zwiesprache mit ihm, in der er ihn bat, einen Feldzug gegen Ägypten unternehmen zu dürfen. 'Amr war nämlich bereits in der vorislamischen Zeit in Ägypten gewesen, kannte die Straßen daselbst und hatte gesehen, was es dort alles gab. Den Anlaß zu jener Reise nach Ägypten bildete folgendes Erlebnis.

Als 'Amr einmal mit einigen Leuten vom Stamme der Kuraisch nach Jerusalem kam, um Handel zu treiben, begegneten sie einem byzantinischen Priester aus Alexandria, der zum Beten nach Jerusalem gekommen war und nun außerhalb der Stadt irgendwo im Gebirge als Pilger umherwanderte, während 'Amr gerade seine und seiner Freunde Kamele weidete. Sie wechselten sich nämlich untereinander darin ab. Während also 'Amr wieder seine Kamele weidete, kam jener Priester an ihm vorbei, von brennendem Durst gequält; denn es war ein glühendheißer Tag. So blieb er bei 'Amr stehen und bat ihn um einen Trunk. 'Amr gab ihm aus einem seiner Schläuche zu trinken, und er trank, bis sein Durst gestillt war. Dann legte er sich dort zum Schlaf nieder. Neben der Stelle, an der der Priester schlief, befand sich aber ein Loch in der Erde, dem nun eine gewaltige Schlange entschlüpfte. Kaum hatte 'Amr sie erblickt, da schoß er einen Pfeil auf sie ab und tötete sie. Als der Priester aus dem Schlaf erwachte, sah er eine gewaltige Schlange, von der Gott ihn errettet hatte, und fragte ʿAmr, was für eine Bewandtnis es mit ihr habe. Nachdem ʿAmr ihm berichtet hatte, daß er nach ihr geschossen und sie erlegt habe, trat der Priester auf ihn zu, küßte ihn aufs Haupt und sprach: »Gott hat mir durch dich zweimal das Leben gerettet, das eine Mal, indem er mich von meinem brennenden Durst befreit, das andere Mal, indem er mich vor dieser Schlange bewahrt hat. – Was hat dich eigentlich in dieses Land geführt?« – »Ich bin mit einigen Freunden von mir hierhergekommen, weil wir als Handelsleute etwas verdienen möchten«, antwortete er, worauf der Priester fragte: »Sag, welchen Gewinn hoffst du bei deinem Handel zu erzielen?« – »Ich hoffe«, erwiderte er, »soviel zu verdienen, daß ich mir ein Kamel davon kaufen kann. Ich besitze nämlich nur zwei Kamele und hoffe ein weiteres erwerben zu können, so daß ich dann drei habe.« Der Priester fuhr fort: »Sage mir, wieviel das Blutgeld für einen Mann bei euch beträgt.« »Hundert Kamele«, antwortete er. Jener erwiderte: »Wir besitzen keine Kamele, sondern nur Geld.« – »Dann wären es tausend Dinare«, erklärte ʿAmr. Da sagte der Priester zu ihm: »Ich bin ein Fremdling in diesem Lande und bin nur hierhergekommen, um einen Monat lang in der Kirche von Jerusalem zu beten und in diesen Bergen zu pilgern. Dies habe ich als Gelübde auf mich genommen. Nachdem ich es erfüllt habe, will ich nun in meine Heimat zurückkehren. Hast du wohl Lust, mir dorthin zu folgen? Ich verspreche dir hoch und heilig, dir ein doppeltes Blutgeld zu zahlen, weil Gott der Mächtige und Erhabene mir zweimal durch dich das Leben gerettet hat.« ʿAmr fragte: »Wo bist du denn zu Hause?« und er antwortete: »In Ägypten in einer Stadt mit Namen Alexandria.« – »Sie ist mir unbekannt, und ich bin noch nie dort gewesen«, meinte ʿAmr, und der Priester ermunterte ihn: »Wenn du dorthin kämest, würdest du feststellen, daß du noch nie eine Stadt gleich ihr betreten hast.« ʿAmr fragte weiter: »Wirst du mir dein Wort einlösen? Versprichst du es mir hoch und heilig?« und der Priester versicherte ihm: »Ja, ich leiste dir einen heiligen Eid, daß ich es halten und dich zu deinen Freunden zurückführen werde.« Schließlich fragte er noch: »Wie lange wird dies dauern?« und er erhielt die Auskunft: »Einen Monat, zehn Tage für den Hinweg mit mir, zehn für den Aufenthalt bei uns und zehn für die Rückkehr. Ich verspreche dir, dich auf dem Hinweg zu beschützen und auf den Rückweg dir Leute zu deinem Schutz mitzugeben.« Nun bat 'Amr: »Warte auf mich, daß ich mit meinen Freunden darüber berate.« Damit ging er zu ihnen hin, berichtete ihnen, was ihm der Priester versprochen hatte, und bat sie: »Wartet auf mich, bis ich wiederkomme. Ich verpflichte mich, euch die Hälfte des Betrages zu schenken, wenn mich von euch einer, mit dem ich gut stehe, begleitet.« Nachdem sie sich damit einverstanden erklärt hatten, gaben sie ihm einen von sich mit.

Danach machten sich 'Amr und sein Freund mit dem Priester auf den Weg, und sie kamen schließlich nach Ägypten. Da sah 'Amr staunend, wie blühend und dichtbesiedelt das Land war und was es an Gütern und Reichtümern dort gab, und er sprach zu dem Priester: »Solches habe ich noch nie gesehen.« So zog er weiter nach Alexandria. Als er aber den Reichtum und die Pracht, die herrlichen Bauwerke und die Fülle der Bewohner dieser Stadt sah, staunte er noch mehr.

Nun fand gerade zu der Zeit, als 'Amr nach Alexandria kam, ein großes Fest dort statt, zu dem sich die Fürsten und Edlen Ägyptens zu versammeln pflegten. Bei dieser Gelegenheit warfen die Fürsten einander einen goldenen, mit Edelsteinen besetzten Ball zu, wobei sie ihn mit dem Ärmel zu fangen suchten. Nach der Schilderung ihrer Ahnen hatten sie mit diesem Ball die Erfahrung gemacht, daß derjenige, in dessen Ärmel der Ball fiel und liegenblieb, nicht eher starb, als bis er König von Ägypten geworden war. Als 'Amr nach Alexandria kam, erwies ihm der Priester Ehren aller Art, schenkte ihm ein Brokatkleid, das er ihm anlegte, und dann nahmen beide zusammen mit den Leuten in jener Versammlung Platz, wo man den Ball einander zuwarf und mit dem Ärmel aufzufangen suchte. Als nun einer von den Männern den Ball warf, kam er herunter und fiel in 'Amrs Ärmel. Die Leute wunderten sich hierüber und sprachen: »Der Ball hat uns noch nie belogen mit Ausnahme von diesem Mal. Ist es denkbar, daß dieser Beduine einmal König über uns wird? Nein, das wird nie geschehen.« Danach ging der Priester bei den

Einwohnern von Alexandria umher und teilte ihnen mit, daß 'Amr ihm zweimal das Leben gerettet und er selbst sich für eine Zahlung von zweitausend Dinaren an ihn verbürgt habe. Auf seine Bitte, diesen Betrag untereinander zu sammeln, taten sie es. Nachdem sie 'Amr das Geld überreicht hatten, machte sich 'Amr mit seinem Freund auf den Heimweg. Der Priester aber gab ihnen einen Führer und einen Boten mit, stattete sie mit Reisevorrat und Geschenken aus, und sie kehrten beide zu ihren Freunden zurück. Auf diese Weise erfuhr 'Amr, auf welchen Wegen man Ägypten betreten und verlassen konnte, und er gewann durch seine Anschauung des Landes die Gewißheit, daß es unübertrefflich üppig und reich war. Nachdem er zu seinen Freunden zurückgekehrt war, verteilte er tausend Dinare unter sie und behielt die anderen tausend für sich. 'Amr sagte später: »Dies ist das erste Geld gewesen, das ich mir verdient und erworben habe.«

Im Heiligen Krieg

20. Die Bekehrung Hurmuzāns zum Islam

Als man al-Hurmuzān gefesselt vor ʻUmar ibn al-Chattāb führte, sagte man zu ihm: »Fürst der Gläubigen, dies ist der Anführer der Perser und Oberherr des Rustam.« Da sprach ʻUmar zu ihm: »Ich empfehle dir, zum Islam überzutreten, ein guter Rat für dein zeitliches und ewiges Heil!« Jener erwiderte: »Ich halte an meinem Glauben fest, Kalif, und verspüre keine Lust, aus Angst den Islam anzunehmen.« Da ließ ʻUmar das Richtschwert für ihn kommen, und als er eben im Begriff stand, ihn hinrichten zu lassen, sagte der Perser: »Fürst der Gläubigen, es scheint mir ehrenwerter, daß du mir einen Trunk Wassers reichen läßt, als daß du mich durstig hinrichten läßt.« ʻUmar befahl daraufhin, ihm einen Trunk Wassers zu reichen. Nachdem er ihn in Empfang genommen hatte, sprach er zu ʻUmar: »Gewährest du mir solange Sicherheit, bis ich ihn trinke?« Nachdem er ihm dies zugesagt hatte, schüttete der Perser den Trunk fort und erklärte: »Treue zum Wort ist ein strahlendes Licht, Kalif.« »Du hast recht«, gab ihm ʻUmar zur Antwort, »ich will dich schonen und über dein Schicksal nachdenken. Nehmt das Schwert von ihm fort.« Nachdem es von ihm genommen war, erklärte er: »Jetzt, Fürst der Gläubigen, bezeuge ich, daß es keinen Gott gibt außer Gott, daß Muhammad sein Diener und Gesandter ist und daß, was er gebracht hat, Wahrheit von Gott ist.« ʻUmar sagte: »Du hast das schönste Bekenntnis zum Islam abgelegt. Aber warum hast du damit so gezögert?« – »Ich wollte den Verdacht vermeiden«, antwortete jener, »ich hätte mich nur aus Furcht vor dem Schwert zum Islam bekannt und hätte aus lauter Angst seinen Glauben angenommen.« Da erklärte ʻUmar: »Die Perser sind doch so kluge Leute, daß sie der Herrschaft würdig waren, die sie innegehabt haben!« Danach befahl er, ihn freundlich und ehrenvoll zu behandeln, und in Zukunft bediente er sich seines Rates, wenn er Heereskräfte und Truppen zu den Persern schickte.

21. In byzantinischer Kriegsgefangenschaft

Es kam einmal beim Kalifen 'Abd al-Malik ein Brief vom Postmeister der syrischen Grenzbefestigungen an, in dem er ihm berichtete, daß den Muslimen byzantinische Reiter zu Gesicht gekommen seien. Die Muslime seien daraufhin gegen sie ausgeschwärmt und hätten bei ihrer Rückkehr einen Mann mitgebracht, der unter Mu'āwija ibn abī Sufjān in Gefangenschaft geraten sei. Sie hätten erzählt, daß die Byzantiner ihnen nach Erzielung eines Einvernehmens mitgeteilt hätten, sie seien nicht in feindlicher Absicht gekommen, sondern hätten nur diesen Muslim hergebracht, um ihn seinen Glaubensgenossen zu übergeben, weil der Herrscher der Byzantiner es ihnen befohlen habe. Der Postmeister meldete weiter, die Teilnehmer an dem Ausritt hätten berichtet, daß sie den Muslim über die Richtigkeit der byzantinischen Behauptungen vernommen hätten und sich dabei Übereinstimmung zwischen den beiderseitigen Äußerungen ergeben habe. Er habe ferner gesagt, die Byzantiner hätten ihn gut behandelt. Dann seien sie, die Teilnehmer, unter Mitnahme des Muslims davongeritten, und nun wörtlich: »Ich habe ihn nach dem Grund seiner Entlassung gefragt, und da hat er erklärt, er werde dies keinem erzählen außer dem Kalifen.«

Da befahl 'Abd al-Malik, daß er ihm vorgeführt werde. Bei ihm angekommen, fragte der Kalif: »Wer bist du?« Er antwortete: »Ich bin Kubāth ibn Razīn al-Lachmī und bin in Kairo-Fustāt in dem Bezirk, der unter dem Namen al-Hamrā' bekannt ist, zu Hause. Ich bin unter dem Kalifat Mu'āwijas in Gefangenschaft geraten. Der Gewaltherrscher der Byzantiner war damals Warkā' ibn Mauraka.« Weiter fragte 'Abd al-Malik ibn Marwān: »Wie hat er euch behandelt?« Da sprach er:

Es gibt zwar keinen, der dem Islam und seinen Bekennern feindlicher gesinnt sein könnte, als er, doch er war gnädig, und den Muslimen ist es unter ihm besser ergangen als unter irgendeinem anderen, bis die Herrschaft an seinen Sohn überging. Gleich nachdem er die Macht übernommen hatte, erklärte er: »Wenn die Gefangenen lange an einem Ort sind, gewöhnen sie sich dort ein, selbst wenn es ihnen noch so übel ergehen sollte, und nichts ist ihnen verhaßter, als wenn sie ihren Aufenthaltsort wechseln müssen.« So ließ er sich zwölf Lospfeile reichen, und schrieb auf die Spitzen je einen Namen seiner zwölf Heerführer, um dann jährlich viermal das Los zu werfen. Wessen Los nun zuerst gezogen wurde, zu dem mußten die Muslime übersiedeln, und er hatte sie einen Monat lang in Gewahrsam zu halten. Wessen Los als zweites gezogen wurde, zu dem siedelten die Muslime über, nachdem sie beim ersten Heerführer den ersten Monat verbracht hatten. Am Ende des zweiten Monats schickte er sie zu dem, auf den an dritter Stelle das Los gefallen war. Danach wiederholte sich der Wechsel weiter entsprechend den Losen. Zu welchem Heerführer wir auch kamen, jeder sagte: »Danket Gott dem Mächtigen und Erhabenen, daß er euch die Heimsuchung durch den Heerführer der Zigeuner erspart hat.« Wir schauderten deshalb stets, wenn wir ihn nennen hörten, und dankten dem lieben Gott dafür, daß er uns mit seinem Anblick verschont hatte.

So blieben wir dort eine Reihe von Jahren. Als dann wieder einmal die Lose geworfen wurden, fielen das erste und das zweite auf irgendwelche von den Heerführern. Das dritte aber fiel auf den Heerführer der Zigeuner. Da verbrachten wir die beiden ersten Monate in langer Pein, weil wir das Unheil auf uns zukommen sahen. Als wir nach zwei Monaten zu ihm gebracht wurden, gewahrten wir an der Pforte seines Palastes eine Menschenmenge, wie wir sie sonst nicht sahen, und erlebten eine Härte, wie wir sie nicht gewohnt waren. Danach kamen wir zu ihm selber, und nun wurde uns von ihm eine so rohe und grausame Behandlung zuteil, daß wir unseres Todes sicher waren. Dann ließ er die Schmiede kommen und befahl, die Muslime in der gleichen Weise zu fesseln, wie er sie auch andere Leute fesseln ließ. So wurden einem nach dem anderen eiserne Schellen angelegt, bis der Schmied auch zu mir kam. Als ich nun das Angesicht des Heerführers prüfend betrachtete, schien es mir, daß er mich mit anderen Augen anschaute als die übrigen. Dann redete er mich auf Arabisch an und fragte nach Namen, Abstammung und Wohnort, wie mich soeben auch der Kalif gefragt hat. Nachdem ich ihm auf seine Fragen wahrheitsgemäß geantwortet hatte, fuhr er fort: »Wie steht es mit deinem Auswendigwissen eurer Heiligen Schrift?« Ich teilte ihm mit, daß ich sie auswendig kenne, worauf er mir befahl, die Sure von der Sippe 'Imrāns aufzusagen. Nachdem ich ihm fünfzig Verse daraus aufgesagt hatte, erklärte er: »Du sprichst sie wirklich gut.« Nun fragte er mich nach meiner Kenntnis der Dichtung, und ich offenbarte ihm, daß ich manches wiedergeben könne. So hieß er mich Verse einer ganzen Anzahl von Dichtern aufsagen. Als ich es getan hatte, erklärte er: »Du bist ein guter Kenner der Dichtung.« Seinem Stellvertreter aber befahl er: »Ich schenke diesem Mann Vertrauen. Lege ihm deshalb keine Schellen an.« Danach sprach er: »Es wäre unbillig, ihn in seinen Gefährten schlecht zu behandeln. Löse deshalb allen die Fesseln, gewähre ihnen einen angenehmen Aufenthalt und lasse es nicht an Gastfreundschaft bei ihnen fehlen.« Sodann ließ er seinen Küchenmeister kommen und erklärte: »Solange dieser Araber bei mir weilt, nehme ich keine Mahlzeit zu mir ohne ihn. Sieh dich vor, daß nichts in die Küche kommt, was die Muslime nicht essen dürfen, und hüte dich, beim Kochen Wein zu verwenden.« Nun ließ er seine Tafel auftragen und lud mich ein, näher zu kommen. Nachdem ich an seiner Seite Platz genommen hatte, sprach ich zu ihm: »Hochverehrter Herr, ich hege den Wunsch, du möchtest mir verraten, zu welchem arabischen Stamm du gehörst.« Lachend erwiderte er: »Ich weiß keine Antwort auf deine Frage, weil ich kein Araber bin. Andernfalls könnte ich dir deine Frage wohl beantworten.« – »Trotz dieser Beherrschung des Arabischen?« fragte ich. Er wandte ein: »Wenn durch die Sprache auch die Abstammung geändert werden kann, so bist du ein Byzantiner; denn du beherrschst das Griechische nicht weniger als ich das Arabische, so daß du nach deiner Behauptung folgerichtig ein Byzantiner wärest und ich ein Araber.« Dies mußte ich zugeben.

Danach verbrachte ich bei ihm fünfzehn Tage, wie ich schönere seit meiner Erschaffung nicht erlebt habe. In der Nacht zum sechzehnten Tag dachte ich darüber nach, daß der Monat schon zur Hälfte vorüber sei und die Tage mich der Umsiedlung zu einem anderen Heerführer immer näher brächten. So hatte ich eine kummervolle Nacht. Danach kam sein Bote zu mir, um mich zur Teilnahme an seiner Mahlzeit einzuladen. Nachdem die Speisen vor ihm aufgetragen waren, bemerkte er, daß ich nicht wie sonst zugriff. Da lachte er und sprach: »Ich glaube, Araber, daß du dir nach Beendigung deiner ersten Monatshälfte Gedanken darüber machst, daß die Tage dich der Umsiedlung zu einem anderen Heerführer näher bringen, daß dieser dich vielleicht nicht so behandeln könnte wie ich und dein Leben bei ihm vielleicht nicht so angenehm sein könnte wie bei mir. Du hast die Nacht nicht geschlafen und dir Kummer hierüber gemacht, so daß du nun anders bist.« Als ich ihm dies bestätigte, fuhr er fort: »Wenn ich nicht auf das Wohl meines Freundes bedacht bin, dann bin ich seiner nicht würdig. Iß; denn Gott hat dich vor dem bewahrt, was du befürchtet hast. Ich habe gleich an jenem Tage, an dem ich dich beobachtet habe, den Kaiser gebeten, dich für die Dauer deines Aufenthaltes im Lande der Byzantiner bei mir zu belassen. Du wirst daher nicht aus meinem Befehlsbereich umgesiedelt und wirst ihn nicht verlassen, es sei denn, um in deine Heimat zurückzukehren. Ich hoffe nämlich, daß Gott der Mächtige und Erhabene dies durch mich veranlassen wird.« Da wurde ich wieder guten Mutes, und ich blieb ohne Unterbrechung bei ihm, bis der Monat zu Ende ging.

Als nun die Lose aufs neue geworfen wurden, fielen sie auf andere Heerführer als den, bei dem wir uns gerade befanden. Während meine Gefährten zu dem neuen umgesiedelt wurden, blieb ich allein zurück. An jenem Tage frühstückte ich wie üblich mit dem Heerführer. Nun war es meine Gewohnheit, von dort zu meinen muslimischen Freunden zu gehen. Wir pflegten dann zu plaudern und uns zu unterhalten, sagten Koransprüche auf, verrichteten zusammen die rituellen Gebete, erinnerten einander an die religiösen Pflichten, und einer hörte vom anderen, was er aus der heiligen Überlieferung und anderem Wissensgut auswendig kannte. Als ich an jenem Tage zu dem Ort ging, an dem ich mich mit den Muslimen zu treffen pflegte, sah ich keinen von ihnen.

Da wurde mir das Herz schwer, und ich wünschte, ich wäre mit meinen Gefährten zusammen. Nachdem ich eine bittere Nacht verbracht hatte, ohne meine Lider zu schließen, war ich am Morgen so düsteren Gemütes und in solch übler Verfassung wie kein anderes von Gottes Geschöpfen. Zur Frühstückszeit erschien wie üblich der Bote des Heerführers bei mir. Beim Heerführer angekommen, war der Gram auf meinem Gesicht unverkennbar. Als ich nun meine Hand nach den Speisen ausstreckte und er sah, daß ich es nicht wie sonst tat, lachte er und sprach: »Ich glaube, du grämst dich wegen der Trennung von deinen Gefährten.« Ich gab es zu und fragte ihn, ob er keine Möglichkeit sehe, sie wieder in seinen Befehlsbereich zu versetzen. Er antwortete: »Der Kaiser beabsichtigt mit der Umsiedlung deiner Gefährten von einem Befehlsbereich zum anderen weiter nichts, als sie durch sein Vorgehen zu quälen, und es ist undenkbar, daß er es unterließe, ihnen mit Vorbedacht Böses zu tun, weil ich eine Zuneigung für dich hege und dich gern habe. Ich wüßte nicht, was sich in dieser Beziehung tun ließe.« Da bat ich ihn, er möchte den Kaiser ersuchen, mich aus seinem Befehlsbereich herauszunehmen und mich meinen Gefährten beizugeben, damit ich mit ihnen zusammen wäre, wo sie gerade seien. Er erwiderte: »Auch dies ist nicht zu machen, weil ich es nicht für erlaubt halte, dich aus Reichtum in Not, aus Ehre in Schande und aus Glück in Unglück zu stürzen.« Als es nach diesen Worten offensichtlich war, daß ich gramgebrochen und vom Schmerz überwältigt war, fragte er mich, ob mein Schmerz wirklich so groß sei. Ich antwortete: »Der Schmerz, der mich getroffen hat, ist so, daß er mir das Leben vergällt und den Tod wünschenswert erscheinen läßt, weil ich weiß, daß ich nur durch ihn Ruhe finde.« Er sagte: »Wenn du aufrichtig bist, ist deine Rettung nahe.« Auf meine Frage, was ihn zu dieser Behauptung veranlasse, erzählte er mir folgendes:

Ich habe Schicksalsschläge erlitten, die entsetzlicher waren als die deinen; doch an ihrem Ende stand die Rettung. So höre denn meine Geschichte und ziehe eine Lehre daraus.

Wisse, daß dieses Heerführeramt seit Jahrhunderten in meiner Sippe erblich und diese sehr groß gewesen ist. (Der Muslim erzählt:) Nachdem sie sich gegenseitig umgebracht hatten, blieb von ihnen nur noch sein Vater und dessen Bruder übrig. Das Amt ging nun an seinen Oheim und nicht an seinen Vater über. Da sie beide keine Kinder bekamen, zahlten sie viel Geld an die Ärzte, damit diese sie behandelten, wie sie es bei Männern und Frauen zu tun pflegten, bis es sich beim Oheim als erfolglos erwies und er die Hoffnung aufgab, zeugungsfähig zu werden. Nun wandte er seine Sorge der Heilung des Vaters des Heerführers zu. (Der Heerführer erzählt weiter:) Schließlich empfing mich meine Mutter. Als der Oheim erfuhr, daß sie schwanger war, sandte er Boten aus und ließ eine Anzahl schwangerer Frauen zusammenbringen, die verschiedene Muttersprachen hatten, darunter Arabisch, Griechisch, Lateinisch, Kurdisch, Slavisch und Chasarisch. Diese kamen in seinem Hause nieder. Nachdem meine Mutter mich zur Welt gebracht hatte, ließ er alle jene Frauen zusammen mit mir kommen, damit sie mich nährten. (Der Muslim erzählt:) Später ließ er seine Gespielen und Erzieher kommen, die mit den Frauen, die ihn genährt hatten, verwandt waren. (Der Heerführer erzählt weiter:) Diese unterrichteten mich hinfort im Schreiben und im Lesen ihrer religiösen Bücher. (Der Muslim erzählt:) Darüber vergingen keine neun Jahre, bis er in Fragen ihrer Religion bewandert war, ihre Bücher lesen und ihnen einschlägige Antworten geben konnte. Dann befahl sein Oheim, daß ihm einige Reiter beigegeben würden, die ihn im Fechten und im Wettkampf sowie in allem anderen ausbilden sollten, was die Reiter lernen. Er verbot ihm den Aufenthalt in den Häusern und befahl ihm, in Zelten zu wohnen. Fleisch durfte er nur dann essen, wenn er es mittels eines Vogels, den er selbst auf der Hand trug, eines Hundes, der vor ihm herlief, oder mit eigenem Pfeil erjagt hatte. Dies war sein Leben bis zur Vollendung des zehnten Lebensjahres. Dann schlug Gott der Mächtige und Erhabene die Sehnen seines Oheims mit Krankheit, und er starb.

Nach des Oheims Tod wurde sein Vater zum Heerführer ernannt. Als er nun auf Befehl seines Vaters vor ihn trat, sah dieser, von welch trefflicher Wesensart er war, und erkannte die Feinheit seiner Bildung. Da er ganz entzückt von ihm war, gewährte er ihm huldreich, was die byzantinischen Fürsten ihren Bevollmächtigten sonst nicht zu gewähren pflegten. Er ließ für ihn große Zelte und Unterkünfte aus Brokat zubereiten, gab ihm eine dichte Reiterschar bei und gewährte allen in reichem Maße, was sie brauchten. Dann überließ er ihn wieder seinem Zeltleben und befahl ihm, die Häuser seines Vaters zu meiden.

Der Heerführer erzählt weiter: Als ich fünfzehn Jahre alt war, ritt ich eines Tages aus, um einen Ort zu suchen, an dem ich bleiben wollte. Da gewahrte ich einen Teich von tausend Ellen Länge und mehr als dreihundert Ellen Breite. Ich befahl, meine Zelte an dem Teich aufzuschlagen, und begab mich selbst auf die Jagd. An jenem Tag wurde mir Beute in einer Menge zuteil, wie ich mir nie gewünscht hatte. Dann ließ ich mich nieder – die Zelte waren inzwischen aufgeschlagen –, und nachdem die Köche mir auf Befehl die Speisen zubereitet hatten, auf die ich Lust verspürte, wurde die Tafel vor mir aufgestellt. Ich wartete gerade darauf, daß das gekochte Fleisch gereicht würde, da hörte ich ein Geschrei, das mir unverständlich war, bis ich sah, wie meinen Gefährten der Kopf vom Rumpf herunterrollte. Ich versteckte mich an einer abgelegenen Stelle, wo ich meine eigenen Kleider aus- und die eines meiner Diener anzog. Als ich dann nach rechts und links Ausschau hielt, entdeckte ich rechts und links nichts als Erschlagene und sah, daß es eine Reiterschar der Zigeuner war, die meinen Gefährten alles dies angetan hatte. Danach wurde ich gefesselt, wie man einen Sklaven fesselt. Alles, was wir bei uns hatten, Zelte und anderes, luden sie auf und brachten mich zum König der Zigeuner. Als dieser mich sah – er besaß keinen Sohn – ließ er mich bestens versorgen, ließ mich zu seinen Häupten stehen und nannte mich seinen Sohn.

Nun hatte der König eine Tochter, die er zärtlich liebte. Er hatte sie die Reitkunst gelehrt sowie den Wettstreit und den Wettkampf mit ihresgleichen und hatte ihr gezeigt, wie sie sich mit Gegnern messen konnte. Eines Tages fragte er einige von seinen Heerführern: »Wer von euch will zum König der Byzantiner reisen und mir einen Schreiber aus seiner Hauptstadt besorgen, damit er meine Tochter schreiben lehrt?« Da erklärte ich ihm, sein Bote werde ihm keinen besseren Schreiber besorgen können als mich. Er befahl mir deshalb, in seiner Gegenwart etwas zu schreiben. Nachdem ich dies getan hatte, fand er mein Schriftstück schön, und als er es mit Briefen, die er von meinem Vater erhalten hatte, verglich, erschien ihm meine Schrift sogar noch besser. So vertraute er mir seine Tochter an und erteilte mir den Auftrag, sie schreiben zu lehren. Dabei verliebte ich mich in sie, und sie verliebte sich in mich. Bis sie das dreizehnte Lebensjahr vollendet hatte, blieb sie mit mir zusammen. Als sie eines Tages wieder zu mir kam, weinte sie. »Warum weinst du, Herrin?« fragte ich sie, und sie erzählte mir: »Als ich heute nacht vor meinen Eltern saß, fielen mir die Augen zu, und ich schlief ein. Da hörte ich, wie mein Vater zu meiner Mutter sagte: ›Ich sehe, daß sich die Brust deiner Tochter gerundet hat und daß dieser Byzantiner inzwischen eine stattliche Erscheinung geworden ist. Es gehört sich nicht, daß sie noch länger zusammenkommen. Wenn sie morgen wieder bei ihm sitzt, dann schicke jemand zu ihr, der die beiden trennt, so daß sie einander nicht mehr sehen.‹« Nun ist es bei den Zigeunern Brauch, daß der Vater für seine Tochter wirbt, um sie zu verheiraten, er tut es aber nicht, ohne daß die Tochter den Mann aus freien Stücken wählt. Ich sagte deshalb zu der Königstochter: »Wenn dein Vater dich fragt, um welchen Mann er für dich werben soll, so sprich: ›Ich will keinen anderen als diesen Byzantiner.‹« Da wurde sie zornig und sagte: »Wie darf ich bitten, daß um dich für mich geworben wird, wo du doch ein Sklave bist?« Ich entgegnete: »Gott der Mächtige und Erhabene hat mich nicht zu einem Sklaven gemacht. Ich bin ein Nachfahre von Königen, und mein Vater ist der König der Byzantiner.« Die Zigeuner nennen nämlich den byzantinischen Heerführer, der den Oberbefehl über das Heer der Zigeuner innehat, »König der Byzantiner«. Da fragte sie mich, ob das, was ich ihr erklärt hätte, auch der Wahrheit entspreche. Dies versicherte ich ihr. Wir hatten eben miteinander gesprochen, da erschien auch schon der Bote des Königs und trennte uns.

Seitdem waren nur drei Tage vergangen, als mich der König kommen ließ. Bei ihm eintretend, sah ich deutlich die Zeichen von Freude auf einem Gesicht. Er sprach zu mir: »Du Unglücklicher, was hat dich veranlaßt, unwahre Angaben über deine Abstammung zu machen? Ich pflege nämlich Leute, die sich einen falschen Vater zulegen, mit dem Tode zu bestrafen.« »Ich habe mir keinen falschen Vater zugelegt«, gab ich ihm zur Antwort, worauf er erwiderte: »Meine Tochter sagt mir aber, du seiest der Sohn des Königs der Byzantiner.« Da ließ ich ihn wissen, daß ich dies allerdings behauptete, und ersuchte ihn, die Angelegenheit aufzuklären und zu prüfen. Er meinte: »Ich habe es nicht nötig, deine Angelegenheit in der Weise aufzuklären, daß ich einen Boten aussende, der deine Umstände in Erfahrung bringen soll, da ich über Mittel und Wege verfüge, dich zu prüfen, so daß ich Wahrheit und Lüge bei dir unterscheiden kann.« Ich bat ihn, die Sache ganz nach seinem Wunsch zu klären. Darauf ließ er ein Reitpferd, ein Satteltuch, einen Sattel und einen Zaum kommen und befahl mir, das Reitpferd zu übernehmen, worauf ich es dem Stallknecht aus der Hand nahm. Nun ließ er mich die Decke ergreifen, und nachdem ich es getan hatte, hieß er mich sie dem Reitpferd überwerfen. Nachdem ich auch dies getan hatte, befahl er mir, den Bauch- und Brustgurt sowie den Schwanzriemen festzubinden, den Zaum zu nehmen und das Pferd zu zügeln. Dies alles tat ich. Dann befahl er mir, das Pferd zu besteigen. Als ich es bestiegen hatte, forderte er mich auf zu reiten. Kaum war ich ein Stück geritten, da ließ er mich auf sich zukommen. Bei ihm angekommen, mußte ich auf sein Geheiß absteigen. Als ich auch dieses letzte noch getan hatte, verkündete er: »Ich bezeuge, daß er der Sohn des Königs der Byzantiner ist; denn er hat das Pferd wie ein König angepackt und alle übrigen Verrichtungen ausgeführt, wie es Könige tun. Seid darum Zeugen dessen, daß ich ihm meine Tochter zur Frau gebe.«

Sie hatten eben erklärt: »Fürwahr, des sind wir Zeugen«, da sprach er: »Nein, bezeuget es nicht!« Als ich seinen Befehl hörte: »Nein, bezeuget es nicht«, traf mich dieses Wort wie ein Blitzstrahl, und ich fürchtete, es werde mich töten. Allein er sprach zu mir: »Ich habe ihnen die Zeugenschaft nicht deshalb verboten, weil ich dich etwa ablehnte, sondern weil es bei uns eine Bedingung gibt, von der wir nicht abgehen können. Nun bin ich mir nicht sicher, ob wir in dieser Beziehung einen Zwang ausüben, dich also gegebenenfalls auf unsere Bedingung verweisen können, wenn es sich um etwas handelt, was wir dir nicht vorher mitgeteilt und worüber wir dich nicht unterrichtet haben; denn dann würden wir dir wohl Unrecht tun. Andernfalls müßten wir von der Ausübung unseres heimatlichen Brauches Abstand nehmen, womit wir den Boden unseres Glaubens verlassen würden. Unser Brauch besteht darin, Byzantiner, daß wir die Ehegatten nicht trennen, wenn einer von beiden stirbt. Stirbt der Mann vor der Frau, so legen wir sie auf ihr Bett, legen den Mann neben sie und lassen beide zusammen in den Brunnenschacht hinunter. Wenn du mit dieser Bedingung einverstanden bist, so möge Gott deine Ehe mit ihr segnen. Bist du jedoch mit dem Brauch nicht einverstanden, so nimmt sie deine Hand nicht an; denn ohne dich unserem Brauch zu fügen, kannst du sie nicht heiraten.« Unter dem Zwang meiner innigen Liebe zu ihr erklärte ich mich mit diesem Brauch einverstanden, worauf er uns beide ausstatten ließ und uns miteinander vereinte.

Vierzig Tage lebte ich mit ihr zusammen, die jedem von uns beiden schienen, als ob er die ganze Welt errungen hätte. Dann befiel sie eine Krankheit, die mit einer tiefen Ohnmacht verbunden war, so daß wir und alle, die sie sahen, keinen Zweifel daran hegten, daß ihre letzte Stunde geschlagen hatte. Danach wurde sie mit ihren prächtigen Kleidern ausgestattet, und nachdem man auch mich in der gleichen Weise gekleidet hatte, wurden wir auf *einer* Bahre fortgetragen. Der König und die Großen seines Reiches stiegen zu Pferde und gaben uns das Geleit, bis sie mit uns an den Rand des Brunnenschachtes kamen. Dann banden sie unten an die Bahre Seile, legten uns für drei Tage Speise und Trank darauf und ließen uns auf den Grund des Brunnenschachtes hinab. Als sie dann die Seile auf uns herabfallen ließen, traf eines davon das Mädchen ins Gesicht. Dies weckte sie aus der Ohnmacht, die sie befallen hatte, und sie kam wieder zu sich. Nachdem sie sich erholt hatte, schien mir alles Glück der Erde wieder auf mich vereint. Meine Augen gewöhnten sich an die Finsternis, und so entdeckte ich an der Stelle, an der ich mich befand, trockenes Brot, das für lange Zeit reichte, worauf ich anfing, mich und sie damit in dem Brunnenschacht zu ernähren. Im übrigen gab es keinen Tag, an dem nicht eine Bahre mit zwei Ehegatten herabgelassen wurde, von denen der eine lebendig und der andere tot war. War der lebend Herabgelassene ein Mann, so übernahm ich es, ihn zu töten, damit nicht ein zweiter Mann mit mir und meiner Frau zusammen war. War es dagegen eine Frau, so übernahm die Königstochter es, sie umzubringen, weil ihre Eifersucht auf mich es nicht erlaubte, daß außer ihr noch eine andere Frau mit mir zusammen war.

Länger als ein Jahr lebten wir in dieser Weise in dem Brunnenschacht, als auf einmal ein Eimer in den Brunnen heruntergelassen wurde. Mir war klar, daß es nicht ein Zigeuner war, der ihn herunterließ, sondern daß es ein Byzantiner sein mußte. Ich kam zu dem Entschluß, das Mädchen als erste von uns beiden retten zu lassen. Sie sollte dann auf meine Lage aufmerksam machen, so daß der Eimer ein zweites Mal heruntergelassen und dann auch ich herausgezogen würde. Ich hob daher die Königstochter auf und setzte sie, angetan mit ihren Gewändern, Schmuckstücken und Juwelen, in den Eimer. Dann zogen die Leute den Eimer hoch. Als das Mädchen aus dem Brunnenschacht zu ihnen herauskam, siehe, da waren die Leute Diener meines Vaters. Sie selbst kamen gar nicht auf den Gedanken, nach mir zu fragen, und das Mädchen empfand ehrfurchtsvolle Scheu vor ihnen. Weil sie gesehen hatten, wie die Trauer über meinen Verlust meine Eltern niederdrückte, dachten sie sich aus, das Mädchen zu meinen Eltern zu bringen, um ihnen etwas Gutes zu tun. Sie sollten das Mädchen an Sohnes Statt annehmen, um durch sie Ruhe und Trost zu finden. So brachten sie das Mädchen zu meinen Eltern. Diese freuten sich über sie, fühlten sich in der Gemeinschaft mit ihr wohl, und ihr herzliches Verhältnis zu dem Mädchen gewann Bestand. So ging es ihr denkbar gut.

Nun hatte ein gebildeter und kluger Freund meines Vaters, der auch ein bildender Künstler war, für meinen Vater auf einem Stück Holz ein Gemälde von mir entworfen und es recht hübsch ausgemalt. Er hatte es in ein Zimmer meiner Eltern gestellt und zu ihnen gesagt: »Wann auch immer eure Gedanken zu eurem Sohn wandern und euch das Herz schwer wird, dann geht hinein und schaut dieses Bild an. So werdet ihr zwar bitterlich weinen, allein am Ende Trost finden.« Nachdem nun das Mädchen zu meinen Eltern gekommen war und eines Tages gesehen hatte, wie sie in jenes Zimmer hineingingen und mit verweinten Augen wieder herauskamen, trat sie ein anderes Mal, als sie wieder hineingingen, vor ihnen ein. Da fiel ihr Blick auf das Bild. Als sie es gewahrte, schlug sie sich ins Gesicht und raufte sich Haar und Kleider. Auf die Frage nach dem Grund ihrer seelischen Erschütterung antwortete sie: »Dies ist ja das Bild meines Mannes!« Weiter nach seinem und seiner Eltern Namen befragt, nannte sie diese alle. Darauf sagten die Eltern zu ihr: »Wo befindet sich denn dieser dein Mann?« – »In dem Brunnen, aus dem ich herausgezogen worden bin«, gab sie ihnen zur Antwort.

Da ritten mein Vater und meine Mutter mit den meisten Einwohnern der Stadt und in Begleitung der Diener, die das Mädchen aus dem Brunnen gezogen hatten, davon, bis sie zu dem Brunnen gelangten, und ließen den Eimer hinunter. Ich hatte gerade mein Schwert, das man mir damals mit hinuntergegeben hatte, aus der Scheide gezogen und seine Spitze mir mitten auf die Brust gesetzt, um mich darauf zu stützen und es aus dem Rücken wieder hervordringen zu lassen, damit ich angesichts meines überwältigenden Schmerzes endlich Ruhe vor der Welt hätte. Als ich nun den Eimer gewahrte, sprang ich auf und setzte mich hinein. Die Leute, die oben am Brunnen waren, zogen mich hoch, bis ich aus ihm herauskam. Da fand ich Vater, Mutter und Frau am Brunnenrand. Sie hatten die Reittiere bereits für mich zurechtgemacht, damit ich mich zum Hause meiner Eltern begeben könnte. Inzwischen war mein Vater zum König jenes Landstriches aufgestiegen. Ich aber fügte mich keineswegs willenlos meinen Eltern und erklärte ihnen deshalb, es sei das beste, eine Abordnung zu den Eltern des Mädchens zu schicken, damit diese ihre Tochter wiedersähen, wie auch meine Eltern mich wiedergesehen hatten. Dies taten sie und schickten Leute zu dem Vater des Mädchens, der der Fürst der Zigeuner war, worauf er in Begleitung seiner vornehmen Leute auszog. So sahen die Eltern ihre Tochter wieder und richteten ihr eine neue Hochzeitsfeier. Zwischen Byzantinern und Zigeunern kam es zu einem Waffenstillstand, bei dem durch Eide bekräftigt wurde, daß dreißig Jahre keiner von beiden den anderen angreifen dürfe. Jeder kehrte in seine Heimat zurück, und auch wir gingen nach Hause. Nachdem mein

Vater gestorben war, erbte ich das Amt des Heerführers von ihm, und durch die Tochter des Zigeunerkönigs wurden mir Kinder beschert.

Wenn das Leid, Araber, bei dir ein solches Maß angenommen hat, wie du angibst, dann ist auch deine Erlösung nahe.

Der Heerführer hatte seine Rede noch nicht beendet, da trat ein Bote des byzantinischen Kaisers bei ihm ein und sprach zu ihm: »Der Kaiser läßt dir sagen, du sollest zu ihm herkommen.« So machte er sich auf den Weg zu ihm. Als er zurückkam, verkündete er mir: »Du bist nun erlöst!« Dann erzählte er mir: »Als ich beim Kaiser war und die Rede auf die Araber kam, schossen die Heerführer ihre Pfeile gegen sie wie von einem einzigen Bogen ab und behaupteten, die Araber seien ohne Verstand und Bildung, und wenn sie die Byzantiner besiegten, so geschehe dies durch äußere Überlegenheit, nicht jedoch durch weise Planung. Darauf sagte ich dem Kaiser, die Sachlage sei anders, als sie behauptet hätten, die Araber seien vielmehr gebildete und kluge Leute. Er erklärte mir jedoch: ›Weil du deinem arabischen Gast gewogen bist, übertreibst du, indem du den Arabern etwas zuschreibst, was ihnen nicht eigen ist.‹ Nun sagte ich: ›Wenn der Kaiser es für richtig hält, mir zu gestatten, den Araber herkommen zu lassen, um ihn mit den Verfechtern dieser Ansicht zusammenzubringen, auf daß man ein Bild von seiner Vortrefflichkeit gewinnt, dann möge er mir befehlen, ihn dem Kaiser vorzuführen.‹« Da sprach ich zu dem Heerführer: »Damit hast du mir keinen Gefallen getan; denn ich fürchte, daß er mich mißachten wird, wenn seine Freunde mich im Wortgefecht besiegen, und daß er mich schlecht behandeln wird, wenn ich umgekehrt sie besiege.« »Du schilderst die Dinge«, wandte er ein, »wie es eben die einfachen Leute tun. In Wirklichkeit handeln die Könige aber anders. Ich kann dir verraten, daß du im Falle deines Obsiegens in den Augen des Kaisers ein großer Mann bist und bei ihm eine solche Achtung gewinnen wirst, daß er dir einen Wunsch erfüllen wird. Wenn sie hingegen dich besiegen, dann freut er sich darüber, daß seine Glaubensgenossen dir überlegen gewesen sind, betrachtet aber unter diesen Umständen deinen Schutz als Pflicht.

Das Geringste, was er meines Erachtens tun wird, ist, dir dafür einen Wunsch zu erfüllen, gleichgültig, ob du siegst oder besiegt wirst. Dann bitte ihn, daß er dich aus seinem Lande entläßt und dich in deine Heimat zurückschickt; denn er wird es tun.«

Als ich daraufhin vor dem Kaiser erschien, hieß er mich näher treten und behandelte mich ehrenvoll, worauf der erste von diesen Heerführern das Wort an mich richtete. Ich erklärte jedoch dem Kaiser, ich sei meiner selbst wegen nicht bereit, mit ihnen zu diskutieren und würde dies nur mit dem obersten aller Heerführer tun, worauf er ihn kommen ließ. Als er eintrat, begrüßte ich ihn mit den Worten: »Willkommen, höchst ehrenwerter Herr!« Ich fuhr fort: »Wie fühlt ihr euch, Herr?« Auf seine Antwort, daß er gesund sei, fragte ich: »Und wie ist euer Gesamtbefinden?« – »Deinen Wünschen entsprechend«, erwiderte er. Nun fragte ich: »Und wie geht es eurem Sohn?« Da lachten die Heerführer allesamt miteinander und sprachen: »Jener Heerführer« – damit meinten sie den mit mir befreundeten – »hat behauptet, dieser Mann sei gebildet und habe Verstand. Dabei weiß er in seiner Dummheit nicht einmal, daß Gott der Mächtige und Erhabene diesen Heerführer davor bewahrt hat, einen Sohn zu haben.« Ich wandte ein: »Es ist ja geradezu so, als ob ihr ihn für zu erhaben dafür hieltet, einen Sohn zu haben.« – »Ja, bei Gott«, erklärten sie, »wir halten ihn in der Tat für zu erhaben dafür, wenn Gott ihn selber schon für zu erhaben dafür gehalten hat.« Ich erwiderte: »Ei, wie seltsam, daß es einem von Gottes Knechten nicht gestattet sein soll, einen Sohn zu haben, obwohl dies angeblich sogar Gott, dem Schöpfer aller Wesen, gestattet sein soll!« Da ließ der Heerführer ein Schnauben hören, das mich entsetzte. Dann sprach er: »O Kaiser, verweise diesen Mann auf der Stelle des Landes, damit er nicht noch die Einwohner gegen dich aufwiegelt.« Da ließ der Kaiser die Reiter kommen und übergab mich ihnen. Er bestellte die Postpferde und befahl, mich auf ihnen unter sicherem Geleit zu befördern und den Muslimen zu übergeben, die uns auf islamischem Gebiet begegnen würden. So haben sie mich jenen Besatzungsmitgliedern der Grenzfestungen übergeben, die mich in Empfang genommen haben.

22. Der Traum des Sa'īd ibn al-Hārith

Rāfi' ibn 'Abdallāh erzählt:
Hāschim ibn Jahjā al-Kinānī hat mich einmal gefragt: »Soll ich dir etwas erzählen, was ich mit eigenen Augen gesehen, mit eigenen Ohren gehört, was ich selbst erlebt habe und was Gott mir zum Segen hat gereichen lassen? Denn vielleicht dient es auch dir zum Segen.« – »Erzähle es mir, Abu'l-Walīd«, antwortete ich, und so sprach er:

Als wir im Jahre 88 der Hidschra (707 n. Chr.) einen Einfall in das Gebiet der Byzantiner unternahmen, befand sich in unseren Reihen ein Mann namens Sa'īd ibn al-Hārith. Er war ein frommer Mensch, der tagsüber fastete und nachts aufstand, um zu beten. Wenn wir unterwegs waren, las er den Koran; hielten wir uns dagegen irgendwo auf, so betete er zu Gott dem Erhabenen. Als einmal eine schaurige Nacht für uns anbrach, zog ich zusammen mit ihm auf Wache. Wir belagerten damals den Feind in einer schwer einnehmbaren Festung. Was ich in dieser Nacht bei Sa'īd an Frömmigkeit und am Ertragen von Anstrengungen erlebte, war staunenswert. Als der Morgen dämmerte, sagte ich zu ihm: »Du, dem Gott sicher Barmherzigkeit erweisen wird, hast auch deinem Leben gegenüber eine Pflicht, und wenn du etwas Mitleid mit ihm hättest, so wäre dies besser für dich.« Er aber weinte und sprach: »Mein lieber Freund, das Leben besteht nur aus einigen abzählbaren Atemzügen, aus einer vergänglichen Frist und einer begrenzten Zeit. Ja ich bin ein Mann, der auf den Tod wartet.« Dies rührte mich zu Tränen, und ich sprach zu ihm: »Ich beschwöre dich, in die Zelte zu gehen und dich auszuruhen.« So ging er hinein und schlief ein wenig, während ich mich außerhalb seines Zeltes hinsetzte.

Auf einmal hörte ich jemand in dem Zelt sprechen, obwohl niemand außer ihm darinnen war. Als ich an ihn herantrat, merkte ich zu meiner Überraschung, daß er im Schlaf lachte und redete. Von seinen Worten blieb mir im Gedächtnis haften, daß er sagte: »Ich möchte nicht zurückgehen.« Dann streckte er seine rechte Hand aus, als ob er etwas begehrte, zog sie aber höflich wieder zurück und lachte. Nach einer Weile rief er aus: »Und heute nacht –.« Dann sprang er zitternd aus dem Schlaf auf. Eine Zeitlang drückte ich ihn an meine Brust, während er sich nach rechts und links wandte, bis er sich beruhigte und wieder zu sich kam. Nun begann er, Gottes Einheit und Größe zu verkünden. Danach sprach ich: »Was hast du erlebt? Erzähle mir.« Als er ja stammelte, sagte ich: »Lieber Freund, ich habe dich sagen hören: ›Ich möchte nicht zurückgehen‹ und habe dich die Hand ausstrekken und dann wieder höflich zurückziehen sehen.« Er antwortete: »Das kann ich dir nicht erzählen.« Weil ich ihn jedoch beschwor, fragte er: »Wirst du es geheimhalten?« Nachdem ich ihm dies zugesichert hatte, erzählte er mir folgendes:

»Ich habe geträumt, die Auferstehung habe begonnen und die Menschen seien aus ihren Gräbern gestiegen, die Augen gen Himmel gewandt und der Befehle ihres göttlichen Herrn gewärtig. Während es auch mir so erging, kamen auf einmal zwei Männer zu mir, wie ich schöner nie jemand gesehen habe. Sie grüßten mich, und ich erwiderte ihren Gruß. Dann sprachen sie zu mir: ›Freue dich, Sa'īd; denn deine Schuld ist verziehen, deinem Eifer wird Lob, deinem Wirken Anerkennung und deinem Gebet Erhörung zuteil, und die frohe Botschaft für dich läßt nicht auf sich warten. Komme mit uns, daß wir dir zeigen, was Gott an Glück für dich vorbereitet hat.‹ So ging ich mit ihnen, und sie führten mich von der Stelle fort, an der wir standen. Plötzlich gewahrte ich einige im Lauf unübertreffliche Pferde, schnell wie der rasende Blitz oder das Wehen des Sturmwindes. Wir stiegen auf und ritten, bis wir zu einem Schlosse kamen, höher als der Blick reichte, wie aus einem Edelstein gemeißelt und in strahlendes Licht getaucht. Als wir bei ihm anlangten, tat sich das Tor auf, noch bevor wir um Öffnung baten. Wir traten ein, und nun sahen wir Dinge, derengleichen keiner beschreiben und kein Mensch ersinnen kann. Der Huris, Dienerinnen und Diener waren dort so viele wie Sterne am Himmel. Als sie uns erblickten, begannen sie, in wohlklingender Sprache und in verschiedenen Stimmen gar liebreizend zu singen: ›Dies ist Gottes Freund. Nun ist er da. Er sei uns herzlich willkommen!‹ Weiterschreitend gelangten wir zu Wohnräumen mit Thronsesseln aus Gold und aus mit Edelsteinen besetztem Elfenbein, um die ringsherum wieder Sitze standen, die schier aus Rubinen gefertigt waren. Auf jedem Thronsessel saß ein Mädchen, das schöner als Sonne und Mond war und das kein Sterblicher beschreiben könnte. In der Mitte von ihnen allen aber thronte eine, die die anderen an Größe, Schönheit und Anmut übertraf. Die beiden Männer sprachen zu mir: ›Dies ist deine Wohnung, diese sind deine Hausgenossen, und hier ist deine Ruhestatt.‹ Nachdem sie sich entfernt hatten, sprangen die Mädchen auf, um mich willkommen zu heißen und ihrer Freude Ausdruck zu geben, wie es Angehörige tun, wenn einer aus der Fremde heimkehrt. Dann trugen sie mich fort, setzten mich auf den mittleren Thronsessel neben das Mädchen und erklärten: ›Diese hier ist deine Ehefrau. Außerdem hast du noch eine andere, die ebenso schön ist. Sie haben beide lange auf dich gewartet.‹ Ich sprach nun mit meiner Frau. Dabei fragte ich sie: ›Wo befinde ich mich eigentlich?‹ Sie antwortete: ›In der Heimstatt des Paradieses.‹ Auf meine weitere Frage, wer sie sei, erklärte sie: ›Ich bin in Ewigkeit deine Frau.‹ – ›Und wo ist die andere?‹ wollte ich wissen. ›In deinem anderen Schloß‹, gab sie mir zur Antwort, und ich eröffnete ihr: ›So werde ich also heute bei dir bleiben und morgen zu der anderen übersiedeln.‹ Als ich jetzt die Hand nach ihr ausstreckte, wies sie mich sanft zurück mit den Worten: ›Heute nicht; denn du mußt in die irdische Welt zurückgehen und noch drei Tage dort bleiben.‹ Ich erwiderte: ›Ich möchte nicht zurückgehen.‹ ›Es geht nicht anders‹, sagte sie, ›aber, so Gott der Erhabene will, wirst du nach diesen drei Tagen bei uns das Fasten brechen.‹ Sprach's und erhob sich von ihrem Sitz, worauf auch ich aufstand, um ihr Lebewohl zu sagen. In diesem Augenblick bin ich aufgewacht, lieber Freund, und nun kann ich es nicht mehr aushalten ohne sie.«

Da überwältigten mich die Tränen, und ich sprach: »Möge dies gut für dich enden, Sa'īd! Danke Gott aufs neue; denn er hat dir offenbart, welchen Lohn du für dein Wirken erlangen wirst.« Er fragte: »Obwohl schon einmal ein anderer ein solches Gesicht gehabt hat wie ich?« Als ich es verneinte, sagte er: »Ich beschwöre dich bei Gott, Bruder, solange ich lebe, geheimzuhalten, was du von mir gehört hast.« Danach stand er auf, wusch sich und versah sich mit Duftmitteln. Nachdem er seine Waffen ergriffen hatte, ging er auf das Schlachtfeld, obwohl er nichts zu sich genommen hatte. Er kämpfte bis zum Einbruch der Nacht, und nach seiner Rückkehr verkündeten die Leute, wie wacker er sich geschlagen habe. Sie sagten: »Eine Kampfleistung, wie Sa'īd sie heute vollbracht hat, haben wir noch nicht erlebt. Ja, er hat sich unter die Pfeile und Steine der Feinde geworfen.« So lobten sie ihn alle. Ich aber sagte mir: »Wenn sie wüßten, wie es um ihn steht, würden sie miteinander wetteifern, das gleiche zu vollbringen wie er.« Er selbst blieb dann betend stehen bis zum Ende der Nacht. Am nächsten Morgen kämpfte er, ohne etwas zu sich genommen zu haben, noch wirksamer als am vorhergehenden Tage. Ich aber begleitete ihn, um zu sehen, wie er sich verhalten werde. Ja, er stürzte sich bis zum Ende des Tages unaufhörlich in die größten Gefahren, ohne daß ihn bis zum Sonnenuntergang von dem, womit sie nach ihm zielten an Steinen und anderem, irgend etwas traf. Dann aber drang ihm ein Pfeil in die Kehle. Ich sah ihn lachend zu Boden sinken. Die Leute schrieen, eilten auf ihn zu, hoben ihn auf und trugen ihn zu den Zelten, doch er war bereits tot. Gott habe ihn selig! Zu ihm gewandt, sprach ich: »Laß es dir gut schmecken, lieber Sa'īd, wenn du heute Nacht das Fasten brichst. Wie gern wäre ich bei dir!« Er aber biß sich auf die Unterlippe und lachte noch im Tode. Preis sei Gott, der zu seinem Worte steht!

Jetzt rief ich aus: »O ihr Diener Gottes! Dem Vorbild dieses Mannes gilt es nachzueifern. Höret, so will ich euch das Erstaunlichste erzählen, was ihr bei diesem euren Bruder erlebt habt.« Nachdem die Leute alle herbeigekommen waren, erzählte ich ihnen seine Geschichte und was ihm widerfahren war. Nie habe ich Menschen wie an jenem Tage weinen sehen ... Nachdem wir das Gebet über ihm gesprochen und ihn an Ort und Stelle begraben hatten, erzählten sich die Leute die Nacht hindurch von ihm. Am Morgen sprachen wir wieder von ihm. Dann aber erhoben die Muslime ihre Stimme wie zu einem einzigen Schrei und stürzten sich auf die Ungläubigen. Gott der Erhabene gab die Festung an jenem Tage in unsere Hand dank des Segens, der uns durch Sa'īd zuteil wurde. Er habe ihn selig und lasse ihn uns in beiden Welten zum Heil gereichen! Amen.

23. Die Macht des Blutes

Ein Mann aus Kufa erzählte:
Als wir uns mit Maslama ibn ʻAbd al-Malik auf byzantinischem Gebiet befanden, nahm er viele Leute gefangen. An irgendeinem Lagerplatz machte er halt und ließ die Gefangenen über die Klinge springen. So tötete er viele Menschen, bis ihm ein schwacher Greis zu Gesicht kam. Als er auch ihn zu töten befahl, fragte dieser: »Warum hast du es nötig, einen Greis wie mich zu töten? Wenn du mir das Leben schenkst, bringe ich dir zwei junge muslimische Gefangene.« – »Wer leistet mir dafür Gewähr, daß du dies wirklich tust?« fragte Maslama. »Fürwahr«, erklärte der Greis, »wenn ich mein Wort gebe, so halte ich es.« Maslama erwiderte jedoch: »Ich habe kein Vertrauen zu dir.« Da schlug ihm der Greis vor: »So lasse mich die Runde durch dein Heer machen. Vielleicht finde ich einen, der für mich bürgt, bis ich ausziehe und mit den beiden Gefangenen zurückkomme.« Maslama ließ ihn nun durch einen Mann beaufsichtigen, dem er befahl, ihn in seinem Heer herumzuführen und zu bewachen. So ging der Greis unentwegt umher und prüfte die Gesichter, bis er an einem jungen Mann aus dem Stamm der Banū Kilāb vorbeikam, der irgendwo stand und sein Pferd pflegte. »Junger Mann«, sagte er zu ihm, »leiste für mich Bürgschaft beim Emir«, und er erzählte ihm seine Geschichte. Jener antwortete: »Ich will es tun« und ging mit ihm zu Maslama. Dort verbürgte er sich für ihn, worauf Maslama den Greis gehen ließ. Nachdem dieser sich entfernt hatte, fragte er den Jüngling: »Kennst du ihn eigentlich?« – »Bei Gott, nein«, antwortete er. Auf die Frage: »Wie konntest du denn für ihn bürgen?« erwiderte er: »Ich habe ihn die Gesichter prüfen sehen, und als er dann mich aus den Leuten auswählte, mochte ich ihn nicht enttäuschen.«

Am folgenden Tag kehrte der Greis mit zwei jungen muslimischen Gefangenen zurück und übergab sie Maslama mit der Bitte: »Gestattet der Emir, daß mich jener junge Mann zu meiner heimatlichen Festung begleitet, damit ich ihm vergelte, was er an mir getan hat?« Maslama sagte zu dem Kelbiten: »Wenn du willst, kannst du ihn begleiten.« Nachdem er sich auf den Weg gemacht und mit ihm bei seiner Festung angekommen war, sagte der Greis zu ihm: »Du sollst wissen, Jüngling, daß du wirklich und wahrhaftig mein Enkel bist.« Er erwiderte: »Wie kann ich dein Enkel sein, wo ich doch ein muslimischer Araber bin, während du ein byzantinischer Christ bist?« – »Dann teile mir mit, was deine Mutter ist«, bat der Greis und erhielt die Antwort: »Eine Byzantinerin.« Er fuhr fort: »So will ich sie dir denn beschreiben, und, bei Gott, wenn ich sie den Tatsachen gemäß schildere, ist es gut. Andernfalls mußt du sie mir wahrheitsgetreu schildern.« – »Dies werde ich tun«, entgegnete der Jüngling. Nun begann der Byzantiner, die Mutter des Jünglings zu beschreiben, ohne etwas von ihr auszulassen. Dieser aber sprach: »So sieht sie wirklich aus. Aber woher weißt du, daß ich ihr Sohn bin?« Infolge der Ähnlichkeit, der Bekanntschaft der Seelen und der Zuverlässigkeit meiner Menschenkenntnis«, antwortete er. Danach ließ er eine Frau zu ihm herauskommen. Als der junge Mann sie sah, hegte er keinen Zweifel daran, daß dies seine Mutter sei, weil sie ihr außerordentlich glich. In ihrer Begleitung kam eine Alte heraus, die ebenfalls wie seine Mutter aussah. Beide begannen ihm das Haupt zu küssen. Der Greis aber sprach: »Dies ist deine Großmutter, und die hier ist die Schwester deiner Mutter.« Danach stieg er aus seiner Festung hinauf und rief einige Jünglinge, die sich in der Ebene befanden. Als sie herbeikamen, sprach er mit ihnen auf Griechisch, worauf sie dem Jüngling voller Inbrunst Kopf, Hände und Füße zu küssen begannen, während der Greis erklärte: »Dies sind die Brüder deiner Mutter, ihre Söhne und die Vettern deiner Mutter von Vaterseite.« Nachdem er auch noch viele Schmucksachen und üppige Gewänder herausgeholt hatte, sprach er: »Dies haben wir von deiner Mutter noch hier, seitdem sie in Gefangenschaft geraten ist. Nimm es mit und händige es ihr aus; denn sie wird es wiedererkennen.« Danach schenkte er ihm für sich selbst viel Geld und prächtige Kleider. Er lud alles auf eine Anzahl von Lasttieren und Mauleseln und schickte ihn zum Heer Maslamas zurück, worauf er von dannen ging.

Zu Hause angekommen, begann der Jüngling, Stück für Stück von dem, was ihm der Greis als Eigentum seiner Mutter erklärt hatte, hervorzuholen, während sie bei dem Anblick weinte. Er sagte dann jedes Mal zu ihr: »Dies schenke ich dir.« Als er ihr dies immer wieder erklärte, sagte sie: »Mein lieber Junge, ich frage dich in vollem Ernst: Aus welchem Ort hast du diese Kleider bekommen? Habt ihr die Einwohner der Festung, in der sich dies befunden hat, getötet?« Er antwortete: »Die Festung sieht so und so aus, der Ort so und so, und mir sind dort Leute begegnet, die so und so aussehen.« Dann beschrieb er ihr ihre Mutter und ihre Schwester sowie ihrer beider Kinder, während sie aufgeregt weinte. »Warum weinst du?« fragte er sie. Sie erwiderte: »Bei Gott, der Greis ist mein Vater, die Alte meine Mutter und jene andere meine Schwester.« Da erzählte er ihr die Geschichte, holte den Rest von dem, was er bei sich hatte und ihr Vater ihr übersandt hatte, hervor und überreichte es ihr.

24. Das Mittagsgebet

Ein ungenannter Mann erzählt:
Es geschah einmal, als die Muslime vor einer feindlichen Festung lagen, daß zwei Männer sich aufmachten, um in die Kampfreihen zu gehen. Da sagte der eine zum anderen: »Willst du nicht die große rituelle Waschung bei dir vornehmen? Denn Gott führt uns vielleicht dahin, daß wir als Märtyrer im Glaubenskampf fallen.« Jener erwiderte: »Nein, ich möchte es nicht.« So wusch sich nur der erste. Kaum war er fertig, da wurde ein Stein von der Festung geworfen, der den Ungewaschenen traf. Ich kam gerade an den Leuten vorbei, als sie ihn zu ihren Zelten schleppten. Auf meine Frage, was ihm zugestoßen sei, erzählten sie mir das Geschehene. Zunächst ging ich weiter zu meinen Freunden, dann kehrte ich aber zu den Leuten zurück und blieb bei ihnen, während sie im Zweifel waren, ob er bereits tot sei oder wieder zu sich kommen werde. Auf einmal fing er an zu lachen. Da riefen wir: »Er lebt!« Nachdem er danach wieder lange regungslos verharrt hatte, lachte er aufs neue, wurde aber noch einmal für lange Zeit regungslos. Schließlich begann er zu weinen und öffnete die Augen. Jetzt sagten wir zu ihm: »Sei doch froh, Mann; denn du hast nichts mehr zu befürchten. Wir haben Seltsames mit dir

erlebt. Erst hatten wir geglaubt, du seiest tot. Auf einmal hast du aber gelacht und bist dann wieder in lange Regungslosigkeit verfallen.«

Da sprach er: »Nachdem mich das Unglück getroffen hatte, kam ein Mann zu mir, nahm mich bei der Hand und führte mich zu einem Schloß aus Rubinen. Als er am Tor haltmachte, kamen Diener, wie ich sie noch nie gesehen habe, eilfertig zu mir heraus und sprachen: ›Sei uns willkommen, gnädiger Herr!‹ Ich fragte: ›Wer seid ihr, liebe Leute?‹ – ›Wir sind für dich erschaffen‹, gaben sie zur Antwort. Dann ging der Mann mit mir weiter und führte mich zu einem anderen Schloß. Auch hier kamen Diener eilfertig zu mir heraus, die noch vortrefflicher als die ersten waren, und sprachen: ›Sei uns hochwillkommen, gnädiger Herr!‹ Wieder fragte ich: ›Wer seid ihr, liebe Leute?‹ und erhielt abermals die Antwort: ›Wir sind für dich erschaffen.‹ Danach führte mich der Mann zu einem Saal, von dem ich nicht weiß, ob er aus Rubinen, Chrysolithen oder Perlen erbaut war. Abermals kamen Diener, eilfertig wie die anderen, zu mir heraus und fragten das gleiche. Ich gab ihnen dieselbe Antwort. Mein Begleiter blieb mit mir an der Tür des Saales stehen. Zu meiner Überraschung sah ich, daß im Inneren ein Polster über dem anderen lag und Kissen ausgebreitet waren. Nachdem mich der Mann in den Saal – er hatte zwei Türen – hineingeführt hatte, ließ ich mich zwischen zwei Kissen nieder. Er aber sagte: ›Ich beschwöre dich, auf diesen Polstern Platz zu nehmen; denn sie sind heute eigens für dich hergerichtet worden.‹ Da stand ich auf und streckte mich auf jenen Polstern so behaglich aus, wie ich noch nie gelegen habe. Während ich so dalag, hörte ich plötzlich von einer der beiden Türen ein Geräusch, und siehe, es erschien eine Frau, von einer Schönheit und mit Schmuck und Gewändern angetan, wie ich es noch nie gesehen habe. Sie näherte sich mir, bis sie vor mir stand, ohne auf die Kissen zu treten, vielmehr schritt sie zwischen ihnen hindurch. Als sie vor mir stand, grüßte sie mich. Ich erwiderte ihren Gruß und fragte: ›Wer bist du, verehrte Frau?‹ Da sprach sie: ›Ich bin das Paradiesmädchen, das dir als Ehefrau zugedacht ist.‹ Da lachte ich vor lauter Freude über sie. Nun blieb sie bei mir, indem sie mir über die Frauen der Erdbewohner so ausführlich erzählte und berichtete, als ob sie Aufzeichnungen darüber besäße. Während ich mir dies anhörte, drang plötzlich von der anderen Seite her ein Geräusch an mein Ohr, und zu meiner Überraschung erschien eine weitere Frau, so schön und geschmückt, wie ich noch keine geschaut habe. Sie trat näher und blieb stehen, wie es auch die andere getan hatte. Als sie mir dann ohne Unterlaß erzählte, hielt sich die erste zurück. Schließlich streckte ich die Hand nach einer von beiden aus, doch sie wies mich zurecht mit den Worten: ›Langsam! Nicht jetzt, wo du noch das Mittagsgebet zu verrichten hast!‹ Ich weiß nun nicht, ob sie dies wirklich gesagt hat oder ob ich kurzerhand ins Freie befördert worden bin. Jedenfalls war keiner von allen mehr zu sehen. Da mußte ich weinen.«

In der Folge klagte der Mann: »Ich habe ja das Mittagsgebet versäumt!« bis Gott der Mächtige und Erhabene ihn endlich zu sich nahm.

25. Bakī ibn Machlad und der Kriegsgefangene

Es kam einmal eine Frau zu Bakī ibn Machlad und sprach zu ihm: »Die Christen des Abendlandes haben meinen Sohn gefangengenommen. Aus lauter Sehnsucht nach ihm kann ich nachts nicht mehr schlafen. Ich besitze ein kleines Haus. Das will ich veräußern, um ihn mit dem Erlös freizukaufen. Ich bitte dich herzlich, mir jemand zu nennen, der es mir abnehmen und sich um die Freilassung meines Sohnes bemühen könnte; denn für mich gibt's keinen Unterschied mehr zwischen Tag und Nacht, und mit meiner Geduld und Ruhe ist es aus.« – »Ja«, gab er ihr zur Antwort, »gehe deiner Wege, auf daß ich darüber nachdenken kann, so Gott will.« Dann senkte der Meister sein Haupt zu Boden und bewegte seine Lippen, indem er zu Gott dem Mächtigen und Erhabenen um Freilassung ihres Sohnes betete. Nicht lange nachdem sie ihn verlassen hatte, kehrte sie in Begleitung ihres Sohnes zurück und sprach: »Höre, was ihm widerfahren ist. Gott wird sich gewiß deiner erbarmen.« Auf seine Frage: »Was hast du denn erlebt?« berichtete der junge Mann: »Ich gehörte zu den Leuten, die die Aufgabe hatten, den König zu bedienen. Dabei waren wir gefesselt. Während ich nun eines Tages einherschritt, fiel mir plötzlich die Schelle von den Füßen ab. Da kam mein Wärter auf mich zu, beschimpfte mich und sprach: ›Du hast die Schelle von deinen Füßen gelöst.‹ – ›Bei Gott, nein‹, erwiderte ich, ›sie ist vielmehr von selbst abgefallen, ohne daß ich es bemerkt habe.‹ Darauf holten sie einen Schmied. Dieser brachte sie wieder an, führte den Stift ein und verstärkte die Schelle. Als ich mich nachher erhob, fiel sie aufs neue ab. Jetzt baten sie ihre Mönche um Rat. Diese fragten mich: ›Hast du eine Mutter?‹ Als ich es bejahte, fuhren sie fort: ›Ihr Gebet für ihn ist erhört. Lasset ihn frei.‹ Da entließen sie mich und gaben mir sicheres Geleit, bis ich das islamische Land erreichte.« Darauf erkundigte sich Bakī danach, in welcher Stunde die Schelle von seinen Füßen gefallen sei, und siehe, es war just die Stunde, in der er für ihn gebetet hatte.

26. Die Uneinigkeit der Muslime

Als einmal ein Kalif gestorben war, waren die Byzantiner uneinig, wie sie sich verhalten sollten. Ihre Fürsten versammelten sich und sprachen: »Jetzt sind die Muslime miteinander beschäftigt, so daß wir sie überrumpeln und uns auf sie stürzen können.« Sie berieten hierüber und erörterten die Frage immer wieder. Schließlich stimmten sie darin überein, daß dies ein günstiger Zeitpunkt sei. Da jedoch ein bestimmter Mann, der Verstand, Wissen und Urteilskraft besaß, in ihrem Kreise fehlte, meinten sie: »Es ist ein Gebot der Klugheit, ihm unsere Ansicht zu unterbreiten.« Als sie ihm ihren Beschluß mitteilten, erklärte er: »Ich halte dies nicht für richtig.« Nach dem Grund befragt, sagte er: »Morgen werde ich euch darüber unterrichten, so Gott der Erhabene will.« Am nächsten Tag kamen sie zu ihm und sprachen: »Du hast uns versprochen, uns heute mitzuteilen, was es mit unserem Beschluß auf sich hat.« – »Dies will ich tun«, antwortete er und ließ zwei große Hunde kommen, die er hatte bereitstellen lassen. Nachdem er sie gegeneinander scharfgemacht und den einen auf den anderen gehetzt hatte, stürzten sie sich aufeinander und bissen sich derart fest, daß das Blut floß. Als ihre Verbitterung den Höhepunkt erreicht hatte, öffnete er die Tür eines seiner Gemächer und ließ einen Wolf auf die beiden Hunde los, den er zu diesem Zweck bereitgehalten hatte. Kaum hatten die Hunde ihn erblickt, da ließen sie von ihrem Kampf ab, vertrugen sich, stürzten gemeinsam auf den Wolf und töteten ihn. Darauf begab sich der Mann in die Ratsversammlung und sprach: »Euch wird es mit den Muslimen ergehen wie diesem Wolf mit den Hunden. Denn des Haders unter den Muslimen ist kein Ende, solange nicht ein auswärtiger Feind droht. Droht aber einer, dann lassen sie von ihrer Zwietracht und vereinen sich zum Kampf wider den gemeinsamen Feind.« Da billigten die Byzantiner seine Worte und erklärten seine Meinung für die richtige; denn dies ist die Art verständiger Menschen.

Von den Wundern der Gnade

27. Vom Wert des Eifers

Es geschah einmal, daß die Kinder Israels sich einen Baum wählten, dem sie göttliche Ehren erwiesen. Als nun einer ihrer Frommen mit einer Axt herbeikam, um ihn zu fällen, trat ihm der Teufel, den Gott verfluchen möge, entgegen und sprach zu ihm: »Du hast deine Gebetsübungen unterbrochen und bist hergekommen, um etwas zu tun, was dir keinen Gewinn einbringt.« Und er ließ nicht ab von ihm, bis er schließlich mit ihm handgemein wurde. Der Fromme schlug ihn jedoch zu Boden und setzte sich ihm auf die Brust. Danach kam der Teufel immer wieder, doch der Fromme verfuhr täglich in der gleichen Weise mit ihm, bis drei Tage vergangen waren. Als der Teufel nun sah, daß er seine Absicht nicht aufgab, schlug er ihm vor: »Unterlasse es, den Baum zu fällen. Dann will ich dir täglich zwei Dinare geben, die du dazu verwenden kannst, dich zu ernähren und deine Gebetsübungen weiter zu verrichten.« Nachdem er ihm dies fest versprochen hatte, gab der Fromme seine Absicht auf. Der Teufel legte ihm nun zwei Dinare unter sein Kopfkissen, dann wieder zwei Dinare und noch einmal zwei Dinare. Als er danach seine Zahlungen einstellte, nahm der Fromme aufs neue die Axt und ging zu dem Baum, um ihn zu fällen. Unterwegs trat ihm der Teufel entgegen, redete mit ihm, und am Ende wurden sie wieder handgemein. Jetzt aber warf der Teufel ihn zu Boden, setzte sich auf seine Brust und sprach zu ihm: »Wenn du deine Absicht, den Baum zu fällen, nicht aufgibst, werde ich dich ermorden.« – »Laß ab von mir«, flehte der Fromme ihn an, »und sage mir, wie es möglich war, daß du mich besiegt hast.« Da sprach der Teufel zu ihm: »Solange du für Gott geeifert hast, hast du mich überwältigt. Nachdem du aber für dich selber geeifert hast, habe ich dich überwältigt.«

28. Die Himmelskette

Zur Zeit Salomons, dem Gott Segen und Heil schenken wolle, hing bei dem Felsen in der Mitte des Tempels von Jerusalem eine Kette vom Himmel herunter. Bei dieser Kette schlichteten die Leute ihre Streitigkeiten. Wer nämlich nach ihr griff und die Wahrheit sprach, der konnte sie fassen. Wer aber die Unwahrheit sprach, konnte sie nicht fassen. Dies währte, bis man sah, daß mit ihr betrogen wurde, worauf sie gen Himmel entschwand. Und das kam so:

Ein Mann hatte einem anderen einen Edelstein zur Aufbewahrung übergeben. Dieser verbarg ihn bei sich zu Hause in einem Stock. Als dann der Eigentümer des Edelsteins ihn von dem Manne zurückverlangte, dem er ihn zur Aufbewahrung übergeben hatte, bestritt dieser den Besitz. So gingen sie, um ihren Streit bei der Kette auszutragen. Zuerst sprach der Kläger: »Lieber Gott, wenn ich die Wahrheit sage, dann laß die Kette in meine Nähe kommen.« Da näherte sich ihm die Kette, und er erfaßte sie. Nachdem nun der Beklagte dem Kläger den Stock überreicht hatte, sprach er: »Lieber Gott, wenn du weißt, daß ich ihm den Edelstein zurückgegeben habe, dann laß die Kette in meine Nähe kommen.« Da näherte sie sich auch ihm, und er erfaßte sie. Die Leute aber sagten: »Die Kette hat keinen Unterschied zwischen dem Übeltäter und seinem Opfer gemacht.« Infolge dieses verhängnisvollen Betruges wurde die Kette in den Himmel zurückgezogen, und Gott der Erhabene erteilte David die Offenbarung: »Richte in Zukunft zwischen den Menschen, indem du dich des Beweises und des Schwures bedienst.« So wird es nun bleiben bis zum Jüngsten Tag.

29. Der Diebstahl des Huhns

Eine Frau von den Kindern Israels, so wird erzählt, besaß einmal ein Huhn und sonst nichts. Als es ihr von einem Dieb gestohlen wurde, nahm sie dies geduldig hin. Sie stellte ihr Schicksal Gott dem Erhabenen anheim und verfluchte den Dieb nicht. Als der Dieb jedoch das Huhn schlachtete und ihm die Federn rupfte, da sprossen diese auf einmal alle aus seinem Gesicht. Er bemühte sich, sie zu beseitigen, doch es gelang ihm nicht. Am Ende kam er zu einem Weisen der Kinder Israels und klagte ihm sein Leid. Dieser sprach zu ihm: »Ich weiß kein anderes Heilmittel für dich, als daß dich die Frau verflucht.« So schickte er einen Boten zu ihr, der sie fragte: »Wo ist dein Huhn?« – »Es ist gestohlen worden«, gab sie zur Antwort. Der Bote fuhr fort: »Wer es gestohlen hat, hat dir Schaden zugefügt.« Sie aber sagte nur, ohne ihn zu verfluchen: »Ja, das hat er getan.« Weiter hielt er ihr vor: »Er hat dich auch um die Eier des Huhns gebracht.« – »So ist es«, erwiderte sie. Jetzt ließ er aber nicht mehr von ihr ab, bis es ihm gelang, ihren Zorn zu erregen, und sie ihn verfluchte. Da fielen die Federn eine nach der anderen von seinem Gesicht. Auf die Frage, wie er dies im voraus habe wissen können, antwortete der Weise: »Solange sie Geduld geübt und ihn nicht verflucht hat, ist Gott als Helfer für sie eingetreten. In dem Augenblick aber, in dem sie sich selbst geholfen und ihn verflucht hat, sind die Federn von seinem Gesicht gefallen. Der Mensch hat nämlich die Pflicht, das Leid, das ihn trifft, geduldig zu ertragen und Gott den Erhabenen zu preisen. Er muß wissen, daß Geduld und Hilfe, Bedrängnis und Erlösung eng miteinander verbunden sind und daß auf eine Kette von Unglücken und Schicksalsschlägen in Kürze Trost und Freude folgen.«

30. Der Fischer und der Kriegsknecht

In den israelitischen Überlieferungen aus der Zeit des gottseligen Mose heißt es:

Es war einmal ein armseliger Israelit. Er hatte eine Familie und war ein Fischer, der zum Fang ausging und von seiner Beute Frau und Kinder ernährte. Als er eines Tages wieder zum Fangen ging, geriet ein großer Fisch in sein Netz. Voller Freude nahm er ihn und eilte zum Markt, um ihn zu verkaufen und den Erlös für seine Angehörigen zu verwenden. Unterwegs begegnete ihm ein Kriegsknecht. Als dieser den Fisch bei ihm sah, wollte er ihn ihm abnehmen, doch der Fischer setzte sich zur Wehr. Da hob der

Kriegsknecht ein Stück Holz, das er gerade in der Hand hatte, versetzte dem Fischer einen schmerzhaften Hieb auf den Kopf und nahm ihm den Fisch mit Gewalt ab, ohne ihn zu bezahlen. Da verfluchte ihn der Fischer und rief: »Lieber Gott, du hast mich armselig, ihn aber stark und roh gemacht. Verhilf mir noch im Diesseits zu meinem Recht bei ihm; denn er hat mir Unrecht getan, und bis zum Jenseits kann ich nicht warten.«

Der böse Räuber aber ging mit dem Fisch nach Hause, gab ihn seiner Frau und befahl ihr, den Fisch zu braten. Nachdem sie ihn gebraten hatte, brachte sie ihn und setzte ihn vor ihren Mann auf den Tisch, damit er ihn esse. Da öffnete der Fisch sein Maul und biß ihn dermaßen in den Finger, daß er wie von Sinnen war und anfing unruhig zu werden. Er ging zu einem Arzt und schilderte ihm unter Klagen den Schmerz in seiner Hand und was ihm widerfahren war. Nachdem dieser seine Hand in Augenschein genommen hatte, erklärte er ihm: »Sie ist nur dadurch zu heilen, daß der Finger abgeschnitten wird, damit der Schmerz nicht auf die ganze Handfläche übergreift.« So schnitt er ihm den Finger ab. Der Schmerz und die Qual griffen aber trotzdem auf die ganze Hand über, ja sie wurden immer stärker, und vor lauter Angst zuckten ihm die äußeren Schultermuskeln. Jetzt erklärte ihm der Arzt: »Die Hand muß bis zum Gelenk abgenommen werden, damit der Schmerz nicht auf den Unterarm übergreift.« Nachdem er ihm die Hand abgeschnitten hatte, griff der Schmerz dennoch auf den Unterarm über. Dies ging so weiter. Jedesmal, wenn er ihm ein Glied abgenommen hatte, griff der Schmerz auf das nächste über. Wie ein Irrsinniger lief er blindlings davon, indem er zu Gott flehte, er möchte ihn von der Krankheit befreien, die ihn befallen hatte. Schließlich sah er einen Baum und eilte auf ihn zu. Bei ihm angekommen, befiel ihn Schläfrigkeit, und so schlummerte er ein. Im Traum erschien ihm jemand, der zu ihm sprach: »Wie lange willst du dir noch die Glieder abhacken lassen? Gehe zu deinem Gegner, dem du Unrecht getan hast, und söhne ihn aus.« Vom Schlaf erwacht, dachte er über sein Schicksal nach. Da erkannte er, daß das Unglück, das ihn getroffen hatte, von dem Fischer herrührte. So kehrte er in die Stadt zurück, erkundigte sich nach dem Fischer und kam zu ihm. Sich vor ihm niederwerfend, wälzte er sich zu seinen Füßen hin und her und bat ihn um Verzeihung für das Unrecht, das er ihm angetan hatte. Er gab ihm Geld und zeigte Reue über seine Tat. Sein Gegner, der Fischer, söhnte sich mit ihm aus, und im gleichen Augenblick war der Schmerz gestillt. Über Nacht gab Gott der Erhabene ihm seine Hand zurück, wie sie vorher gewesen war. Dem gottseligen Mose aber wurde die Offenbarung zuteil: »O Mose, bei meiner Macht und Herrlichkeit, hätte jener Mann seinen Gegner nicht ausgesöhnt, so hätte ich ihn gefoltert, und wenn es sein Leben lang gedauert hätte.«

31. »Wenn dir deine rechte Hand Ärgernis schafft ...«

Ein Israelit pflegte einmal mit einem Spaten zu arbeiten. Eines Tages geschah es, daß er dabei seinen Vater traf und ihm eine klaffende Wunde beibrachte. Da sagte er: »Mit einem, der meinem Vater solches angetan hat, will ich keine Gemeinschaft mehr haben.« Sprach's und hieb sich die Hand ab. Die Kunde hiervon verbreitete sich unter den Israeliten.

Nach einiger Zeit wollte die Tochter des Königs zum Gebet nach Jerusalem pilgern. Der König fragte: »Wen könnte ich ihr zum Schutz mitgeben?« – »Den Soundso«, antworteten die Leute, worauf er einen Boten zu ebendiesem Manne schickte. Er bat jedoch: »Verschone mich damit.« Als der König dies ablehnte, sagte er: »So gewähre mir wenigstens eine Frist von einigen Tagen.« Dann ging er und schnitt sich sein Gemächt ab. Nachdem er sich davon erholt hatte, legte er es in eine Büchse. Dann brachte er sie, mit seinem Siegel versehen, zum König und sprach: »Dies möchte ich bei dir hinterlegen. Nimm es in gute Hut.« Der König gab ihm genau an, wo und wie lange er unterwegs halt zu machen habe. »Wenn du nach Jerusalem kommst«, befahl er, »so bleibe dort soundso lange, und auf der Heimfahrt raste soundso viel Tage.« Auf diese Weise band er ihn an einen festen Zeitplan. Nachdem er die Reise angetreten hatte, begann die Königstochter aber, sich nicht an seine Aufbruchszeiten zu halten, sondern stieg ab, wo sie wollte, und brach auf, wann es ihr paßte, während er allein sie bewachte und bei ihr schlief. Als er zum König zurückkehrte, sagten die Leute: »Er hat immer nur bei ihr geschlafen.« Da sprach der König zu ihm: »Du hast mein Gebot mißachtet«, und er wollte ihn töten. Er aber bat: »Gib mir zurück, was ich bei dir hinterlegt habe.« Nachdem der König es zurückgegeben hatte, öffnete er die Büchse und zeigte sie offen vor wie eine Handfläche. Auch davon verbreitete sich die Kunde unter den Israeliten.

Wieder nach einiger Zeit starb in Israel ein Richter, und man fragte einander: »Wen sollen wir an seine Stelle setzen?« Schließlich kam man überein: »Den Soundso.« Als er sich weigerte, drangen sie immerfort in ihn, bis er schließlich bat: »So laßt mich darüber nachdenken.« Nun rieb er seine Augen mit irgendeiner Schminke ein, bis er das Augenlicht verlor. Jetzt erst ließ er sich auf dem Richtersitz nieder.

Danach stand er eines Nachts auf und betete zu Gott also: »Lieber Gott, wenn dies, was ich deinetwegen getan habe, dein Wohlgefallen gefunden hat, so gib mir meine leibliche Gestalt zurück, so schön, wie sie nur je gewesen ist.«

Und siehe, am nächsten Morgen hatte Gott ihm Gesicht und Augen zurückgegeben, so schön, wie sie nur je gewesen waren, dazu auch seine Hand und sein Gemächt.

32. Die Himmelswaage

Siebzig Jahre lang, so erzählt man, hatte einmal ein Mann in Frömmigkeit Gott gedient. Als er sich eines Nachts an seiner Gebetsstätte aufhielt, blieb eine schöne Frau bei ihm stehen und bat ihn, ihr die Tür zu öffnen; denn es war eine kalte Nacht. Er aber kümmerte sich nicht um sie, sondern widmete sich weiter seinen gottesdienstlichen Übungen. Als sich nun die Frau zum Gehen wandte, schaute er ihr nach. Da gefiel sie ihm. Ja, sie nahm sein Herz gefangen und raubte ihm den Verstand. Er unterbrach deshalb seine Andacht, folgte ihr und fragte sie: »Wohin gehst du?« – »Wohin ich will«, gab sie ihm zur Antwort. »Wie anders!« klagte er. »Eben noch begehrt, begehre ich nun selbst, und aus einem Freien ist ein Knecht geworden.« Dann zog er sie mit sich fort und führte sie in seine Zelle. Nachdem sie sieben Tage bei ihm verbracht hatte, dachte er daran, wie fromm er einst gewesen war und daß er nun siebzig Jahre Frömmigkeit für sieben Tage Sünde verkauft hatte, und er mußte so sehr weinen, daß er in Ohnmacht fiel. Als er das Bewußtsein wiedererlangte, sagte sie zu ihm: »Mann, du hast fürwahr mit keinem außer mir wider Gott gesündigt und ich mit keinem außer dir. Ich sehe auf deinem Gesicht die Spuren der Besserung. Deshalb beschwöre ich dich, meiner zu gedenken, wenn du den Frieden mit deinem Herrn gefunden hast.«

Danach ging er fort und irrte ziellos umher. Die Nacht suchte er Obdach in einer Trümmerstätte, in der zehn Blinde lebten. Nicht weit von ihnen wohnte ein Mönch, der ihnen jede Nacht zehn Brotfladen schickte. Als nun der Diener des Mönchs wie gewöhnlich Brot brachte, streckte auch der Sünder seine Hand aus und erhielt einen Brotfladen, so daß einer von den Blinden leer ausging. Dieser fragte: »Wo ist denn mein Brot?« Der Diener erwiderte: »Ich habe doch die zehn Brote an euch verteilt!« – »So muß ich denn die Nacht hungrig verbringen«, jammerte der Blinde. Da brach der Sünder in Tränen aus und reichte den Brotfladen seinem Leidensgenossen in dem Gedanken: »Ich verdiene eher, die Nacht hungrig zu verbringen, weil ich ein Sünder bin, während jener ein Gerechter ist.« Nachdem er sich schlafen gelegt hatte, wurde der Hunger so stark, daß sein Ende nahte, und Gott befahl dem Todesengel, seine Seele zu holen. Jetzt stritten die Engel der Gnade und die Engel der Strafe um ihn. Die Engel der Gnade erklärten: »Dies ist ein Mann, der vor seiner Schuld geflohen und als ein Gerechter hergekommen ist.« Die Engel der Strafe erwiderten: »Nein, er ist ein Sünder.« Da befahl ihnen Gott der Erhabene: »Wieget die siebzigjährige Frömmigkeit mit dem siebentägigen Sündenleben.« Als sie dies taten, wog das Sündenleben schwerer als die siebzigjährige Frömmigkeit. Danach befahl ihnen Gott: »Nun wieget das siebentägige Sündenleben mit dem Brotfladen, den er lieber jenem gegönnt, als für sich behalten hat.« Als sie dies taten, wog der Brotfladen schwerer. Da nahmen ihn die Engel der Gnade auf, und Gott erkannte seine Buße an.

33. Hātim al-Asamm

Hātim al-Asamm, so wird erzählt, hatte eine große Familie, Jungen und Mädchen, ohne auch nur ein einziges Körnchen zu besitzen. Allein er war ein Muster an Gottvertrauen. Als er eines Nachts plaudernd im Kreise seiner Freunde saß, kam die Rede auf die Wallfahrt nach Mekka, und sein Herz empfand Sehnsucht danach, auch einmal die Wallfahrt zu machen. So ging er zu seinen Kindern, um mit ihnen zu sprechen. Im Verlauf der Unterhaltung sagte er zu ihnen: »Wenn ihr eurem Vater erlauben würdet, in diesem Jahr zum Heiligtum seines Herrn zu pilgern und für euch zu beten, was würde es euch schon ausmachen, wenn ihr es tätet?« Frau und Kinder erklärten ihm jedoch: »Du lebst in diesem erbärmlichen Zustand, ohne irgend etwas zu besitzen, und siehst, daß wir Mangel leiden. Wie kannst du nur einen solchen Wunsch hegen, wo wir uns in dieser Lage befinden?« Er hatte aber auch noch eine kleine Tochter. Diese sprach: »Was würde es euch schon ausmachen, wenn ihr es ihm erlaubtet? Nein, dies würde euch keinen Kummer verursachen. Lasset ihn doch gehen, wohin er will. Er reicht uns zwar unser tägliches Brot, doch der wahre Spender ist er nicht.« Als sie ihnen dies zu bedenken gab, erklärten sie: »Bei Gott, diese Kleine hat recht. Gehe, wohin du willst, Vater.« So erhob er sich noch in der gleichen Stunde, unterwarf sich den Pflichten des Mekkapilgers und trat seine Wallfahrt an.

Am nächsten Morgen kamen die Nachbarn zu seinen Angehörigen, um sie zu schelten, weil sie ihm die Wallfahrt erlaubt hatten, und seine Freunde und Nachbarn waren traurig darüber, daß er fortgegangen war. So begannen seine Kinder, ihrer kleinen Schwester Vorwürfe zu machen und zu sagen: »Wenn du geschwiegen hättest, dann hätten auch wir nichts gesagt.« Da erhob die Kleine ihren Blick zum Himmel und sprach: »Mein Gott, mein Herr, mein Gebieter, ich habe die Leute bewogen, ihr Vertrauen auf deine Huld zu setzen. Du verlasse sie nun nicht, enttäusche sie nicht und beschäme mich nicht vor ihnen.« Just während dies geschah, zog der Emir der Stadt zur Jagd hinaus. Dabei wurde er von seinen Kriegsknechten und seinen Freunden getrennt. Als er nun, von brennendem Durst erfüllt, an der Behausung des frommen Hātim al-Asamm vorbeikam, erhoffte er sich einen Trunk Wasser von den Hausbewohnern und klopfte an die Tür. Auf die Frage »Wer da?« antwortete er: »Der Emir ist an der Tür und bittet euch um Wasser.« Da hob Hātims Frau den Kopf gen Himmel und sprach: »Preis sei dir, mein Gott und mein Herr! In der letzten Nacht haben wir noch gehungert, und heute steht der Emir an unserer Tür, um uns um Wasser zu bitten.« Dann nahm sie einen neuen Krug, füllte ihn mit Wasser und sagte zu dem Emir, der ihn von ihr entgegenehmen wollte: »Entschuldige uns.« Da ergriff er den Krug und trank daraus. Weil er das Wasser köstlich fand, sagte er: »Dieses Haus muß einem Emir gehören.« Die Leute erwiderten: »Nein, es gehört einem frommen Gottesmann, Hātim al-Asamm.« – »Ja, ich habe von ihm gehört«, sagte der Emir, und der Wesir fügte hinzu: »Mir ist zu Ohren gekommen, hoher Herr, daß er sich gestern den Pflichten des Mekkapilgers unterworfen und die Wallfahrt angetreten hat, ohne seinen Angehörigen irgend etwas zum Leben zu hinterlassen, und mir ist berichtet worden, daß sie letzte Nacht gehungert haben.« Der Emir meinte: »Nun haben auch wir ihnen heute Beschwerden verursacht, obwohl es sich nicht geziemt, daß unsereiner Leute bemüht, die so arm sind wie sie.« Danach löste der Emir seinen Gürtel von den Hüften, warf ihn ins Haus hinein und sagte zu seinen Begleitern: »Wer mich liebt, der werfe ebenfalls seinen Gürtel hinein!« Da lösten alle seine Begleiter ihren Gürtel und warfen ihn der Familie zu. Als sie dann fortgingen, sagte der Wesir: »Heil euch Hausbewohnern! Ich werde euch diese Gürtel gleich abkaufen.« Nachdem der Emir haltgemacht hatte, kehrte der Wesir zu ihnen zurück, gab ihnen als Kaufpreis einen großen Geldbetrag und nahm die Gürtel von ihnen zurück. Als das kleine Mädchen das sah, brach sie in heftige Tränen aus. Die anderen fragten sie: »Warum weinst du? Du solltest dich vielmehr freuen, daß Gott uns reich gemacht hat.« Da sprach sie: »Ich weine doch nur über das seltsame Geschehen, Mutter: Gestern nacht haben wir gehungert; dann hat uns ein Geschöpf einen einzigen Blick zugeworfen und uns reich gemacht, nachdem wir arm gewesen sind. Ja, wenn der gütige Gott, der alles erschaffen hat, gnädig auf uns schaut, dann überläßt er uns auch nicht einen einzigen Augenblick der Fürsorge irgendeines anderen. Lieber Gott, so schaue auch gnädig auf unseren Vater und halte ihn in bester Hut.« Dies geschah daheim bei der Familie.

Ihr Vater Hātim aber erlebte folgendes: Nachdem er als Pilger ausgezogen war und sich den anderen angeschlossen hatte, klagte der Führer der Karawane plötzlich über Schmerzen. Man suchte einen Arzt für ihn, konnte aber keinen finden. So fragte er, ob denn nicht wenigstens ein frommer Gottesmann aufzutreiben sei, und man verwies ihn auf Hātim. Nachdem dieser das Zelt des Führers betreten und mit ihm gesprochen hatte, betete er für ihn, und der Führer wurde sofort wieder gesund. Nun ließ er Hātim ein Reittier sowie den nötigen Vorrat an Speise und Trank zukommen. In der nächsten Nacht dachte Hātim beim Einschlafen darüber nach, wie es wohl seiner Familie ergehen möge. Da sprach jemand zu ihm im Traume: »Hātim, wer sich mir gegenüber wohlverhält, den behandele auch ich gut.« Sprach's und verkündete ihm, was mit seiner Familie geschehen war. Nun lobte er Gott den Erhabenen immerzu. Als er schließlich seine Wallfahrt beendet hatte und nach Hause zurückkehrte, kamen ihm seine Kinder entgegen. Da umarmte er das kleine Mädchen und weinte. Dann sprach er: »Die Kleinen einer Gemeinschaft können die großen einer anderen Gemeinschaft sein. Wahrlich, Gott schaut nicht auf den Größten von euch; er schaut vielmehr auf den, der ihn am besten kennt. Eifert deshalb, ihn zu erkennen und auf ihn zu vertrauen; denn wer auf Gott vertraut, der findet in ihm sein Genügen.«

34. Himmlische Ehrenrettung

Jūsuf ibn al-Husain erzählt:

Nachdem ich mit Dhu'n-Nūn vertraut geworden war, fragte ich ihn einmal: »Meister, was war der Anfang deines frommen Wandels und deiner heutigen Lebensweise?« Da sprach er:

Ich war einst ein junger Mann, voll Leichtsinn und Lebenslust.

Dann tat ich Buße, entsagte all jenen Freuden und trat die Pilgerfahrt zu Gottes Heiligtum an. Ich bestieg das Schiff zusammen mit Kaufleuten aus Ägypten sowie einem hübschen Jüngling, dessen Antlitz vor Schönheit gleichsam strahlte. Nachdem wir alle an Bord gegangen waren, vermißte der Kapitän auf einmal einen Beutel mit Geld. Er ließ deshalb das Schiff sperren, durchsuchte die Insassen und verursachte ihnen mancherlei Ärger. Als seine Leute auch zu dem Jüngling kamen, um ihn zu durchsuchen, sprang er mit einem Satz von dem Schiff hinunter und blieb auf einer Meereswoge sitzen. Diese streckte sich für ihn hoch, als wäre sie die Lehne eines Sessels, und wir sahen vom Schiff aus, wie er auf ihr thronte. Dann begann er zu beten: »Lieber Gott, diese Leute haben mich verdächtigt. Ich beschwöre dich, mein Herzgeliebter, allen hier befindlichen Ungetümen zu befehlen, daß sie die Köpfe mit Edelsteinen in den Mäulern herausstrecken.« Er hatte seine Rede noch nicht beendet, als wir auf allen Seiten des Schiffes die Ungetüme des Meeres die Köpfe aus dem Wasser heben sahen, indes in allen Mäulern helle Edelsteine funkelten und glitzerten. Dann sprang der Jüngling von der Woge in die See hinein und begann stolzen Ganges über die Oberfläche des Wassers hinwegzuschreiten mit den Worten (Koran 1, 5): »Du bist es, den wir anbeten. Du bist es, den wir um Hilfe bitten«, bis er meinem Blick entschwand.

35. Die Wallfahrt des Sarī as-Sakatī

As-Sarī as-Sakatī erzählt:

Ich saß einmal in irgendeinem Jahre – es war in den ersten zehn Tagen des Wallfahrtsmonats – bei dem Felsen in Jerusalem, bekümmert und traurig, weil ich in diesem Jahr nicht an der Wallfahrt teilnehmen konnte. In meinem Herzen sprach ich: »Die Leute sind nun unterwegs nach Mekka, und es dauert nur noch wenige Tage, bis sie dort sind, während ich hierbleiben muß.« Als ich darüber weinte, daß ich in diesem Jahr die Gelegenheit versäumt hatte und zurückbleiben mußte, hörte ich plötzlich eine unsichtbare Stimme sprechen: »Weine nicht, Sarī; denn Gott der

Gepriesene und Erhabene wird dir jemand senden, der dir die Teilnahme an der Wallfahrt ermöglichen wird.« – »Wie soll das geschehen«, fragte ich, »wo es doch nur noch wenige Tage bis zur Ankunft in Mekka sind, während ich weit weg von Mekka hier in Jerusalem weile?« Wieder sprach die Stimme: »Fürchte dich nicht; denn der allmächtige König wird dir das Schwere leicht machen.« Nachdem ich mich niedergeworfen hatte, um dem lieben Gott zu danken, setzte ich mich hin, wartend, ob die Stimme die Wahrheit gesprochen habe.

Während ich so dasaß, kamen plötzlich vier Jünglinge zur Tür der Moschee herein. Es war, als ob die Sonne aus ihren Gesichtern leuchtete und das Licht von ihren Stirnen strahlte. Der Jüngling, der an der Spitze ging, war voller Hoheit und Würde. Die anderen schritten hinter ihm her. Sie waren mit härenen Gewändern bekleidet. An den Füßen trugen sie Sandalen aus Palmblättern. Unter Gebeten zu Gott dem Mächtigen und Erhabenen näherten sie sich dem Felsen, und von ihrem Glanz füllte sich die Moschee mit Licht. Ich ging ihnen entgegen in dem Gedanken: »Vielleicht sind sie die Leute, die Gott in seiner Gnade mir als Begleiter zugedacht hat.« Jetzt betraten sie den Kuppelraum, und ihr Anführer blieb in stillem Gespräch mit Gott stehen. Nachdem jeder noch zwei Gebetsübungen verrichtet hatte, näherte ich mich dem ersten Jüngling, um seine Worte und leisen Gebete zu erlauschen. Unter Tränen pries er Gottes Größe und sprach ein Gebet, das mich im tiefsten Inneren ergriff. Nachdem er es beendet hatte, nahm er Platz, und die drei anderen ließen sich vor ihm nieder.

Jetzt trat ich an sie heran, und nachdem ich ihnen den Friedensgruß entboten hatte, erwiderte der erste Jüngling: »Auch über dir sei Friede, Sarī, du, zu dem die unsichtbare Stimme heute gesprochen und dem sie verkündet hat, daß er die Wallfahrt in diesem Jahr nicht versäumen wird.« Ich war schier vom Donner gerührt, und, das Herz voller Freue und Wonne, antwortete ich: »Ja, eben vor eurer Ankunft, Herr, hat die unsichtbare Stimme zu mir gesprochen.« Der Jüngling fuhr fort: »Vor dem Anruf der Stimme, Sarī, sind wir noch in Chorasan gewesen, und zwar auf dem Wege nach Bagdad. Nach Erledigung unserer Geschäfte beschlossen wir, uns zu Gottes Heiligtum in Mekka zu begeben, und zwar wollten wir die Gräber der Propheten in Syrien besuchen und dann weiter nach dem heiligen Mekka reisen. Wir haben unsere Pflicht den Propheten gegenüber erfüllt und sie besucht und sind nun hierhergekommen, um auch Jerusalem einen Besuch abzustatten.« Auf meine Frage, was er in Chorasan getan habe, sagte er: »Ich wollte mit unseren Brüdern Ibrāhīm ibn Adham und Ma'rūf al-Karchī zusammen sein. Wir haben gemeinsam die Reise nach Mekka angetreten, doch bin ich erst nach Jerusalem gekommen, während sie gleich durch die Wüste nach Mekka gezogen sind.« – »Gott sei dir gnädig«, entgegnete ich ihm, »von Chorasan bis Jerusalem ist es doch eine Wegstrecke von einem Jahr.«

Da sprach er: »Lieber Sarī, selbst wenn es ein Weg von tausend Jahren wäre, – die Diener sind Gottes Diener, die Erde ist seine Erde, der Besuch gilt seinem Heiligtum, unser Streben ist zu ihm, unser Ende in ihm, und Macht und Herrlichkeit sind sein. Siehst du nicht, wie die Sonne an einem einzigen Tag vom Osten bis zum Westen wandert? Wandert sie wohl aus eigener Kraft oder dank der Kraft und dem Willen des Allmächtigen? Wenn aber schon die Sonne, dieser leblose Körper, für den es weder Abrechnung für Verdienste noch Strafe gibt, an einem einzigen Tag den Himmel vom Osten bis zum Westen überquert, dann ist es nicht absonderlich, daß einer von Gottes Dienern in einem einzigen Augenblick von Chorasan nach Jerusalem gelangen kann; denn Gott der Erhabene ist allmächtig, und er kann für den, den er liebt und sich erwählt, die Naturgesetze aufheben.« Er fügte noch hinzu: »Im übrigen achte auf die Bedeutung von Diesseits und Jenseits, Sarī, und hüte dich, ihre Fragen als belanglos zu betrachten.« Ich bat ihn: »Lehre mich, Herr, die Bedeutung von Diesseits und Jenseits, so wird sich Gott der Erhabene deiner erbarmen.« Da sprach er: »Wer Reichtum ohne Geld, Wissen ohne Lernen, Ehre ohne Sippenanhang erwerben möchte, der tilge die Liebe zur Welt aus seinem Herzen, suche seinen Halt nicht an der Welt und lasse sein Herz nicht Ruhe finden in der Liebe zu ihr.«

Danach fragte ich ihn: »Bei dem, der dich, Herr, mit seinen Strahlen begnadet und dir seine Geheimnisse offenbart hat, wohin gedenkst du zu reisen?« – »Ich will zu Gottes Heiligtum pilgern und das Grab des gesegneten Propheten besuchen«, antwortete er, worauf ich ihm beteuerte: »So werde ich, bei Gott, nicht von euch weichen; denn die Trennung von euch wäre mir bitterer als die Trennung der Seele vom Leib.« Mit den Worten »In Gottes Namen« beschloß er unser Gespräch.

Danach brach er auf, und ich verließ Jerusalem mit ihnen. Ohne Unterbrechung reisten wir, bis er auf einmal sagte: »Jetzt ist die Zeit des Mittagsgebetes, Sarī. Wollen wir nicht unser Gebet verrichten?« – »Ja, freilich«, antwortete ich und beschloß, die religiöse Waschung mit Sand vorzunehmen. Er aber sagte: »Hier ist doch eine Quelle süßen Wassers«, und als er mit uns vom Wege abbog, gewahrten wir plötzlich eine Quelle mit Wasser, süßer als Honig. Nachdem ich die Waschung vorgenommen und getrunken hatte, sagte ich zu ihm: »Ich bin diesen Weg, bei Gott, schon viele Male gegangen, Herr. Hier ist aber niemals Wasser gewesen.« Da lachte er und sprach: »Preis sei Gott für die Güte, die er seinen Dienern erweist!« So verrichteten wir das Mittagsgebet.

Nachdem wir weiter fast bis zum Nachmittagsgebet gereist waren, wurden die Wegzeichen des Hidschas sichtbar, und die Mauern Mekkas tauchten vor uns auf. »Dies ist ja schon der Hidschas!« rief ich aus, und er antwortete: »Du bist gleich in Mekka.« Da konnte ich die Tränen nicht unterdrücken. Auf seine Frage: »Willst du mit uns die Stadt betreten, Sarī?« antwortete ich Ja. Als wir dann durch das Ratstor hineingingen, erblickte ich zwei Männer, der eine im reifen Alter, der andere noch ein Jüngling. Als sie meinen Jüngling gewahrten, lächelten sie, standen auf und umarmten ihn mit den Worten: »Preis sei Gott für seinen Schutz!« Ich fragte ihn: »Wer sind diese beiden, Herr?« worauf er erklärte: »Der Mann in reifem Alter ist Ibrāhīm ibn Adham, der Jüngling Ma'rūf al-Karchī.« Nachdem ich sie begrüßt hatte, ließen wir uns nieder und verrichteten nachher im Heiligtum das Nachmittags-, Abend- und Nachtgebet. Als ein jeder von ihnen zu seinem letzten Gebet aufstand, tat ich selbst das gleiche, soweit ich noch die Kraft dazu besaß; allein mir fielen schließlich in der Moschee die Augen zu, und ich schlief ein. Als ich wieder erwachte, fand ich keinen mehr von ihnen vor. Da wurde ich völlig wie von

Sinnen. Ich suchte sie im Heiligtum, in Mekka und in Minā, doch ich fand keinen von ihnen wieder. So kehrte ich um, weinend und traurig, weil ich sie verloren hatte.

36. Sahls Gebetswaschung

Sahl ibn ʿAbdallāh erzählt:
Unter den wunderbaren und gnadenreichen Ereignissen, die ich erlebt habe, ist dies das erste gewesen:

Eines Tages wanderte ich hinaus an einen einsamen Ort. Ich fühlte mich daselbst wohl, und mir war, als spürte ich im Herzen Gottes Nähe. Als die Stunde des Gebetes nahte, wollte ich die gesetzliche Waschung vornehmen, war es doch von Jugend an meine Gewohnheit, mich vor jedem Gebet aufs neue zu reinigen. Während es mir geradezu Schmerz verursachte, daß ich kein Wasser hatte, kam plötzlich ein Bär daher, der wie ein Mensch auf seinen Hintertatzen ging und in der Vordertatze einen grünen Krug hielt. Als ich ihn von ferne sah, glaubte ich, es sei ein Mensch, bis er sich mir näherte, mich grüßte und den Krug vor mich hinstellte. Da wurde mir der Sachverhalt auf einmal klar, was Voraussetzung für die Wahrheit des Berichtes ist. Ich dachte bei mir: Woher stammt wohl der Krug und das Wasser? Da sprach der Bär mit menschlicher Stimme: »Wir sind eine Schar frei umherstreifender Tiere, die sich aus der Welt zurückgezogen haben, entschlossen, dem Vertrauen auf Gott und seiner Liebe zu leben. Während wir gerade in unserem Kreise über eine geistliche Frage sprachen, klang der Ruf an unser Ohr: ›Sahl ibnʿAbdallāh wünscht Wasser für die Gebetswaschung.‹ Sogleich stand dieser Krug auf meiner Vordertatze, und zwei Engel blieben an meiner Seite, bis ich mich dir näherte. Dann gossen sie aus der Luft Wasser hinein, während ich es plätschern hörte.« Nach diesen Worten verlor ich das Bewußtsein. Aus meiner Ohnmacht erwacht, sah ich den Krug vor mir stehen, ohne zu wissen, wohin der Bär gegangen war. Ich war traurig, daß ich nicht mit ihm hatte sprechen können. Nachdem ich dann meine Waschung beendet hatte, wollte ich von dem Rest trinken, doch da erscholl eine Stimme aus dem

Tal, die rief: »Noch ist nicht die Stunde für dich gekommen, dieses Wasser zu trinken.« Danach geriet der Krug eine Weile in Bewegung, während ich die Augen auf ihn gerichtet hielt. Ich aber weiß nicht, wohin er entschwunden ist.

37. Bissen um Bissen

Eine Frau hatte einmal einen Sohn, der lange Zeit fern von ihr in der Fremde lebte und auf dessen Rückkehr sie nicht mehr zu hoffen wagte. Eines Tages ließ sie sich nieder, um zu essen. Gerade als sie einen Bissen abbrach und ihn zum Munde führte, stand ein Bettler an der Tür, der um eine Speise bat. Da nahm sie davon Abstand, den Bissen zu essen, trug ihn mit dem ganzen Brotlaib fort und reichte ihn dem Bettler als Almosen. Sie selbst blieb den ganzen Tag und die folgende Nacht hindurch hungrig. Wenige Tage später kehrte ihr Sohn zurück und erzählte ihr, welche bösen Widerwärtigkeiten er erlebt hatte. Er sprach: »Das Schlimmste aber, was mir widerfahren ist, ist folgendes: Als ich vor einigen Tagen an der und der Stelle durch ein großes Dickicht reiste, stürzte sich plötzlich ein Löwe auf mich und riß mich von dem Rücken des Esels herunter, auf dem ich ritt. Während der Esel die Flucht ergriff, verwickelten sich die Klauen des Löwen in einem Teil meiner Kleider. So berührten sie kaum meinen Leib, aber meine Kleider wurden zum größten Teil zerrissen. Dann schleppte mich der Löwe in das Dickicht und kniete nieder, um mich zu zerreißen. Da gewahrte ich auf einmal einen Mann von großer Gestalt und mit strahlendem Antlitz. Nachdem ich bereits meiner Kleider beraubt war, packte er mit seiner Hand ohne irgendeine Waffe den Löwen am Nacken, hob ihn hoch und schleuderte ihn zu Boden mit den Worten: ›Fort mit dir, du Hund! Bissen um Bissen!‹ Da ergriff der Löwe schleunigst die Flucht. Als ich wieder zur Besinnung kam, suchte ich den Mann, fand ihn jedoch nicht. Ich blieb einige Stunden sitzen, bis ich wieder bei Kräften war. Als ich mich dann in Augenschein nahm, stellte ich fest, daß ich unverletzt war. So machte ich mich denn auf den Weg und holte schließlich die Karawane ein, zu der ich gehörte.

Die Leute wunderten sich, als sie mich wiedersahen. Ich erzählte ihnen mein Erlebnis, ohne zu wissen, was die Worte des Mannes ›Bissen um Bissen‹ bedeuteten.« – (Später berichtete er:) »Als ich die Frau anschaute, war mir plötzlich klar, daß dies just die Stunde gewesen war, da sie den Bissen von ihrem Munde genommen und als Almosen gereicht hatte.«

38. »Wer Gott fürchtet, dem schafft er einen Ausweg«

Ich hatte einmal einen Bruder in Gott, der ein Heiliger war. Ein hübscher Mann, fein an Gestalt und mit edlem Antlitz, war er mit einer braven und rechtschaffenen Frau verheiratet, die ihm getreulich folgte. Sie widmeten sich beide der Herstellung von Fächern und Deckeln. Ich hatte ihn sehr gern, besuchte ihn oft und bat ihn um seine Fürbitte. Jedesmal, wenn ich sein Haus betrat, sah ich bei ihm Federn von Riesenvögeln liegen, wie Greifen, Geiern, Adlern und Pfauen, lauter seltene Arten, deren Federn er zur Herstellung der Fächer benutzte. Ich wunderte mich hierüber, und so fragte ich einmal: »Wer verschafft dir eigentlich diese Federn, Bruder, wo du doch selten ausgehst, um Berg und Tal zu durchstreifen?« Er antwortete: »Lieber Freund, Gott der Gepriesene und Erhabene hat einen von seinen Engeln zu meinem Dienst bestellt. Dieser bringt sie mir jeden Freitag, um mich bei meinem Broterwerb zu unterstützen.«

Als er mir eines Tages wieder fehlte, ging ich auf einen der Märkte, auf denen er die Fächer zu verkaufen pflegte, ohne ihn jedoch zu finden. Ich begab mich deshalb zu seinem Haus und klopfte an der Tür. Seine Frau kam heraus, und auf ihre Frage, wer vor der Tür sei, erwiderte ich: »Der und der Freund deines Mannes möchte sich erkundigen, ob er verreist oder krank ist.« Sie antwortete: »Er ist zu Hause, mein Herr, ist aber zur Zeit mit Andachtsübungen beschäftigt.« – »Ich möchte ihn aber gern sehen«, erwiderte ich, »denn ich habe großes Verlangen nach ihm.« Nachdem sie gegangen und dann zu mir zurückgekehrt war, forderte sie mich auf, hereinzukommen. Bei ihm eintretend, sah ich ihn in einem Raum, der für ihn zum Beten gebaut war, übergossen von den Strahlen des Glückes. Als er mich erblickte, trat er auf mich zu und umarmte und begrüßte mich, wie es gute Freunde tun. Dann ließen wir uns nieder und erzählten einander eine Zeitlang. Während wir in dieser Weise plauderten, stand plötzlich eine Tafel mit allerlei Speisen vor uns. Wir aßen von den Speisen, und nachdem die Tafel wieder verschwunden war, stand auf einmal ein Becher mit Wasser vor uns, aus dem wir tranken. Niemals habe ich etwas Wohlschmeckenderes als jene Speisen, nie etwas Köstlicheres als jenes Wasser genossen, und mir war gleich klar, daß beides aus dem Paradies stammte. Danach fragte ich ihn, warum er es neuerdings unterlasse, zu Geschäftszwecken auszugehen. Er aber lächelte und sprach: »Ich habe etwas Furchtbares erlebt«, und auf meine Frage, was dies sei, erzählte er folgendes:

»Eines Tages ging ich aus, um meiner Gewohnheit gemäß die Fächer zu verkaufen. Ich suchte die verschiedenen Märkte von Bagdad auf, nahm jedoch nichts ein, und wir hatten nichts zu essen. So verließ ich meine Behausung und ging in irgendein Stadtviertel, von wo ich in ein anderes gelangte, in dem ein Wesir wohnte. Während ich hindurchschritt, bemerkte ich plötzlich eine Frau, die in einem hohen Schlosse saß, an dessen Ecken Bollwerke aufragten. Nachdem sie mich erspäht hatte, schickte sie eine von ihren Mägden zu mir, an Gestalt geradezu ein Stück von einem Berg. Bei mir angelangt, machte sie nicht viel Federlesens mit mir, sondern schleppte mich kurzerhand fort, und ehe ich mich dessen versah, befand ich mich mitten in dem Gebäude. Jetzt schleppten mich andere Mägde weiter bis zu jenem Schloßteil, wobei ich ohnmächtig wurde. Nachdem ich das Bewußtsein wiedererlangt hatte, erblickte ich einen Thron aus Elfenbein, der mit Rubinen besetzt und mit allerlei Gold und Silber verziert war. Während ich noch darüber staunte, trat ein Weib auf mich zu, schön wie ein Mädchen aus dem Paradies und angetan mit Schmuck und Gewändern, wie ich sie dir nicht beschreiben kann. Als sie nahe bei mir war, verschloß ich die Augen vor ihr. Sie aber sprach: ›Ich heiße dich als Gast für drei Tage herzlich willkommen.‹ Ihre Worte brachten mich völlig außer Fassung, sah ich doch keinen Weg, ihr zu entrinnen. ›Muß dies denn sein?‹ fragte ich sie, und sie antwortete: ›Ja.‹ Jetzt erklärte ich: ›So mag es denn sein, wenn ich erst auf das Dach des Schlosses dort gestiegen und wieder zurückgekehrt bin.‹ Sie widersprach jedoch: ›Ich werde dir den Weg zum Waschraum zeigen, damit du die nötige Verrichtung dort vornehmen kannst, und ich werde dich selber bedienen.‹ – ›Es ist nur dann möglich‹, entgegnete ich, ›wenn mir der Zugang zum Dach des Schlosses gewährt wird.‹ Nachdem ich sie endlich überlistet hatte, erhob sie sich, führte mich zu einer verschlossenen Tür, durch die man auf das Dach gelangen konnte, öffnete sie und sprach: ›So gehe, bleibe aber nicht lange aus.‹ Nun stieg ich eilends auf das Dach hinauf. Zum Erdboden niederschauend, sah ich, daß er tief unten lag. So hob ich meinen Blick gen Himmel und seufzte: ›Lieber Gott, du weißt, wie es um mich steht, weißt, daß ich zwischen Tod und Sünde zu wählen habe.‹ Danach schien es mir nicht mehr schlimm, von dem Dach des Schlosses in die Tiefe zu fallen, und so stürzte ich mich selbst hinunter. Da aber schickte Gott der Erhabene einen seiner Engel zu mir. Dieser lud mich auf seinen Flügel, und ehe ich mich dessen versah, stand ich wieder vor meiner Haustür. Ich pries Gott den Erhabenen für seine Hilfe und berichtete meiner Frau, was ich erlebt hatte. Nachdem ich mich zu einem Dankgebet niedergeworfen hatte, versprach ich Gott, mein Haus bis zu meinem Tode nicht mehr zu verlassen. Dies ist mein Erlebnis gewesen, lieber Freund.«

Ich schied von ihm voller Staunen und sprach die Worte des Korans (65, 2 f.): »Wer Gott fürchtet, dem schafft er einen Ausweg und ernährt ihn aus Quellen, die er nicht vermutet.« Jener aber blieb von nun an bei seiner Gewohnheit, bis er starb. Gott habe ihn selig und lasse uns sein Vorbild zum Segen gereichen!

39. Der Friedhofsfindling

Als sich einmal der gottselige ʿUmar niedergelassen hatte, um seine Krieger zu mustern, gewahrte er plötzlich einen Mann, der seinen Sohn bei sich hatte. ʿUmar rief ihm zu: »Oh, ich habe noch nie zwei Raben einander mehr gleichen sehen, als dieser Jüngling dir gleicht.« Jener antwortete: »Fürst der Gläubigen, seine Mutter hat ihn erst nach ihrem Tod zur Welt gebracht.«

Jetzt setzte sich ʿUmar aufrecht hin und sprach zu ihm: »Erzähle mir seine Geschichte.« Da hub er an:

Ich ging einmal auf eine Reise, Fürst der Gläubigen, als seine Mutter ihn trug. Beim Abschied sagte sie zu mir: »Du gehst fort und läßt mich in diesem Zustand hoher Schwangerschaft zurück.« Ich erwiderte: »Ich vertraue Gott an, was du unter dem Herzen trägst.« Sprach's und trat meine Reise an. Nachdem ich mehrere Jahre ferngeblieben war, kehrte ich heim. Zu meiner Überraschung fand ich meine Haustür verschlossen und fragte deshalb: »Was ist mit der Soundso geschehen?« – »Sie ist gestorben«, gab man mir zur Antwort. Da rief ich aus: »Wir sind Gottes, und zu ihm kehren wir zurück.« Dann ging ich zu ihrem Grab und weinte bei ihr. Nach der Rückkehr nahm ich im Kreise meiner Vettern Platz. Während ich so bei ihnen weilte, sah ich plötzlich ein Feuer zwischen den Gräbern auflodern und fragte meine Vettern: »Was ist dies für ein Feuer?« Sie erwiderten: »Es ist jede Nacht über dem Grab der Soundso zu sehen.« Ich seufzte: »Wir sind Gottes, und zu ihm kehren wir zurück. Sie hat, bei Gott, streng gefastet, sich oft zu nächtlichem Gebet erhoben und hat züchtig und fromm gelebt. Laßt uns zu ihr gehen.« Nachdem wir gegangen waren, ließ ich die anderen zurück und trat allein an das Grab. Siehe, da stand das Grab offen. Sie selbst saß darin, während dieser Sohn sie umkreiste und ein himmlischer Herold verkündete: »Der du deinem Herrn dein Gut anvertraut hast, nimm das Anvertraute zurück. Hättest du ihm auch seine Mutter anvertraut, so würdest du nun auch sie, bei Gott, lebendig vorfinden.« Da nahm ich den Knaben an mich, und das Grab, o Fürst der Gläubigen, wurde wieder, wie es zuvor gewesen war.

Abū Jaʿkūb sagt: »Als ich diese Geschichte in Kufa erzählte, sagten die Leute: ›Ja, man hat diesen jungen Mann ‚Friedhofsfindling‘ genannt.‹«

40. *Die Rettung auf dem Meere*

Es kam einmal ein Mann zu Abū Huraira mit der Bitte: »Flehe zu Gott für meinen Sohn; denn meine Seele hat Furcht ergriffen, er könnte umkommen.« Jener fragte: »Soll ich dir nicht lieber ein Mittel nennen, das nützlicher und wirkungsvoller als mein Gebet ist und dir schneller Erhörung bringt?« – »Ja freilich«, antwortete er. Da riet ihm Abū Huraira: »Gib an seiner Statt ein Almosen zu dem Zweck, daß dein Sohn gerettet und alles, was bei ihm ist, vor Schaden bewahrt bleibe.« Nachdem der Mann Abū Huraira verlassen hatte, gab er einem Bettler einen Dirhem mit den Worten: »Dies soll dazu dienen, meinen Sohn zu erretten und ihn sowie alles, was bei ihm ist, vor Schaden zu bewahren.« Da verkündete in der gleichen Stunde irgend jemand auf dem Meere: »Fürwahr, das Lösegeld ist angenommen, und Zaid wird geholfen.« Als er später nach Hause kam, fragte ihn sein Vater nach seinen Erlebnissen. Da erzählte er: »Liebes Väterchen, ich habe an dem und dem Tag zu der und der Stunde« – dies war der Tag, an dem der Vater an seiner Statt den Dirhem als Almosen gegeben hatte – »etwas Wunderbares auf dem Meer erlebt. Wir sahen nämlich damals dem Tod und dem Verderben ins Auge. Da hörten wir auf einmal eine Stimme in der Luft, die rief: ›Fürwahr, das Lösegeld ist angenommen, und Zaid wird geholfen.‹ Und es erschienen Männer in weißen Gewändern. Diese trieben unser Schiff zu einer Insel in der Nähe. So blieben wir wohlbehalten und wurden allesamt errettet.«

41. *Das wundertätige Wort*

Als sich einmal einige Leute auf einer Seereise befanden, hörten sie plötzlich eine unsichtbare Stimme, die ihnen zurief: »Wer gibt mir zehntausend Dinare, daß ich ihn einige Worte lehre? Wenn er nämlich in Bedrängnis gerät oder dem Tod ins Auge schaut und er dann diese Worte spricht, so wird er errettet werden.« Da erhob sich einer von den Schiffsinsassen, der im Besitz von zehntausend Dinaren war, und rief: »Ich werde sie dir geben, Unsichtbarer, auf daß du mich die Worte lehrest.« – »So wirf das Geld ins Meer«, sagte man zu ihm. Nachdem er es hinausgeschleudert hatte, hörte er die unsichtbare Stimme verkünden: »Wenn du in Bedrängnis gerätst oder dem Tod ins Auge schaust, so sprich (Koran 65, 2 f.): ›Und wer Gott fürchtet, dem bereitet er einen Ausweg und versorgt ihn, von wo er es nicht vermutet, und wer auf Gott vertraut, der findet in ihm sein Genügen. Wahrlich, Gott erreicht sein Ziel. Gott hat einer jeden Sache ein Maß gesetzt.‹« Da sagten alle, die auf dem Schiffe waren, zu dem Mann: »Du hast dein Geld für nichts hingegeben!« – »Keineswegs!« erwiderte er. »Dies ist ein Wort, an dessen Nützlichkeit ich keinen Zweifel hege.« Einige Tage danach erlitten sie Schiffbruch, und jener Mann war der einzige unter ihnen, der sich auf einer Planke retten konnte.

Später erzählte er folgendes:

Das Meer spülte mich auf eine Insel. Als ich hinaufstieg, um auf dem Eiland umherzugehen, gewahrte ich plötzlich ein hohes Schloß. Ich ging hinein und entdeckte darin zu meiner Überraschung Meeresperlen aller Art und andere Juwelen sowie eine Frau, schöner, als ich je eine gesehen habe. Ich fragte sie: »Wer bist du und was machst du hier?« Sie erwiderte: »Ich bin die Tochter des Kaufmanns Soundso in Basra. Mein Vater betrieb einen weitreichenden Handel. Da er es ohne mich nicht aushalten konnte, nahm er mich auf seine Seereisen mit. Eines Tages zerbrach unser Schiff. Ich selbst wurde fortgetrieben und gelangte schließlich auf diese Insel. Nun pflegt ein Teufel aus dem Meer zu mir herauszusteigen. Sieben Tage lang treibt er seine übeln Scherze mit mir, ohne mir beizuwohnen. Aber er betastet und belästigt mich, treibt seine bösen Späße mit mir und betrachtet mich. Dann steigt er wieder für sieben Tage ins Meer hinunter. Heute ist gerade der Tag, an dem er wiederkehren muß. Vertraue dein Leben Gott an und mache dich aus dem Staube, bevor er kommt; denn sonst bringt er dich um.« Sie hatte ihre Worte noch nicht beendet, da sah ich, wie etwas grauenerregend und entsetzlich Finsteres auf uns zukam. Sie jammerte: »Bei Gott, da ist er schon. Nun wird er dich töten.« Als er sich mir näherte und eben über mich herfallen wollte, sprach ich den Koranvers, und siehe, in dem gleichen Augenblick stürzte er zu Boden, groß wie das Bruchstück eines Berges, jedoch zu Asche verbrannt. Da sprach die Frau: »Bei Gott, er ist tot, und du hast mich von ihm befreit. Wer bist du eigentlich, du Jüngling, den Gottes Gnade mir geschenkt hat?« – Nun erhoben wir uns beide und trafen eine Auswahl aus jenen Juwelen, so daß wir alles, was an wertvollen und kostbaren Stücken darunter war, mitnahmen. Wir verbrachten den ganzen Tag am Meeresstrand, und als die Nacht hereinbrach, kehrten wir in das Schloß zurück. Da es dort zu essen gab, fragte ich sie: »Woher hast du dies?« Sie antwortete: »Ich habe es hier gefunden.« Einige Tage danach sahen wir, wie in der Ferne ein Schiff auftauchte. Wir winkten der Besatzung zu. Sie legten an der Insel an und nahmen uns an Bord, worauf Gott der Mächtige und Erhabene uns wohlbehalten nach Basra gelangen ließ. Nachdem sie mir beschrieben hatte, wo ihre Angehörigen wohnten, suchte ich diese auf. Sie fragten mich: »Wer bist du?« – »Ich bin der Bote der Soundso«, gab ich zur Antwort. Da erhob sich ein Wehgeschrei, und sie sprachen: »O du, du hast unser Unglück erneuert.« Ich aber befahl ihnen: »Kommt heraus.« Dann nahm ich sie mit und kehrte um, bis ich mit ihnen zu ihrer Tochter kam. Nun wären sie vor Freude beinahe gestorben. Auf die Frage nach ihren Erlebnissen erzählte sie ihnen alles. Als ich sie dann um die Hand der Frau bat, vermählten sie mich mit ihr, und wir erklärten diese Juwelen für unser beider gemeinsames Vermögen. So bin ich heute der reichste Einwohner von Basra, und dies hier sind meine Kinder von ihr.

42. Die Befreiung aus dem Kerker

Al-Hasan al-Basrī erzählt:
Als ich mich in Wāsit befand, kam mir einmal ein Mann zu Gesicht, der aussah, als sei er dem Grab entstiegen. Ich fragte ihn: »O du, was ist dir zugestoßen?« Da sprach er zu mir: »Laß nur ja nichts über meinen Fall verlauten. Vor drei Jahren hat mich al-Hadschschādsch in den Kerker geworfen. Obwohl ich unter härtesten Umständen, schlechtesten Verhältnissen und an

einem höchst widerlichen Ort leben mußte, hielt ich tapfer aus, ohne ein Wort der Klage von mir zu geben. Gestern nun wurden einige Leute, die mit mir im Kerker waren, hinausgeführt und enthauptet. Dabei erzählte mir einer von den Gefängniswärtern, daß ich am folgenden Tag enthauptet werden solle. Da ergriff mich ein namenloser Schmerz, ich mußte über alle Maßen weinen, und Gott der Erhabene ließ diesen Anruf über meine Zunge kommen: ›Lieber Gott, meine Bedrängnis ist hart, und meine Selbstbeherrschung ist am Ende. Du bist es, den wir um Hilfe bitten.‹ Nachdem der größte Teil der Nacht bereits vergangen war, fiel ich in Ohnmacht, und während ich zwischen Schlaf und Wachen schwebte, erschien mir auf einmal jemand, der mir befahl: ›Stehe auf, verrichte zwei Gebetsübungen und sprich: O du, dessen Allwachsamkeit durch nichts beeinträchtigt werden kann! O du, dessen Wissen alles umfaßt, was du erschaffen und ins Leben gerufen hast! Du kennst die verborgenen Dinge und zählst die Ängste der Herzen. Du weilst an der höchsten aller Wohnstätten, dein Wissen umspannt aber auch die niederste. Ja du bist hoch erhaben. O Helfer, hilf auch mir, löse meine Banden und reiße mich aus meiner Not; denn meine Selbstbeherrschung ist am Ende.‹ Ich stand sofort auf und nahm die religiöse Waschung vor. Dann verrichtete ich zwei Gebetsübungen und sprach, was ich von ihm gehört hatte, ohne auch nur ein einziges Wort davon zu ändern. Ich hatte meine Rede noch nicht beendet, da fielen mir schon die Fesseln von den Füßen, und, auf die Gefängnistüren schauend, sah ich, daß sie geöffnet waren. Ich erhob mich und ging hinaus, ohne daß mir irgend jemand in den Weg trat. So hat mir, bei Gott, der Allerbarmer die Freiheit wiedergegeben. Gott hat mir zum Lohn für meine Geduld Erlösung geschenkt und mir einen Ausweg aus jener Not bereitet.« Dann sagte er mir Lebewohl und machte sich auf den Weg nach dem Hidschas.

43. Dhu'n-Nūn und der Skorpion

Als Dhu'n-Nūn al-Misrī eines Tages ausging, um seine Kleider zu waschen, sah er plötzlich einen Skorpion auf sich zukommen, wie es größer keinen gibt. Da packte ihn ein fürchterlicher Schreck vor dem Tier. Er nahm seine Zuflucht vor ihm zu Gott, und Gott schützte ihn vor Schaden durch ihn. Nachdem der Skorpion nämlich bis dicht an den Nil herangekommen war, tauchte auf einmal ein Frosch aus dem Wasser auf. Der nahm den Skorpion auf den Rücken und setzte mit ihm zum anderen Ufer über.

Dhu'n-Nūn erzählt nun selbst: Da legte ich mein Lendentuch um, stieg ins Wasser hinunter und beobachtete ohne Unterlaß den Skorpion, bis er das andere Ufer erreichte. Nachdem er dort hochgestiegen war, lief er, während ich ihm folgte, bis er zu einem Baum mit vielen Ästen und reichem Schatten kam. Unter dem Baum lag ein bartloser Jüngling mit makelloser Haut, der seinen Rausch ausschlief. Entsetzt sprach ich: »Es gibt keine Macht außer bei Gott. Der Skorpion ist also von jenem Ufer herübergekommen, um diesen Jüngling zu stechen.« Da sah ich auf einmal, wie sich eine Riesenschlange näherte, in der Absicht, den Jüngling zu töten. Der Skorpion überwältigte sie jedoch und stach sie immerzu in den Kopf, bis es ihm gelungen war, sie zu töten. Dann ging er zurück ans Wasser und setzte auf dem Rücken des Frosches wieder ans andere Ufer über.

Da sprach Dhu'n-Nūn die Verse:

O Schläfer, den der Herr bewacht
Vor allem Leid in dunkler Nacht,
Schenkst du dem König keinen Blick,
Von dem dir Segen kommt und Glück?

Nachdem der Jüngling durch die Worte Dhu'n-Nūns erwacht war, erzählte dieser ihm, was sich inzwischen zugetragen hatte. Da bekehrte sich der Jüngling. Er legte die Kleidung der Lust ab, hüllte sich in die Tracht der fahrenden Büßer und pilgerte bis zu seinem frommen Tod.

44. Abū Hamzas Bund mit Gott

Abū Hamza war gewohnt, seine Behausung nicht zu verlassen, so daß er nur dann ausging, wenn es galt, etwas Wichtiges nicht zu versäumen. Eines Tages trat irgendein Armer bei ihm ein, und da er selber nichts besaß, zog er kurzerhand sein Hemd aus und schenkte es ihm, worauf der Arme wieder ging. Danach überkam Abū Hamza plötzlich eine heilige Erregung. So ging er nackt hinaus, und während er in der Wüste umherstreifte, fiel er auf einmal in einen Brunnen. Erst wollte er schreien, doch dann gedachte er seines Bundes mit Gott, hatte er doch mit Gott vereinbart, daß er niemals ein erschaffenes Wesen um Hilfe anrufen werde. Während er also in dem Brunnen saß, kamen auf der Straße zwei Männer vorüber. Dabei sagte der eine zum anderen: »Lieber Bruder, wenn einer, der diesen Brunnen mitten auf dem Weg nicht kennt, hier vorbeikäme, könnte er in ihn hineinfallen. So gehe du Rohrstöcke holen, während ich Steine und Erde herbeischaffen werde.« Nachdem sie dies getan hatten, deckten sie den Brunnen oben ab und gingen dann weiter. (Abū Hamza erzählt nun selbst:) Schwach, wie ich nun einmal als Mensch war, verspürte ich nicht übel Lust, sie zu bitten, mich erst herauszuholen und dann den Brunnen aufzufüllen. Allein mein Bund mit Gott hielt mich davon ab. So sprach ich denn: »Bei deiner Macht, lieber Gott, ich werde keinen außer dir um Hilfe anrufen.« Nachdem ich in dieser Lage bereits einen Teil der Nacht verbracht hatte, begann die Erde plötzlich vom oberen Teil des Brunnens auf mich herniederzurieseln, als ob ein Mensch sie aushöbe, und ich hörte jemand sagen: »Hebe deinen Kopf nicht hoch, dann fällt die Erde nicht auf dich.« Danach rief er mir zu: »Klammere dich an meinen Fuß, Abū Hamza.« Ich ergriff seinen Fuß, und zu meiner Überraschung fühlte er sich rauh an. Als ich hinaufgeklettert war und über dem Brunnen auf der Erde stand, gewahrte ich plötzlich, daß es ein gewaltiger Löwe war. Er wandte sich mir zu, und ich vernahm eine Stimme, die sprach: »O Abū Hamza, durch das drohende Verderben habe ich dich vor dem ewigen Verderben errettet.« Dann kehrte er sich von mir und schritt in die Wüste hinein.

45. Der Name Gottes

Dhu'n-Nūn al-Misrī war im Besitz der Kenntnis von Gottes hochheiligem Namen.

Jūsuf ibn al-Hasan erzählt:

Nachdem ich dies mit Gewißheit von ihm erfahren hatte, begab ich mich nach Ägypten und widmete mich ein Jahr lang seinem Dienst. Danach sprach ich zu ihm: »Gott wird sich deiner erbarmen. Nachdem ich dir treu gedient habe, bist du mir nun etwas schuldig. Ich wünsche mir sehnlichst, daß du mir Gottes hochheiligen Namen mitteilst. Du könntest keine Stätte finden, an der er so treu aufgehoben wäre wie bei mir.« Er aber schwieg. Sechs Monate lang willfahrte er meinem Wunsche nicht und deutete mir lediglich an, daß er mir den Namen vielleicht doch noch mitteilen werde. Danach holte er eines Tages aus seinem Hause eine in ein Tuch gebundene Schüssel nebst Deckel heraus – er wohnte in al-Dschīza – und sprach: »Du kennst doch unseren Freund Soundso in Fustāt.« Als ich dies bestätigte, erklärte er: »Ich hätte gern, daß du ihm dies überbringst.« Da nahm ich die zugebundene Schüssel und trat den weiten Weg dorthin an. Unterwegs dachte ich: »Ein Mann wie Dhu'n-Nūn schickt dem Soundso ein Geschenk. Da solltest du eigentlich nachsehen, was dies ist.« Ich konnte es nicht erwarten, daß ich die Nilbrücke erreichte. Dort band ich das Tuch los, hob den Deckel auf, und siehe, eine Maus sprang aus der Schüssel und lief davon. Da packte mich eine grimmige Wut, und ich sagte mir: »Dhu'n-Nūn al-Misrī macht sich über mich lustig und benutzt einen Mann wie mich als Überbringer einer Maus!« In dieser Wut kehrte ich zu ihm zurück. Als er mich sah, erkannte er an meinem Gesicht, was ich dachte. Da sprach er: »Du Tor! Ich habe dir eine Maus anvertraut, und du hast mich betrogen. Wie könnte ich dir da Gottes hochheiligen Namen anvertrauen? Hebe dich fort von mir; denn nach diesem Erlebnis will ich dich nicht mehr sehen.«

46. Der Sklave des 'Abd al-Wāhid ibn Zaid

'Abd al-Wāhid ibn Zaid erzählt:
Ich hatte mir einmal einen Sklaven zu meiner Bedienung gekauft. Als ich ihn danach in der Nacht suchte, fand ich ihn nicht, obwohl ich sah, daß die Türen nach wie vor verschlossen waren. Am nächsten Morgen überreichte er mir zu meiner Überraschung einen Dirhem, auf dem, von der Rohrfeder der göttlichen Allmacht geschrieben, die Sure vom lauteren Glauben (Koran 112) stand. Auf meine Frage: »Woher hast du dies, Sklave?« sagte er mir: »Ich habe jeden Tag das gleiche für dich, Herr, unter der Bedingung, daß du mich in der Nacht nicht suchst.« Damit erklärte ich mich einverstanden. So war er jede Nacht fort und brachte nach dem Morgengebet einen solchen Dirhem mit Inschrift. Dies währte eine Zeitlang.

Als ich eines Tages zu Hause weilte, besuchten mich einige von meinen Freunden und sprachen: »Dieser Sklave von dir ist ein Grabräuber.« Es schmerzte mich, dies zu hören, und ich sagte zu ihnen: »Dann haltet ihn fest. Auch ich will heute nacht auf ihn aufpassen.« Wir hatten eben das Nachtgebet beendet, da erhob er sich, um hinauszugehen, indes die Türen verschlossen waren. Er aber zeigte einfach mit seiner Hand, und jede Tür, auf die er zeigte, öffnete sich ihm, während ich ihm zuschaute. Dann folgte ich ihm und ging hinter ihm her, bis er eine Wüste erreichte. Dort zog er seine Kleider aus, legte eine härene Kutte an und betete bis zur Frühe. Nachdem er sein Gebet beendet hatte, hob er sein Haupt gen Himmel und sprach: »Mein großer Herr, gib mir den Lohn für meinen kleinen Herrn.« Und alsbald fiel vom Himmel ein Dirhem auf ihn nieder, den er an sich nahm. Ich war über sein Tun verblüfft und staunte über sein Verhalten. Ich stand auf, und nachdem ich die gesetzliche Waschung vorgenommen hatte, betete ich, bat Gott den Erhabenen um Verzeihung für mein sündiges Leben und nahm mir vor, den Sklaven freizulassen. Danach suchte ich ihn, konnte ihn aber nicht mehr finden.

Betrübt und ratlos ging ich von dannen, ohne jene Gegend zu kennen. In dieser Ratlosigkeit näherte sich mir ein Reiter auf einem grauen Pferd und sprach: »Warum sitzt du hier, 'Abd al-Wāhid?« Nachdem ich ihm mein Erlebnis erzählt hatte, sagte er: »Widersetze dich nicht. Weißt du, wie weit der Weg bis zu deinem Wohnort ist?« – »Gott weiß alles am besten«, gab ich zur Antwort. Da sprach er: »Ein Reiter braucht für die Strecke zwei Jahre, wenn er sich bemüht und die Reise beschleunigt.« Als ich mich darüber wunderte, befahl er mir: »Gehe nicht von hier fort, bis dein Sklave zu dir kommt.« So blieb ich jenen Tag über dort, bis es dunkle Nacht wurde. Da kam er auf einmal mit einer Tafel voll allerlei Speisen und sprach zu mir: »Iß, mein Herr, und tu solches nicht noch einmal.« Wir aßen, und als wir fertig waren, sagte er: »Mein großer Herr, gib mir den Lohn für meinen kleinen Herrn.« Sprach's, und schon fielen ihm zwei Dirhems in den Schoß. Nachdem er sie mir überreicht hatte, stand er auf und betete bis zur Frühe. Dann nahm er mich bei der Hand, ging wenige Schritte, und siehe, da standen wir bereits an meiner Haustür. Jetzt sagte er: »Du hast die Absicht, mich freizulassen, mein Herr«, und ich antwortete: »Ja du bist hiermit Gott zuliebe frei.« Nun lag hinter der Haustür ein großer Stein, mit dem wir die Tür zu verrammeln pflegten. »Mein Herr«, sagte er, »nimm diesen Stein als Entgelt für mich. So Gott der Erhabene will, wirst du entschädigt sein.« Da wurde der Stein plötzlich zu Gold. Ich wunderte mich sehr darüber und eilte zu meinen Freunden, um ihnen mein Erlebnis zu erzählen.

Der Sklave aber klopfte an die Tür. Da kam meine kleine Tochter heraus und fuhr ihn an: »Du böser Sklave, wo ist mein Vater? Du hast ihn wegen deiner Grabräubereien umgebracht.« Dann versetzte sie ihm einen derart heftigen Schlag auf ein Auge, daß sie es ihm ausschlug. Als ich bei meiner Rückkehr den Sklaven in diesem Zustand fand, wußte ich gleich, daß meine kleine Tochter dies getan hatte. Nachdem ich ihr zur Strafe die Hand abgehauen hatte, begann ich, mich bei ihm zu entschuldigen. Jetzt nahm der Sklave sein Auge in die Hand, legte es an die Stelle, wo es vorher gesessen hatte, und blickte verstohlen damit zum Himmel. Da war es auf einmal so schön wie nur je. Danach nahm er die Hand meiner Tochter, spie darauf, und plötzlich war sie wieder wie zuvor. Als ich ihn solches wirken sah, sprach ich: »Dies ist kein Grabräuber, sondern ein Lichträuber.« Danach verließ der Sklave mein Haus. Ich aber trauerte ihm nach und wußte nicht, wohin er gegangen war. Gott habe Wohlgefallen an ihm!

47. Der Tod des Heiligen

Abū Ishāk as-Su ʻlūkī erzählt:

Ich ging einmal in einem Jahr auf die Wallfahrt nach Mekka. Als ich eines Tages nach Einbruch der Dunkelheit – es war eine Mondnacht – in der Wüste umherirrte, hörte ich plötzlich die Stimme eines schwachen Wesens rufen: »O Abū Ishāk, ich habe seit der Frühe auf dich gewartet.« Näher tretend, erblickte ich zu meiner Überraschung einen Jüngling mit ausgezehrtem Leib, dem Tode nahe und inmitten einer Fülle wohlriechender Pflanzen, von denen ich die einen kannte, die anderen nicht. Ich fragte ihn: »Wer bist du, und woher stammst du?« Er antwortete: »Ich stamme aus der Stadt Schimschāt. Ich hatte Macht und Ansehen, doch eines Tages bekam ich Sehnsucht nach Ferne und Alleinsein, und so zog ich von dannen. Nun, da ich dem Tod ins Auge schaue, habe ich zu Gott dem Erhabenen gebetet, er möchte einen seiner Heiligen zu mir senden, und ich hoffe, daß du dieser Heilige bist.« – »Hast du einen Wunsch?« fragte ich, und er antwortete: »Ja, ich habe eine Mutter sowie Brüder und Schwestern.« Ich fragte weiter: »Hast du jemals Sehnsucht nach ihnen empfunden?« Er erwiderte: »Nein, mit Ausnahme von heute; denn jetzt hat mich Sehnsucht danach erfaßt, ihren Duft zu atmen. Ja, ich stand im Begriff, sie aufzusuchen, doch da haben sich die wilden Tiere und das Gewürm um mich versammelt, gemeinsam mit mir geweint und mir die wohlriechenden Pflanzen gebracht, die du hier siehst.« Während ich so bei ihm stand, das Herz voller Mitleid, gewahrte ich plötzlich eine gewaltige Schlange mit einem großen Bündel Narzissen im Maul. Sie fuhr mich an: »Laß den Heiligen Gottes des Erhabenen in Ruhe; denn Gott wacht eifersüchtig über seine Heiligen.« Da wurde er ohnmächtig, und auch ich fiel in Ohnmacht. Ich kam erst wieder zum Bewußtsein, nachdem er seine Seele bereits ausgehaucht hatte. Gott sei ihm gnädig! Als ich nach Beendigung der Wallfahrt nach Schimschāt kam, begegnete mir eine Frau mit einem kleinen Trinkgerät in der Hand. Nie habe ich jemand gesehen, der jenem Jüngling stärker glich als sie. Sobald sie mich erblickte, rief sie aus: »O Abū Ishāk, wie ist es dem fernen Jüngling ergangen, der außer Landes gestorben ist? Ich warte nämlich bereits seit der und der Zeit auf dich.« So erzählte ich ihr die Geschichte. Als ich ihr schließlich seine Worte wiedergab: »Jetzt hat mich Sehnsucht danach erfaßt, ihren Duft zu atmen«, da schrie sie: »Wehe! Wehe! Bei Gott, er hat unseren Duft wirklich verspürt!« Dann tat sie einen Seufzer und gab ihren Geist auf. Nun kamen Mädchen seines Alters in zerschlissenen Büßerkleidern und in langen Gewändern zu ihr heraus. Sie nahmen sich ihrer an und sorgten für ihr Begräbnis, ohne dabei ihren Schleier zu lüften. Gott sei ihnen allen gnädig!

48. Der Fromme und der Krebs

Abu'l-Chair ad-Dailamī erzählt:
Als ich einmal bei Chair dem Weber weilte, kam eine Frau zu ihm und bat, er möchte für sie ein Tuch weben. Dabei fragte sie: »Was wird es kosten?« – »Zwei Dirhems«, antwortete er, worauf sie erklärte: »Ich habe im Augenblick nichts bei mir, doch ich werde sie dir morgen bringen, so Gott der Erhabene will.« Chair sagte zu ihr: »Wenn du mich bei deinem Kommen nicht antriffst, so wirf sie einfach in den Tigris. Wenn ich dann heimkehre, werde ich sie mir dort herausholen, so Gott der Erhabene will.« – »Recht gern«, erklärte die Frau. Als sie am nächsten Tag wiederkam, war Chair in der Tat abwesend. Sie setzte sich deshalb eine Weile hin, um auf ihn zu warten. Dann stand sie auf und warf einen Lappen mit den beiden Dirhems in den Tigris. Im Nu ergriff ein Krebs den Lappen und tauchte wieder ins Wasser. Als Chair nach einiger Zeit heimkam, öffnete er seine Ladentür und ließ sich am Ufer nieder, um die Gebetswaschung vorzunehmen. Da kam auch schon ein Krebs aus dem Wasser auf ihn zugelaufen. Auf dem Rücken trug er den Lappen. Nachdem er den Meister erreicht hatte, nahm dieser den Lappen an sich, und der Krebs ging wieder seiner Wege.

Als ich zu Chair sagte: »Ich habe das und das gesehen«, erklärte er: »Ich möchte, daß du dies nicht verrätst, solange ich lebe.« Dies sagte ich ihm zu.

49. Vom Wissen der Heiligen

Abū 'Alī al-Misrī erzählt:

Ich hatte einen alten Nachbarn, der den Beruf des Leichenwäschers ausübte. Eines Tages bat ich ihn: »Erzähle mir den seltsamsten Todesfall, den du erlebt hast.« Da sprach er:

Eines Tages kam einmal ein junger Mann mit einem hübschen Gesicht und in feinen Kleidern zu mir und fragte mich: »Willst du für uns unseren Toten waschen?« Nachdem ich es bejaht hatte, folgte ich ihm, bis er mich an einer Haustür stehenbleiben hieß, während er selbst hineinging. Eine kleine Weile später trat zu meiner Überraschung ein Mädchen heraus, das dem Jüngling aufs Haar glich. Sich die Augen abwischend, fragte sie: »Bist du der Leichenwäscher?« Als ich es bejahte, sagte sie: »So komm in Gottes Namen herein. Es gibt keine Macht und keine Kraft außer bei Gott dem Mächtigen und Erhabenen.« Ich trat ein, und siehe, da lag der Jüngling, der mich aufgesucht hatte, im Todeskampf. Er wollte eben den Geist aufgeben, und sein Blick war bereits starr. Leichentuch und Duftkräuter hatte er neben seinen Kopf gelegt. Ich hatte mich noch nicht neben ihn gesetzt, als er bereits verschied. Da rief ich aus: »Gott sei gepriesen! Dies ist einer von den Heiligen Gottes des Erhabenen gewesen; denn er hat seine Todesstunde gekannt.« Zitternd begann ich ihn zu waschen. Während ich ihn dann einhüllte, kam das Mädchen – es war seine Schwester –, küßte ihn und sprach: »Fürwahr, ich werde dir in Kürze folgen.« Als ich im Begriffe stand aufzubrechen, bedankte sie sich bei mir und sagte: »Schicke mir deine Frau her, falls sie diese Verrichtung so gut versteht wie du.« Ihre Worte ließen mich erschauern, und ich erkannte, daß sie ihm folgen werde. Nachdem ich die Beerdigung des Jünglings erledigt hatte, ging ich zu meiner Frau. Ich erzählte ihr das Ereignis und brachte sie dann zu jenem Mädchen. An ihrer Haustür blieb ich stehen und bat um die Erlaubnis zum Eintritt. Sie antwortete: »Laß deine Frau in Gottes Namen hereinkommen.« Nun trat meine Frau bei ihr ein. Siehe, da war das Mädchen, das Gesicht nach Mekka gewandt, soeben gestorben. Dann wusch meine Frau sie und senkte sie zu ihrem Bruder ins Grab, Gott habe beide selig!

50. Der Richter und der Christ

Es war einmal eine Frau aus dem Geschlecht der 'Aliden, als Mu 'āwija ibn abī Sufjān Kalif war. Diese hatte drei kleine Töchter, mit denen sie in bitterer Not und großer Armut lebte. Eines Tages weinten ihre Töchter, weil ihnen der Hunger wehe tat. Da sprach die Frau zu ihnen: »Habt Geduld. Ich werde den Richter um etwas aus dem Staatsschatz der Muslime bitten.« Als die Kinder dies hörten, faßten sie sich in Geduld bis zum nächsten Morgen. Nun machte sich ihre Mutter zum Hause des Richters auf. Dort angekommen, bat sie um Einlaß. Dann trat sie ein und grüßte den Richter. Dieser erwiderte ihren Gruß und fragte: »Was ist dein Begehr, edle Frau?« Sie antwortete: »Ich habe drei kleine Töchter, Herr, die ich hungrig zu Hause gelassen habe. Ich bin zu dir gekommen, weil du uns vielleicht ein Almosen aus dem Staatsschatz der Muslime gewährst.« Als der Richter ihre Worte hörte, sagte er: »Morgen werde ich dir etwas geben.« So verließ sie ihn und kehrte zu ihren Töchtern zurück, die vor lauter Hunger weinten. »Seid getrost, liebe Kinder«, sprach sie zu ihnen. »Der Richter hat versprochen, uns morgen ein Almosen zu geben. So Gott der Erhabene morgen will, werde ich ihn mit seiner Erlaubnis noch einmal aufsuchen und euch etwas von ihm mitbringen.« Da verharrten sie die Nacht in freudiger Erwartung.

Als der Morgen anbrach, ging die Mutter wieder zum Hause des Richters. Dort sah sie ihn an der Haustür sitzen. Nachdem sie ihn gegrüßt und er ihren Gruß erwidert hatte, sprach sie: »Du hast mir gestern etwas versprochen, Herr, und ich bin nun gekommen, mit dem Wunsche es abzuholen.« Als er ihre Worte hörte, schalt er sie, jagte sie weg und rief: »Schere dich von mir fort.« Enttäuscht und weinend kehrte die Frau um. Nachdem sie bis zu einer Trümmerstätte in der Nähe ihres Hauses gekommen war, ging sie hinein, weinte bitterlich und sprach: »Lieber Gott, mit welcher Miene soll ich zu meinen Töchtern zurückkehren? Mit welchen Augen soll ich sie anschauen? Mit welcher Zunge soll ich ihnen Rede und Antwort stehen?« Lange weinte sie, und ihr Flehen und Jammern wurde immer heftiger.

Nun befand sich in der Stadt ein Christ namens Sīdūk(?). Er war reich an totem Besitz wie an Sklaven, und sein Herz schlug warm für den Islam. Just zu dieser Stunde überquerte er die Trümmerstätte. Als er das Weinen und Jammern der Frau hörte, wurde er schier von Sinnen und befahl einigen von seinen Sklaven: »Holet mir dieses Weib her.« So gingen seine Diener zu ihr hin und brachten sie vor ihn. Als er sie schaute und sah, wie ihr die Tränen über die Wangen flossen, fragte er sie: »Warum weinst du, edle Frau?« Sie erwiderte: »Ich habe drei kleine Töchter, die ich hungernd zu Hause gelassen habe.« Und sie erzählte ihm ihre ganze Geschichte. Da befahl Sīdūk seinen Sklaven: »Gebet ihr tausend Dinare und ein Kleid aus Stoff.« Diese überreichten es ihr. Sie nahm es entgegen, betete für ihn, daß er sich zum Islam bekehren möge, und machte sich auf den Weg zu ihren Töchtern. Nachdem sie für einen Dinar allerlei zum Essen für sie eingekauft hatte, trat sie bei ihnen ein. Jetzt aßen sie, bis sie satt waren, und zu guter Letzt sprach die Frau: »Lieber Gott, schenke ihm aus der Fülle deiner Gnaden im Paradies.« Danach schneiderte sie für ihre Töchter allerlei Kleider.

In dieser Nacht hatte der Richter im Schlafe einen Traum. Es war ihm, als habe die Auferstehung begonnen. Er selbst wurde erfaßt und ins Paradies geleitet, wo man ihn zu einem hohen Schlosse brachte. Es war aus rotem Gold erbaut. Seine Zinnen bestanden aus weißen Perlen, und zwischen je zweien von ihnen strahlte ein Paradiesmädchen heller als die Sonne und schöner als der Mond. Als diese ihn erblickten, riefen sie ihm entgegen: »Verbannter, einst waren wir alle dein. Dieses Schloß und dieses Paradies ist mit allem, was es an immerwährenden Gütern birgt, dir zugedacht gewesen. Jetzt aber sind wir Eigentum Sīdūks des Christen geworden.« Dann verjagten sie den Richter, trieben ihn aus dem Paradies hinaus und sahen, daß er in der Hölle bleiben mußte. Voller Furcht und Schrecken erwachte der Richter und sprach: »Ich Unglücklicher! Was ist mir alles entgangen!«

Noch in der gleichen Stunde machte er sich eilends auf und kam zum Hause Sīdūks des Christen. Als er an die Tür pochte, kam einer seiner Sklaven heraus und fragte: »Wer ist vor der Tür?« Jener sagte: »Der Richter«, worauf der Sklave zu seinem Herrn zurückkehrte und ihm meldete, der Richter sei an der Tür. Nachdem er ihm Einlaß gewährt hatte, trat er ein. Als Sīdūk ihn sah, hieß er ihn willkommen, ließ ihn Platz nehmen und fragte: »Was ist dein Begehr jetzt in der Nacht?« Nun wollte der Richter wissen: »Hast du heute nacht etwas Gutes getan?« Sīdūk antwortete: »Ich bin die ganze Nacht hindurch betrunken gewesen. Wie könnte ich dabei wohl etwas Gutes getan haben?« Der Richter wollte es ihm aber nicht glauben und sprach: »Verkaufe mir, was du in dieser Nacht getan hast, für tausend Dinare.« Begierig auf dieses Geschäft, bat Sīdūk: »Berichte mir mehr, daß ich es dir verkaufen kann.« Da erzählte ihm der Richter, was er geträumt hatte und was ihm im Traum zugestoßen war. Als Sīdūk der Christ diesen Traum hörte, sprang er auf die Beine, wusch sich und legte neue Kleider an. Dann setzte er sich vor den Richter und sprach: »Reiche mir deine Hand; denn ich bezeuge, daß es keinen Gott gibt außer Gott allein und ohne Genossen. Ich bezeuge ferner, daß Muhammad der Gesandte Gottes ist. Gott hat ihn ausgesandt, und er hat uns die Rechtleitung und den wahren Glauben gebracht.« Da verließ ihn der Richter weinend und bekümmert.

Du aber, lieber Freund, betrachte diesen Geiz. Schau wie der Richter wegen seines Geizes in die Hölle, der Christ aber wegen seines Edelmutes in das Paradies gekommen und wie er zu guter Letzt selig und ein Muslim geworden ist. Wie wunderbar ist dies und wie herrlich!

51. Die Bekehrung zweier Mönche aus Toledo

Ibn Zafar erzählt:
Als ich einmal in eine spanische Grenzfestung kam, traf ich dort einen Jüngling aus Cordoba, der sich dem Studium des heiligen Gesetzes widmete. Er plauderte vertraut mit mir, und wir erörterten dies und jenes aus dem Gebiet des religiösen Wissens. Eines Tages sprach ich in einem Gebet: »O du, der du gesagt hast (Koran 4, 32): ›Und bittet Gott um Gnade.‹« Da fragte er mich: »Soll ich dir etwas Seltsames über diesen Koranvers berichten?« Als ich darum bat, sagte er, einer seiner Vorfahren habe ihm folgendes erzählt:

Es kamen einmal aus Toledo zwei Mönche zu uns, die dort ein hohes Ansehen genossen hatten und die arabische Sprache beherrschten. Sie machten den Anschein, als seien sie Muslime, und studierten den Koran und das heilige Gesetz, doch die Leute hegten Argwohn wider sie. Ich zog sie an mich, sorgte für sie, und meine Nachforschungen ergaben, daß sie wußten, wie man über sie dachte. Weil sie beide schon alt waren, dauerte es nicht lange, bis einer von ihnen starb, während der andere noch etliche Jahre lebte. Als auch er krank wurde, fragte ich ihn eines Tages: »Was hat euch eigentlich bewogen, Muslime zu werden?« Meine Frage ärgerte ihn, ich aber war recht freundlich zu ihm, so daß er mir schließlich folgendes erzählte:

An einer Kirche, bei der wir eine Klause bewohnten, war ein muslimischer Kriegsgefangener als Diener beschäftigt. Weil er auch uns bediente, freundeten wir uns mit ihm an. Lange waren wir mit ihm zusammen. So beherrschten wir am Ende die arabische Sprache und kannten infolge seiner häufigen Koranlesungen viele Verse aus dem heiligen Buch auswendig. Als er eines Tages las (Koran 4, 32): »Und bittet Gott um Gnade«, fragte ich meinen Gefährten, der mir an Verstand und Einsicht überlegen war: »Hörst du nicht die Forderung dieses Koranverses?« Er aber schalt mich. Danach las der Gefangene eines Tages (Koran 40, 60): »Und euer Herr spricht: ›Rufet mich an, so werde ich euch erhören.‹« Ich sagte zu meinem Gefährten: »Diese Forderung ist noch strenger als die andere.« Jetzt erklärte er:

»Ich denke darüber nicht anders als die Muslime. Ihr Oberhaupt ist es, von dem Jesus frohe Botschaft gebracht hat.« Danach geschah es eines Tages, daß mir ein Bissen im Halse stecken blieb, während der Gefangene bei uns stand, um uns den Wein zum Essen zu reichen. Zwar nahm ich den Becher von ihm an, machte aber keinen Gebrauch davon, vielmehr sprach ich in meinem Herzen: »Lieber Gott, Muhammad hat von dir verkündet, du habest gesagt: ›Und bittet Gott um Gnade‹, ferner: ›Rufet mich an, so werde ich euch erhören.‹ Wenn er die Wahrheit spricht, so gib du mir zu trinken.« Da war plötzlich ein Felsen dort, aus dem Wasser sprudelte. Ich eilte auf es zu und trank. Nachdem ich genug hatte, versiegte das Wasser. Dem Gefangenen, der dabei hinter mir gestanden hatte, kamen nun Zweifel an der Wahrheit des Islam, während ich das Verlangen hegte, mich zu ihm zu bekennen. Ich teilte meinem Gefährten mit, was ich empfand, und dann traten wir gemeinsam zum Islam über. Am anderen Morgen kam der Gefangene zu uns mit dem Wunsch, wir möchten ihn taufen und in die christliche Kirche aufnehmen. Da jagten wir ihn fort und entließen ihn aus unserem Dienst. Danach fiel er von seinem Glauben ab und wurde Christ.

Wir aber waren nun ratlos und sahen keinen Weg, uns in Sicherheit zu bringen. Schließlich sagte mein Gefährte, der klüger war als ich, zu mir: »Warum sprechen wir nicht jenes Gebet?« Nachdem wir es gesprochen hatten, indem wir inbrünstig um Rettung aus unserer Not flehten, legten wir uns zum Mittagsschlaf nieder. Jetzt sah ich im Traume drei Lichtgestalten unsere Gebetsstätte betreten. Sie zeigten auf dort befindliche Bilder lebender Wesen, worauf diese plötzlich verschwanden, brachten einen Thronsessel herbei und stellten ihn hin. Dann kam eine ganze Anzahl von Gestalten, die wie sie von Licht und Glanz umflossen waren, unter ihnen ein Mann, wie ich schöner noch keinen gesehen hatte. Nachdem er auf dem Thronsessel Platz genommen hatte, trat ich auf ihn zu und sprach zu ihm: »Bist du der Herr Christus?« – »Nein«, erwiderte er, »ich bin vielmehr sein Bruder Ahmad. Bekenne den muslimischen Glauben.« Nachdem ich mich zum Islam bekannt hatte, sprach ich: »O Gottgesandter, wie können wir ins Land deiner Gemeinde auswandern?« Da befahl er einer vor ihm stehenden Gestalt: »Gehe zu ihrem König und sage ihm, er solle sie in allen Ehren an den Ort ihrer Wahl im Lande der Muslime bringen lassen, ferner solle er den Gefangenen Soundso herbeirufen und ihm die Rückkehr zu seinem früheren Glauben empfehlen. Wenn er es tut, soll er ihn seiner Wege gehen lassen. Tut er es jedoch nicht, so soll er ihn hinrichten.« Vom Schlaf erwacht, weckte ich meinen Gefährten, erzählte ihm, was ich geträumt hatte, und fragte ihn: »Was sollen wir nun tun?« Er antwortete: »Gott hat uns den Ausweg aus der Not gewiesen. Siehst du nicht, daß die Bilder der lebenden Wesen verschwunden sind?« Als ich hinschaute, stellte ich fest, daß sie in der Tat verschwunden waren. Dies gab mir noch größere Gewißheit. Dann sagte mein Gefährte zu mir: »Laß uns zum König gehen.« Als wir zu ihm kamen, behandelte er uns so ehrenvoll wie sonst, und er wußte nicht, warum wir ihn aufsuchten. Mein Gefährte sprach zu ihm: »Tu mit uns und dem und dem Gefangenen, wie dir befohlen worden ist.« Nun wurde er blaß und begann zu zittern. Dann ließ er den Gefangenen kommen und fragte ihn: »Bist du Muslim oder Christ?« – »Christ«, antwortete er. Der König fuhr fort: »So nimm deinen früheren Glauben wieder an; denn Leute, die ihren Glauben nicht bewahren, brauchen wir nicht.« – »Ich werde ihn nie wieder annehmen«, entgegnete er, worauf der König sein Schwert zog und ihn mit eigener Hand tötete. Danach sprach er heimlich zu uns: »Ein Satan war's, der mir und euch erschienen ist. Doch wohin wollt ihr?« – »Wir möchten ins Land der Muslime auswandern«, erklärten wir, und er fuhr fort: »Ich werde tun, was ihr wünscht, aber stellt euch, als wolltet ihr nach Jerusalem pilgern.« Nachdem wir ihm dies versprochen hatten, rüstete er uns aus und ließ uns in Ehren von dannen ziehen.

52. Die Beichte des Mālik ibn Dīnār

In der Zeit, als ich noch dem Weine frönte, kaufte ich mir einmal ein hübsches Mädchen. Ich wünschte mir von ihr ein Kind, und sie schenkte mir in der Tat ein prächtiges Töchterchen, das ebenso hübsch wie liebreizend war. Ich hatte es sehr gern und war ihm von Herzen zugetan. Als sie etwas größer wurde und sich zu entwickeln begann, wurden wir gute Freunde. Ja, wenn ich die Zukkerschalen hinstellte, rang sie mir den Zucker ab und durfte ihn dann auf den Boden verstreuen. Kaum war sie zwei Jahre alt geworden, da starb sie, und die Trauer um sie verursachte mir bitteres Herzeleid.

Als nun wieder einmal die mittelste Nacht des Monats Scha'bān anbrach – es war obendrein noch die Nacht zu einem Freitag –, betrank ich mich mit Wein. Nachdem ich eingeschlafen war, träumte ich, die Toten hätten sich aus ihren Gräbern erhoben und versammelten sich vor Gott dem Mächtigen und Erhabenen. Auch ich befand mich in ihrer Menge. Dabei hörte ich plötzlich ein Geräusch hinter mir, und, mich umwendend, gewahrte ich zu meinem Schrecken eine Riesenschlange, lang wie eine Dattelpalme, die mich bereits eingeholt hatte und den Rachen aufsperrte, um mich zu verschlingen. Vor Angst und Entsetzen ergriff ich schleunigst die Flucht. Da sah ich auf einmal einen Greis mit sauberen Gewändern und angenehmem Duft an meinem Wege sitzen. Nachdem ich ihn gegrüßt und er meinen Gruß erwidert hatte, bat ich ihn: »Gewähre mir Schutz und hilf mir wider die Schlange.« Er antwortete: »Ich bin schwach, und sie ist stärker als ich. Renne vielmehr schleunigst fort. Vielleicht bestellt Gott der Erhabene jemand zu deinem Dienst, der dich vor ihr rettet.« So floh ich weiter, bis ich einen der Hügel des Auferstehungsgeländes erklommen hatte, von wo ich auf die verschiedenen Stufen der Höllenfeuer hinunterschauen konnte, während die Schlange immer noch auf meinen Fersen war. Aus Angst vor ihr wäre ich beinahe in die Hölle hinuntergefallen. In diesem Augenblick ertönte aus dem Feuer eine Stimme, die rief: »Kehre um, lieber Freund. Du gehörst nicht in die Hölle.« Da beruhigte sich mein Gemüt. Ich lief zu dem Greis zurück und sprach zu ihm: »Ich habe dich um Hilfe gebeten, Alter, und habe bei dir Schutz gesucht. Du hast dich aber geweigert, mir vor dieser Schlange Schutz zu gewähren. Warum hast du es nicht getan?« Weinend entgegnete er: »Hast du nicht gehört, Mālik, daß ich zu schwach dazu bin? Gehe zu dem Berge dort. In ihm sind die Schätze der

Muslime hinterlegt. Vielleicht hast auch du einen Hort in ihm, der dir helfen und dich vor deinem Feind schützen kann; denn er ist stärker als ich.«

So lief ich zu dem Berge hin. Zu meinem Erstaunen sah ich, daß er sehr groß war sowie daß Höhlen in ihn getrieben waren und Vorhänge daran hingen. Jede Höhle hatte einen Vorhang aus rotem Gold, der mit Rubinen, Perlen und Juwelen besetzt war. Plötzlich verkündete ein Engel: »Hebet die Vorhänge und schauet alle hinunter. Vielleicht hat dieser Bedrängte in euch einen Hort, der ihm zum Schutze vor seinem Feind dienen könnte.« Da wurden die Vorhänge gehoben, und Kinder mit Gesichtern, schön wie der Mond, schauten auf mich herab. Sie riefen einander zu: »Schauet nur ja alle hinunter; denn die Schlange ist ihm bereits nahe, und er ist ratlos.« Als sie nun alle auf mich niederschauten, ließ ich meine Blicke schweifen. Da sah ich auf einmal mein Töchterchen unter ihnen. Als sie mich gewahrte, rief sie weinend: »Bei Gott, dies ist ja mein Vater!« Dann zeigte sie mit der Hand auf die Schlange, worauf diese sich zur Flucht wandte. Jetzt streckte meine Tochter die Hand nach mir aus. Ich klammerte mich daran, und sie zog mich dorthin, wo sie war, an einen Ort, der jeder Beschreibung spottet. Ich dankte Gott dem Erhabenen dafür. Meine Tochter aber sprach das Gotteswort (Koran 57, 16): »Ist es nicht Zeit für die, welche glauben, daß sich ihre Herzen der Mahnung Gottes beugen?« Da mußte ich weinen, und ich fragte sie: »Kennt ihr hier den Koran?« Als sie es mir bestätigte, bat ich sie: »Erzähle mir, was dies für eine Schlange ist, die mich töten wollte.« – »Lieber Vater«, gab sie mir zur Antwort. »Die Schlange ist, was du Böses getan hast. Du hast ihm solche Kraft wider dich gegeben, daß es dich um ein Haar in die Hölle gestürzt hätte, und wenn du wirklich in sie hineingehörtest, wärest du auch in sie hinuntergestürzt.« Auf meine Frage, wer der schwache Greis sei, den ich vergeblich um Hilfe gebeten hatte, sagte sie: »Er ist, was du Gutes getan hast. Du hast es dermaßen geschwächt, daß es nichts von dir abwehren kann.« Schließlich fragte ich sie noch: »Und was tut ihr hier?« Sie antwortete: »Wir bleiben hier, bis die Stunde des Gerichtes schlägt, und warten darauf, daß ihr zu uns kommt. Dann wollen wir Fürsprache für euch einlegen.« In diesem Augenblick erwachte ich aus dem Schlaf. Am nächsten Morgen zerbrach ich die Weingefäße und kehrte reuevoll zu Gott dem Erhabenen zurück. So ist dieser Traum – Gott sei's gedankt – der Anlaß zu meiner Bekehrung geworden. Gott aber weiß alles am besten.

53. Dīnār der Taugenichts

Es war einmal ein Mann, der hieß Dīnār der Taugenichts. Er hatte eine rechtschaffene Mutter, die ihn ständig ermahnte. Allein er nahm keine Mahnung an. Als er eines Tages an einem Friedhof vorbeikam und dort einen Knochen aufhob, zerbrökkelte er ihm in der Hand. Da dachte er über sich selber nach und sprach zu sich: »Wehe dir, Dīnār! Mir ist, als sähe ich dich und als wäre dein Gebein in dieser Weise zerbröckelt und dein Leib in Staub zerfallen.« Jetzt bereute er seine Pflichtvergessenheit, und, entschlossen sich zu bessern, hob er den Kopf gen Himmel und betete: »Mein Gott und mein Herr, dir überlasse ich die Schlüssel meines Schicksals. So nimm mich an und sei mir gnädig.« Verstört und zerbrochenen Herzens kam er zu seiner Mutter und fragte sie: »Liebe Mutter, was geschieht mit einem entflohenen Sklaven, wenn sein Herr ihn wiederergreift?« – »Er gibt ihm derbe Kleidung und Nahrung und fesselt ihn an Händen und Füßen«, gab sie ihm zur Antwort. Da sprach er: »So wünsche ich mir ein wollenes Kleid, Gerstenbrot sowie Fesseln an Händen und Füßen. Behandle mich wie einen entlaufenen Sklaven. Vielleicht sieht mein Herr, wie ich mich demütige, und schenkt mir dann Gnade.« Seine Mutter behandelte ihn, wie er gewünscht hatte. Jedesmal, wenn das Dunkel der Nacht über ihn hereinbrach, begann er zu weinen, zu klagen und zu sich selbst zu sprechen: »Wehe dir Dīnār! Besitzt du die Kraft, das Höllenfeuer zu ertragen? Wie konntest du dich dem Zorn des Allmächtigen aussetzen?« Und bis zum Tagesanbruch hörte er nicht auf damit. Schließlich bat ihn seine Mutter: »Sei doch etwas nachsichtiger mit dir selbst, mein lieber Sohn.« Er erwiderte jedoch: »Laß mich eine Weile Mühsal tragen. Vielleicht finde ich dann für eine Ewigkeit Frieden. Liebe Mutter, in aller Kürze werde ich lange vor einem gewaltigen Herrn stehen, ohne zu wissen, ob er mir immerwährenden Schatten oder die schlimmste Ruhstatt zuteil werden läßt.« Sie widersprach: »Gönne dir doch Ruhe, mein lieber Sohn.« Er fuhr fort: »Mir ist es nicht um Ruhe zu tun. Mir ist doch, liebe Mutter, als sähe ich dich in Kürze unter den Geschöpfen, die ins Paradies geleitet werden, während man mich zusammen mit ihren künftigen Bewohnern in die Hölle abführt.« So ließ sie ihn in seinem Zustand verharren. Er aber fuhr fort mit Weinen, Beten und Koranlesen.

Eines Nachts las er (Koran 15, 92): »Bei deinem Herrn! Wir werden von allen Rechenschaft über das verlangen, was sie getan haben.« Nun machte er sich Gedanken über den Vers, und er mußte dermaßen weinen, daß er in Ohnmacht fiel. Als seine Mutter zu ihm kam und ihn anrief, ohne eine Antwort von ihm zu erhalten, fragte sie ihn: »Ach, mein Liebling und mein Augentrost, wo werden wir uns dereinst wiedersehen?« Jetzt antwortete er mit schwacher Stimme: »Liebe Mutter, wenn du mich nicht auf den Gefilden der Auferstehung wiederfindest, dann frage Mālik, den Höllenaufseher, nach mir.« Damit tat er einen Seufzer und verschied. Gott der Erhabene sei ihm gnädig! Nachdem seine Mutter ihn gewaschen und hergerichtet hatte, ging sie aus dem Hause und rief auf den Straßen aus: »Leute, kommt über einem Manne beten, den die Angst vor der Hölle in den Tod gejagt hat.« Da strömten die Menschen von allen Seiten herbei. Nie hat man mehr Leute beisammen, nie auch Menschen bitterer weinen sehen als an jenem Tage. Nachdem sie ihn begraben hatten, sah ihn in der folgenden Nacht einer seiner Freunde im Schlaf, wie er, mit einem grünen Gewand bekleidet, stolzen Schrittes im Paradies umherwandelte und dabei den Koranvers sprach: »Bei deinem Herrn! Wir werden von allen Rechenschaft über das verlangen, was sie getan haben.« Dann fuhr er fort: »Bei seiner Macht und Größe! Er hat mich verhört und begnadigt, hat mir verziehen und vergeben. Verkündigt meiner Mutter dies von mir.«

54. *Die beiden Bettler*

Es saß einmal ein Mann mit seiner Frau beim Essen. Vor ihnen lag ein gebratenes Huhn. Da trat ein Bettler an die Tür. Der Mann aber ging hinaus und verjagte ihn, worauf jener von dannen zog. Nach einiger Zeit geschah es, daß der Mann verarmte. Sein Reichtum schwand dahin, und er mußte sogar seine Frau verstoßen. Diese aber heiratete einen anderen. Als nun der neue Mann eines Tages mit ihr beim Essen saß und vor ihnen ein gebratenes Huhn lag, klopfte plötzlich ein Bettler an die Tür. Da sagte der Mann zu seiner Frau: »Gib ihm dieses Huhn.« Als sie ihm das Huhn hinausbrachte, siehe, da war es ihr erster Mann. Nachdem sie ihm das Huhn überreicht hatte, kam sie weinend wieder herein. Ihr Mann fragte sie nach dem Anlaß ihrer Tränen. Sie aber verriet ihm, daß der Bettler ihr erster Mann gewesen sei, und erzählte ihm, was sie damals mit dem Bettler erlebt hatte, den ihr erster Mann vertrieben hatte. Da sagte ihr Mann zu ihr: »Bei Gott, ich bin jener Bettler gewesen.«

55. *Der Treuhänder und der Beduine*

Ein Mann aus Kufa hatte einmal von einem hohen Beamten das Angebot erhalten, ihm ein Grundstück von sich in Wāsit zu verkaufen, weil er dem Kalifen einen Geldbetrag schuldete. Er ließ deshalb einen Treuhänder ein Maultier besteigen, füllte ihm eine Satteltasche mit Dinaren und sprach zu ihm: »Reise nach Wāsit und kaufe dieses Grundstück, das mir angeboten worden ist. Wenn der Inhalt dieser Satteltasche ausreicht, so ist es gut, andernfalls schreibe mir, so werde ich dich mit weiterem Geld versorgen.« Darauf zog der Treuhänder von dannen. Nachdem er die Häuser hinter sich gelassen und das freie Feld erreicht hatte, gesellte sich ihm ein Beduine zu, der auf einem Esel ritt und Bogen und Köcher mit sich führte. »Wohin reist du?« fragte er ihn. »Nach Wāsit«, gab er zur Antwort, worauf der Beduine weiter fragte: »Sollen wir zusammen reisen?« Der Treuhänder erklärte sich einverstanden, und so zogen sie ihres Weges, bis sie die Wüste erreichten. Als nun Gazellen vor ihnen auftauchten, sagte der Beduine zu dem Treuhänder: »Welche von diesen Gazellen ist dir lieber, die vordere oder die hintere? Dann will ich sie dir als eine erlaubte Speise verschaffen.« Der Treuhänder entschied sich für die vordere, worauf jener nach ihr schoß, sie mit dem Pfeil durchbohrte und erbeutete. Dann bereiteten sie sich einen Braten und aßen. So freute sich der Mann über die Begleitung des Beduinen. Nach einiger Zeit kam ihnen eine Schar von Flughühnern zu Gesicht. Wieder fragte der Beduine: »Welches von ihnen möchtest du haben? Ich will es für dich erlegen.« Der Treuhänder zeigte auf eines von ihnen, worauf der Beduine nach ihm schoß und es traf. Danach bereiteten sie sich wieder einen Braten und aßen.

Nachdem sie ihre Mahlzeit beendet hatten, kerbte der Beduine einen Pfeil für den Treuhänder ein und fragte ihn dann: »Wohin soll ich dich treffen?« Er antwortete: »Fürchte Gott den Mächtigen und Erhabenen und wirf das Halfter der Freundschaft nicht ab.« – »Es geht nicht anders«, erwiderte der Beduine. Jener bat: »Fürchte Gott, deinen Herrn, und schone mein Leben. Nimm das Maultier und dazu die Satteltasche; sie ist nämlich voll Geld.« Der Beduine aber befahl ihm: »Ziehe deine Kleider aus.« Nachdem er ein Stück nach dem anderen abgelegt hatte und schließlich nackend war, befahl er ihm: »Nun entledige dich deiner Überschuhe.« Er trug nämlich zwei Paar Schuhe übereinander. Der Treuhänder bat: »Fürchte Gott mir gegenüber und lasse mir wenigstens die Schuhe, so will ich mich mit ihnen zum Schutz vor der Hitze begnügen; denn der heiße Boden würde mir die Füße verbrennen.« Er aber sprach: »Ich muß auch die Schuhe haben.« Jener antwortete: »So nimm den Schuh. Ich ziehe ihn aus.« Als er ihm dann den Schuh reichte, fiel dem Manne ein, daß er ja in dem Schuh einen Dolch mit sich führte. So zog er ihn heraus, stach ihm damit in die Brust und schlitzte ihm den Leib bis unten auf. Dabei sprach er: »Unersättlichkeit macht arm.« So ist dies zu einem geflügelten Wort geworden.

56. Der Wesir des Mu 'tasim und der Beduine

Ein Beduine gewann einmal Zutritt zu al-Mu 'tasim. Dieser zog ihn an sich, wurde vertraut mit ihm und machte ihn zu seinem Tischgenossen. Es kam sogar so weit, daß er den Harem des Kalifen betreten durfte, ohne ihn um Erlaubnis zu fragen. Al-Mu 'tasim hatte aber einen mißgünstigen Wesir. Er war eifersüchtig und neidisch auf den Beduinen und sagte sich: »Wenn ich kein Mittel finde, diesen Beduinen umzubringen, wird er den Kalifen vollends für sich einnehmen und ihn mir entfremden.« So fing er an, den Beduinen zu umschmeicheln, bis er ihn eines Tages mit nach Hause nahm. Er ließ für ihn eine Speise kochen und sie mit recht viel Knoblauch würzen. Nachdem der Beduine davon gegessen hatte, riet er ihm: »Hüte dich, in die Nähe des Kalifen zu kommen. Sonst riecht er den Knoblauch an dir und fühlt sich dadurch belästigt. Er hat nämlich eine Abneigung gegen Knoblauchgeruch.« Dann ging der Wesir zum Kalifen, und weil er mit ihm allein war, sagte er zu ihm: »O Fürst der Gläubigen, der Beduine sagt von dir zu den Leuten: ›Der Kalif stinkt fürchterlich aus dem Rachen. Ich komme schier um von seinem Mundgeruch.‹« Als der Beduine danach wieder beim Kalifen eintrat, hielt er den Ärmel vor den Mund aus Angst, der Kalif könnte den Knoblauchgeruch an ihm merken. Als der Kalif sah, wie er seinen Mund mit dem Ärmel zuhielt, dachte er: »Was der Wesir von diesem Beduinen gesagt hat, stimmt.« Darauf schrieb er an einen von seinen Statthaltern einen Brief, in dem er ihm befahl: »Wenn du diesen Brief von mir erhältst, so lasse dem Überbringer den Kopf abschlagen.« Dann beschied er den Beduinen zu sich, übergab ihm den Brief und sprach zu ihm: »Gehe mit diesem Brief zu dem und dem und überbringe mir seine Antwort.« Der Beduine tat, wie ihn der Kalif geheißen hatte, nahm den Brief und ging damit hinaus. Er war gerade an der Pforte, als ihm der Wesir begegnete und fragte: »Wohin willst du?« – »Ich bringe diesen Brief des Kalifen zu dem und dem Statthalter von ihm«, gab er zur Antwort. Der Wesir dachte bei sich: »An dieser Ernennungsurkunde wird der Beduine sicher viel Geld verdienen.« Er sagte deshalb zu ihm: »Was hältst du davon, wenn dir jemand die Mühsal abnimmt, die dir auf dieser Reise bevorsteht, und dir dazu noch zweitausend Dinare schenkt?« Er antwortete: »Du bist der Erste, und du hast zu entscheiden. Ich werde tun, was du auch immer für richtig hältst.« – »So gib mir den Brief«, sagte der Wesir. Nachdem er ihm den Brief ausgehändigt hatte, gab ihm der Wesir zweitausend Dinare und machte sich selbst mit dem Brief auf den Weg zu seinem Reiseziel. Nachdem der Statthalter den Brief gelesen hatte, ließ er den Wesir enthaupten. Als dem Kalifen nach einigen Tagen die Angelegenheit mit dem Beduinen wieder einfiel und er nach dem Wesir fragte, teilte man ihm mit, daß er bereits mehrere Tage lang nicht gesehen worden sei, der Beduine sich jedoch in der Stadt aufhalte. Er wunderte sich hierüber und befahl, den Beduinen zu holen. Als er erschien, fragte al Mu ‘tasim ihn, wie es ihm ergangen sei. Da erzählte er ihm das Erlebnis, das er mit dem Wesir gehabt hatte, von Anfang bis zu Ende. Nun fragte er ihn: »Hast du den Leuten von mir berichtet, ich stänke fürchterlich aus dem Rachen?« – »Gott bewahre, Fürst der Gläubigen«, rief er aus, »daß ich etwas erzähle, wovon ich gar nichts weiß! Dies ist ja nur Arglist und Neid des Wesirs gewesen!« Dann unterrichtete er ihn darüber, wie der Wesir ihn mit nach Hause genommen und ihm Knoblauch zu essen gegeben habe und was er mit ihm erlebt hatte. Da rief der Kalif aus: »O der unglückselige Neid! Aber wie gerecht ist er! Hat er sich doch zuerst auf den Neider gestürzt und ihn getötet.« Dann verlieh er dem Beduinen ein Ehrengewand und machte ihn zu seinem Wesir. Der andere aber hatte sich durch seinen Neid zugrundegerichtet.

57. *Vom Segen des guten Rates*

Vom Kalifen al-Manṣūr wird erzählt, er habe seinen Oheim väterlicherseits ʻAbdallāh ibn ʻAlī ibn ʻAbdallāh ibn al-ʻAbbās bei sich gefangengesetzt, nachdem dieser Urheber unliebsamer Ereignisse geworden war, die für die Sicherheit des Kalifates untragbar waren und mit Rücksicht auf die Staatsführung nicht unbeachtet hingenommen werden konnten. Später kamen ihm auch von seinem Vetter väterlicherseits ʻĪsā ibn Mūsā ibn ʻAlī, dem Statthalter von Kufa, Dinge zu Ohren, die seine gute Meinung von ihm zerstörten, ihn seinem Vetter entfremdeten und seine Neigung für ihn in das Gegenteil verwandelten. Al-Manṣūr empfand dies schmerzlich und argwöhnte Böses. Seine Lider fanden keinen Schlaf mehr, und er fühlte sich kaum noch sicher. Ja, Furcht und Traurigkeit wurden immer größer bei ihm. Seine Überlegungen brachten ihn schließlich auf einen Plan, den er keinem aus seiner Umgebung verriet und völlig geheimhielt. Nachdem er seinen Vetter ʻĪsā ibn Mūsā hatte kommen lassen und ihm die gleiche Huld wie sonst erwiesen hatte, schickte er alle Anwesenden hinaus. Dann wandte er sich ʻĪsā zu mit den Worten: »Mein lieber Vetter, ich möchte dir einen Plan mitteilen. Kein anderer als du scheint mir für ihn geeignet, und ich sehe außer dir keinen, der mir helfen könnte, seine Bürde auf mich zu nehmen. Entsprichst du meiner Vorstellung von dir, und willst du etwas ausführen, was deinem Glück, das ja von der Dauer meiner Herrschaft abhängig ist, Bestand verleiht?« ʻĪsā ibn Mūsā antwortete: »Ich bin der Sklave des Fürsten der Gläubigen, und meine Seele ist fügsam seinen Befehlen wie seinen Verboten.« Da sprach der Kalif: »Unser beider Oheim ʻAbdallāh ist auf üble Gedanken gekommen und hegt Pläne, von denen bereits ein Teil seine Hinrichtung rechtfertigen würde. Seine Beseitigung würde meine Herrschaft sichern. Nimm ihn deshalb zu dir und bringe ihn insgeheim um.« Nachdem al-Manṣūr ihm den Oheim hatte ausliefern lassen, entschloß er sich, nach Mekka zu wallfahren, in der geheimen Absicht, seinen Vetter ʻĪsā, wenn er seinen Onkel ʻAbdallāh tötete, zu einem Opfer der Blutrache zu machen und ihn seinen Oheimen, den Brüdern des ʻAbdallāh, auszuliefern, damit sie ihn zur Sühne für die Ermordung ʿAbdallāhs töteten, er selbst aber so vor beiden, ʿAbdallāh sowohl wie ʿĪsā, Ruhe hätte.

ʿĪsā erzählt nun selbst:

Nachdem ich meinen Oheim zu mir genommen und über seine Ermordung nachgedacht hatte, schien es mir zweckmäßig, einen urteilsfähigen Menschen in seiner Sache zu Rate zu ziehen, vielleicht, daß ich auf diese Weise den richtigen Entschluß in der Angelegenheit träfe. Ich ließ deshalb den Kanzleibeamten Jūnus ibn Kurra kommen, dessen Meinung viel bei mir galt und von dessen Lebenserfahrung ich überzeugt war. Ich sprach zu ihm: »Der Fürst der Gläubigen hat mir seinen Oheim ʿAbdallāh übergeben und befohlen, ihn zu töten, die Sache aber geheimzuhalten. Was meinst du dazu, und was rätst du mir?« – »Hoher Emir«, antwortete Jūnus, »schütze dich selbst, indem du deinen und des Kalifen Oheim schützest. Ich rate dir nämlich, ihn im Inneren deines Hauses in einen Raum zu setzen und seine Angelegenheit vor allen Hausbewohnern geheimzuhalten. Du solltest selbst die Aufgabe übernehmen, ihm Speise und Trank zu bringen, und ihn hinter Schloß und Riegel halten. Dem Kalifen aber spiegele vor, du hättest ihn getötet, seinen Befehl ausgeführt und gehandelt, wie der Gehorsam gegenüber dem Kalifen es verlangt. Mir ist nämlich schon, als sähe ich, wie er, wenn er sich erst vergewissert hat, daß du seine Anordnung befolgt und seinen Oheim getötet hast – wie er dir dann unter Zeugen befiehlt, ihn herzubringen. Wenn du dann gestehst, ihn auf seinen Befehl hin getötet zu haben, wird er seinen Befehl an dich bestreiten und dich zur Strafe für seine Ermordung hinrichten lassen.« Ich nahm den Rat des Jūnus an, handelte demgemäß und spiegelte dem Kalifen vor, ich hätte seinen Befehl ausgeführt. Danach trat al-Manṣūr die Wallfahrt nach Mekka an.

Als er von seiner Wallfahrt zurückkehrte und überzeugt war, ich hätte seinen Oheim ʿAbdallāh getötet, schickte er insgeheim Boten zu seinen Oheimen, den Brüdern des ʿAbdallāh, und ließ sie auffordern, ihn nach ihrem Bruder zu fragen und um seine Freilassung zu bitten. So erschienen sie bei ihm, während er im Audienzsaal saß und die Leute, nach Rang geordnet, vor ihm standen. Als sie ihn nach ʿAbdallāh fragten, erklärte er: »Ja, eure berechtigten Ansprüche zwingen mich, euch euren Wunsch zu erfüllen. Wie könnte dies auch anders sein! Geht es doch bei eurer Bitte darum, den verwandtschaftlichen Beziehungen Rechnung zu tragen und einem Manne Gutes zu tun, der mir wie ein Vater gewesen ist.« Dann befahl er, ʿĪsā herzuholen. Nachdem dieser sofort geholt worden war, sagte der Kalif: »ʿĪsā, ich habe dir vor Antritt meiner Wallfahrt meinen Oheim ʿAbdallāh übergeben, damit er bis zum Zeitpunkt meiner Rückkehr bei dir in deinem Hause bleibe.« – »Das hast du getan, Fürst der Gläubigen«, antwortete ʿĪsā, und al-Manṣūr fuhr fort: »Deine Oheime haben mich nun seinetwegen gebeten, und ich habe es für richtig befunden, ihm zu verzeihen und ihren Wunsch sowie meine Verwandtschaftspflicht zu erfüllen, indem ich ihrer Bitte für ihn entspreche. Bringe ihn deshalb gleich hierher.«

ʿĪsā erzählt weiter:

Da sprach ich: »Hast du mir nicht befohlen, o Fürst der Gläubigen, ihn zu töten und dies schnell zu tun?« – »Du lügst«, fuhr al-Manṣūr ihn an, »ich habe dir dies nicht befohlen. Wenn ich ihn hätte töten lassen wollen, so hätte ich ihn einem übergeben, der dies gern übernommen hätte.« Dann spielte er den Empörten und sagte zu seinen Oheimen: »Er hat gestanden, euren Bruder ermordet zu haben, wenn er auch behauptet, ich hätte ihm den Mord befohlen. Dies ist allerdings eine Verleumdung wider mich.« Nun baten sie: »Überlasse ihn uns, Fürst der Gläubigen, auf daß wir ihn zur Sühne für unseren Bruder töten und Blutrache an ihm nehmen.« – »Macht mit ihm, was ihr wollt«, antwortete der Kalif. Nun schleppten sie mich in den Hof, und die Leute liefen um mich zusammen. Einer von meinen Oheimen trat an mich heran und zückte sein Schwert, um mich damit zu erschlagen. Da fragte ich ihn: »Willst du dies wirklich tun, Oheim?« – »Bei Gott, ja«, gab er zur Antwort, »warum sollte ich dich nicht töten, wo du meinen Bruder ermordet hast?« Da riet ich ihnen: »Handelt nicht voreilig, sondern führet mich zum Kalifen zurück.« Nachdem sie mich zu ihm zurückgebracht hatten, sagte ich: »O Fürst der Gläubigen, seine Ermordung wolltest du als Vorwand für meine Ermordung benutzen. Gott der Erhabene hat mich aber davor bewahrt, daß das, was du wider mich ersonnen hast, Wirklichkeit geworden ist. Dieser Oheim von dir ist nämlich nicht tot; er lebt und ist unversehrt. Wenn du mir befiehlst, ihnen ʿAbdallāh zu übergeben, so werde ich es sofort tun.« Da senkte al-Mansūr schweigend den Kopf. Er erkannte, daß der Windhauch seiner verborgenen Gedanken auf einen Wirbelwind gestoßen und sein geheimer Plan mißglückt war. Dann hob er den Kopf und befahl: »Bringet ihn zu mir her.« ʿĪsā ging und brachte ʿAbdallāh her. Als al-Mansūr ihn sah, sprach er zu seinen Oheimen: »Lasset ihn bei mir und gehet. Ich werde überlegen, was ich mit ihm anfange.«

ʿĪsā erzählt weiter:

Da ließ ich ihn dort und ging. Seine Brüder taten das gleiche. Mein Leben aber war gerettet und mein Kummer zu Ende. Das verdanke ich Gottes Segen, der mich Jūnus um Rat bitten, seinen Rat annehmen und danach handeln ließ.

58. Der letzte Omaijade

Manāra, der Freund der Kalifen, erzählt:

Es wurde einmal Hārūn ar-Raschīd zugetragen, in Damaskus lebe noch ein Omaijade, der hohe Achtung genieße, sich in guten Verhältnissen befinde, reich an Geld und Gut sei, dem man in der Stadt Gehorsam leiste und der einen großen Anhang habe, dazu Söhne, Leibeigene und Freigelassene, die auf Pferden ritten, Waffen trügen und gegen die Byzantiner zu Felde zögen. Er sei gütig und freigebig, habe eine offene Hand und ein gastfreies Haus, und im übrigen gebe er keinen Anlaß zu Befürchtungen. Dies erschien ar-Raschīd sehr bedenklich. Er ließ mich daher kommen und sagte zu mir unter vier Augen: »Ich habe dich wegen einer Sache kommen lassen, die mir Sorge bereitet und mir den Schlaf geraubt hat. Denke darüber nach, wie du handeln und dich verhalten willst.« Dann erzählte er mir die Geschichte von dem Omaijaden und sprach: »Mache dich noch in dieser Stunde auf den Weg. Was du an Ausrüstung brauchst, habe ich für dich herrichten lassen, und ich habe dir alle Sorgen um

Mundvorrat, Ausgaben und Geräte abgenommen. Nimm hundert Diener mit und reise durch die Wüste. Hier ist mein Schreiben an den Emir von Damaskus, auf daß er mit seinen Soldaten ausreitet. Nehmt ihn fest, und du bringe mir ihn her. Für deine Hin- und Rückreise setze ich dir eine Frist von je sechs Tagen und für deinen Aufenthalt in Damaskus eine solche von einem Tag. Dies hier ist eine Sänfte, in deren eine Hälfte du ihn setzt, wenn du ihn fesselst, während du selbst in der anderen Hälfte Platz nimmst. Die Aufsicht über ihn übertrage keinem anderen, bis du ihn mir am vierzehnten Tage nach deiner Abreise herbringst. Wenn du sein Haus betrittst, so achte genau auf dasselbe sowie auf alles, was darinnen ist, auf seine Kinder und Angehörigen, seinen Anhang und seine Dienerschaft, auch auf das, was sie reden, ferner auf den Grad seines Wohlstandes, seine Verhältnisse und seine gesellschaftliche Stellung. Merke dir alles, was der Mann sagt, Wort für Wort, von dem Augenblick an, da du ihn siehst, bis du mit ihm hierherkommst, hüte dich, daß dir irgend etwas von ihm entgeht, und nun ziehe von dannen.«

Da verabschiedete ich mich von ihm und ging. Ich bestieg die Kamele und reiste, indem ich die Haltplätze nur streifte und Tag und Nacht ritt, ohne abzusteigen, es sei denn, um gleich zwei von den Pflichtgebeten auf einmal zu erledigen, die Notdurft zu verrichten und meine Leute etwas aufzumuntern, bis ich zu Beginn der siebenten Nacht Damaskus erreichte. Weil die Stadttore bereits geschlossen waren, wollte ich nicht anklopfen, sondern schlief draußen, bis das Tor am nächsten Tag geöffnet wurde. Dann betrat ich die Stadt in meinem großartigen Aufzug und setzte meinen Weg fort, bis ich an die Haustür des Mannes kam. Dort wimmelte es von Familien- und Hausangehörigen. Ich bat nicht erst eintreten zu dürfen, sondern ging ohne Erlaubnis hinein. Als die Leute dies sahen, fragten sie einige aus meiner Begleitung, wer ich sei. Sie erwiderten: »Dies ist Manāra, der Freund des Kalifen. Der Fürst der Gläubigen hat ihn zu eurem Herrn geschickt. Schweiget also!« Im Hof des Hauses angekommen, stieg ich ab und betrat einen Wohnraum, in dem ich einige Leute sitzen sah. Ich glaubte, der Mann befinde sich unter ihnen, und fragte deshalb, als sie auf mich zukamen, mich willkommen hießen und mir ihre Ehrenbezeugungen erwiesen: »Ist der Soundso bei euch?« – »Nein«, erwiderten sie, »wir sind seine Söhne. Er selbst ist im Bad.« – »So fordert ihn auf sich zu beeilen«, sagte ich. Während nun einer von ihnen hinausging, um ihn zur Eile anzutreiben, sah ich mir das Haus, seine Aufmachung und seine Angehörigen genau an und stellte fest, daß es gedrängt voller Bewohner war. Ich ließ nicht von meinen Beobachtungen, bis der Mann nach geraumer Zeit herauskam. Der Argwohn nagte noch an mir, und ich war voller Unruhe und Furcht, er könnte sich verstecken, als ich einen würdigen Mann, frisch gebadet, über den Hof kommen sah, umgeben von einer Schar reifer Männer, Jünglinge und Knaben, die seine Söhne waren, sowie einer Fülle von Dienern. Er kam, grüßte mich unbefangen und erkundigte sich nach dem Kalifen und dem Wohlbefinden seiner Majestät, worauf ich ihm das Nötige berichtete. Er hatte seine Rede noch nicht beendet, als man ihm Obstschalen auftrug. »Komm her, Manāra, und iß mit uns«, lud er mich ein. Ich erwiderte jedoch: »Ich habe kein Verlangen danach.« Er forderte mich nicht noch einmal auf, sondern begann mit den Anwesenden zu schmausen. Nachdem er seine Hand gewaschen hatte, bestellte er die übrigen Speisen. Nun trugen sie eine schöne, große Tafel herein, derengleichen ich nur beim Kalifen gesehen habe. Wieder sagte er zu mir: »Komm her, Manāra, und hilf mir essen«, ohne seiner namentlichen Einladung an mich irgend etwas hinzuzufügen, eben so, wie mich auch der Kalif einlädt. Als ich ablehnte, wiederholte er seine Einladung nicht, sondern aß mit seinen Söhnen – es waren ihrer neun – und einer großen Anzahl von Freunden. Ich beobachtete ihn, wie er selber aß. Ich fand, daß er wie ein König speiste, und gewann den Eindruck, daß sein Herz unerschüttert war. Übrigens hatte sich auch die Unruhe in seinem Haus gelegt. Anderseits sah ich, daß keiner etwas von dem, was vor ihm auf der Tafel stand, zu nehmen wagte, ohne daß es ihm gereicht wurde.

Nun hatten seine Sklaven, als ich in dem Hause abgestiegen war, meine Kamele und alle meine Diener genommen und sie zu einem von seinen Gebäuden geleitet, ohne daß sie sich ihnen hätten widersetzen können. Ich aber blieb allein, wobei höchstens fünf oder sechs Diener um mich herum standen. Da sprach ich bei mir: »Dies ist ein mächtiger und unnachgiebiger Mann. Wenn er sich mir gegenüber weigert mitzugehen, kann ich ihn weder selbst noch mit Hilfe meiner Begleiter dazu zwingen und kann ihn ebensowenig bewachen, solange nicht der Emir der Stadt zu mir stößt.« Ich wurde sehr besorgt, und es machte mich bei ihm argwöhnisch, daß er mich gar nicht wichtig nahm und sich durch die Tatsache meines Erscheinens überhaupt nicht beeindrucken ließ, mich vielmehr unter Nennung meines Namens einlud, ohne über meine Weigerung zur Teilnahme an der Tafel nachzudenken und mich nach dem Grund meines Kommens zu fragen, sowie daß er seelenruhig speisen konnte. Während ich hierüber nachsann, war er auf einmal fertig mit essen, wusch sich die Hand und ließ Duftmittel kommen. Nachdem er sich damit geräuchert hatte, forderte er zum Gebet auf. Er verrichtete das Mittagsgebet mit vielen Anrufungen und frommen Seufzern, und es erschien mir recht erbaulich. Nach Beendigung des Gebetes wandte er sich an mich mit der Frage: »Was hat dich hierhergeführt, Manāra?« – »Ein Befehl für dich vom Kalifen«, gab ich zur Antwort. Damit holte ich den Brief heraus und überreichte ihm denselben, worauf er ihn öffnete und las. Nachdem er ihn zu Ende gelesen hatte, rief er seine Söhne und seinen Anhang herbei. Es kamen ihrer viele zusammen, und ich zweifelte nicht daran, daß er die Absicht hegte, sich auf mich zu stürzen. Nachdem sie vollzählig um ihn waren, hub er an und leistete heilige Eide, in denen er schwor, seine Frauen zu verstoßen, seine Sklaven freizulassen, nach Mekka zu pilgern, fromme Stiftungen zu machen und Pferde für den Kampf wider die Ungläubigen zu stellen, wenn in Zukunft nur zwei von ihnen an einem Ort beisammen sein, wenn sie ihn nicht verlassen und seine Diener und sein Anhang nicht nach Hause gehen würden, so daß keiner von ihnen mehr zu sehen sein würde, bis eine Angelegenheit, die gegen ihn betrieben werde, zu seinen Gunsten erledigt sei. Er fügte hinzu: »Dies hier ist der Brief des Kalifen. Er befiehlt mir an seinen Hof zu kommen. Nachdem ich ihn soeben gelesen habe, werde ich keinen Augenblick mehr verweilen. Die Menschen, die ich in meinem Harem zurücklasse, empfehle ich eurer Fürsorge. Im übrigen brauche ich keinen Diener zu meiner Begleitung, und nun bringe deine Fesseln her, Manāra.« Nachdem ich die Fesseln, die sich in einem Korb befanden, hatte holen und er einen Schmied hatte kommen lassen, streckte er seine Beine aus, worauf ich ihn fesseln ließ und meinen Dienern befahl, ihn in die Sänfte zu tragen. Ich selbst stieg in die andere Hälfte ein und brach unverzüglich auf, ohne noch mit dem Emir der Stadt oder sonst jemand zusammenzutreffen. So zog ich mit dem Mann meiner Wege – er hatte keinen seiner Leute als Begleiter bei sich –, bis wir aus Damaskus herauskamen.

Nun begann er mir in heiterer Stimmung allerlei zu erzählen, bis wir zu einem schönen Garten in dem grünen Vorgelände der Stadt kamen. Da fragte er mich: »Siehst du diesen Garten?« Als ich es bejahte, erklärte er: »Ja, er gehört mir, und ich habe die und die wunderbaren Bäume darin.« Bei einem anderen Garten angekommen, versicherte er mir das gleiche. Als wir dann zu herrlichen Saatfeldern und üppigen Dörfern gelangten, begann er zu sagen: »Auch dies gehört mir« und mir alles rühmend aufzuzählen, was es dort gab. Ich aber wurde sehr ärgerlich über ihn und sprach zu ihm: »Du mußt wissen, daß ich mich sehr über dich wundere.« Auf seine Frage warum fügte ich hinzu: »Weißt du denn nicht, daß dein Fall dem Kalifen ernste Gedanken verursacht und er deshalb jemand zu dir geschickt hat, der dich aus dem Kreise deiner Frauen und Kinder und aus deinem Eigentum herausreißt und dich mutterseelenallein in Fesseln aus deiner Welt entführt, ohne daß du weißt, wohin du gehst und was aus dir wird? Dies kümmert dich nicht, so daß du mir noch diese Gärten und Liegenschaften von dir beschreiben kannst! Dabei bist du ruhigen Herzens und machst dir kaum Gedanken!«

Da gab er mir zur Antwort: »Wahrlich, wir sind Gottes, und zu ihm kehren wir zurück. Meine Menschenkenntnis hat bei dir versagt. Ich habe dich nämlich für einen Mann mit höchsten Geistesgaben gehalten und habe angenommen, du seiest bei den Kalifen erst zu diesen hohen Ehren aufgestiegen, nachdem sie dich als solchen erkannt hätten. Doch siehe, dein Verstand und deine Rede unterscheiden sich kaum von Verstand und Rede der Masse. Im übrigen ist Gott unser Nothelfer. Was deine Worte über den Kalifen und die Tatsache betrifft, daß er mich in dieser Weise an seinen Hof fortschleppen läßt, so vertraue ich Gott dem Mächtigen und Erhabenen, in dessen Hand die Herrschaft über Himmel und Erde ruht, der Zeuge jeder verborgenen Zwiesprache ist, jedes stille Leid entdeckt und bei jedem geheimen Geschehen anwesend ist, ihm, der auch das Stirnhaar des Kalifen wie einen Zügel in seiner Hand hält, so daß ihm sowohl Nutzen wie Schaden nur mit Gottes Erlaubnis und Willen zuteil werden. Ich bin mir dem Kalifen gegenüber keiner Schuld bewußt, die ich zu fürchten hätte. Wenn er im übrigen meine Angelegenheit kennenlernt und erfährt, daß ich harmlos und friedlich bin, daß vielmehr meine Neider und Feinde mich bei ihm gewisser Handlungen bezichtigt haben, die ich nicht begehe, und daß sie lügenhafte Reden wider mich geführt haben, dann wird er mich nicht des Todes würdig finden, sondern mir aus den Vorwürfen wider mich und meiner Verschleppung eine ehrenvolle Heimsendung oder ein reich begnadetes Verweilen an seinem Hofe erwachsen lassen. Wenn es aber seit eh und je in Gottes Allwissenheit feststeht, daß vom Kalifen jähes Verderben über mich hereinbrechen soll, daß mein letztes Stündlein geschlagen hat und es an der Zeit ist, durch ihn den Tod zu erleiden, dann vermöchten selbst die Engel und Propheten und alle Bewohner von Himmel und Erde nicht, mein Schicksal zu wenden, wenn sie sich darum bemühten. Deshalb habe ich mich nicht voreilig gegrämt und habe nicht die Sorge über etwas vorweggenommen, was mich noch gar nicht bedrückt hat. Wo bliebe da die rechte Vorstellung von Gott dem Mächtigen und Erhabenen, der schafft und ernährt, der leben und sterben läßt, der hervorbringt und ins Dasein ruft und der gütig und wohltätig wirkt? Wo blieben Geduld und Zufriedenheit, wo die Gesinnung, die alles dem anvertraut und anheimstellt, der diese und jene Welt beherrscht? Ich hätte von dir erwartet, daß du dies wüßtest. Doch siehe, nun weiß ich, was von deinem Verstand zu halten ist, so daß ich nie wieder auch nur ein einziges Wort an dich richten werde, bis, so Gott will, seine Majestät der Kalif erkennt, welch ein Unterschied zwischen uns beiden besteht.«

Damit wandte er sich von mir ab, und außer Koranversen und

Lobpreisungen Gottes hörte ich hinfort kein Wort mehr von ihm, es sei denn, daß er um Wasser bat oder sich bei ihm ein Bedürfnis einstellte, bis wir am Nachmittag des dreizehnten Tages in der Ferne Kufa auftauchen sahen. Da kamen mir auf einmal etliche Meilen vor der Stadt die Edelleute entgegen, um Nachricht von mir einzuholen. Sobald sie mich erblickten, kehrten sie um und ritten mit der Botschaft zum Kalifen voraus. Ich selbst traf gegen Abend bei Hofe ein.

Nachdem ich abgeladen hatte, trat ich bei ar-Raschīd ein, küßte den Boden vor ihm und blieb stehen. Da sprach er: »Erzähle, was du erlebt hast, und hüte dich, auch nur ein einziges Wort von ihm auszulassen.« Nun berichtete ich ihm alles, erzählte ihm schließlich auch, wie er die Früchte und die Speisen gegessen, seine Hand gewaschen, das Räucherwerk benutzt und sein Gebet verrichtet habe, wie ich mir im Inneren gesagt hätte, er werde sich mir widersetzen und Zornesröte werde sein Antlitz bedecken und sich steigern, ferner, wie der Omaijade sein Gebet beendet, sich an mich gewandt und mich nach dem Grund meines Kommens gefragt habe, wie ich ihm dann den Brief überreicht hätte und er sich beeilt habe, seine Söhne und Verwandten, seine Angehörigen und Freunde herbeizurufen, ihnen dann zu schwören, daß keiner von ihnen ihm folgen werde, wie er sie fortgeschickt und dann seine Beine ausgestreckt habe, worauf ich ihn gefesselt hätte. Da begann das Gesicht ar-Raschīd sich zunehmend zu erhellen. Als ich schließlich zu den Worten kam, die er, in der Sänfte sitzend, an mich gerichtet hatte, erklärte der Kalif: »Bei Gott, er hat recht. Er ist wirklich ein Mann, der seines Wohlstandes wegen beneidet und verleumdet worden ist. Bei meinem Leben, wir haben ihn verschleppt und geängstigt und seine Angehörigen in Schrecken versetzt. So beeile dich, ihm die Fesseln abzunehmen, und bringe ihn zu mir her.«

Da ging ich hinaus, löste seine Fesseln und führte ihn zu ar-Raschīd hinein. Dieser hatte ihn kaum erblickt, als ich sein Antlitz erstrahlen sah. Nun trat der Omaijade näher, grüßte ihn als den Kalifen und blieb stehen. Ar-Raschīd erwiderte seinen Gruß recht freundlich und hieß ihn Platz nehmen. Nachdem er sich niedergelassen hatte, wandte sich ar-Raschīd an ihn mit der Frage nach seinem Befinden und sprach sodann: »Uns sind von dir treffliches Verhalten und andere Umstände berichtet worden, die in uns das Verlangen geweckt haben, dich zu sehen, dich zu hören und dir Wohltaten zu erweisen. So nenne deine Wünsche.« Der Omaijade antwortete sehr höflich, bedankte sich, erbat Gottes Segen für den Kalifen und sprach: »An Wünschen habe ich nur einen vorzubringen.« – »Er sei dir gewährt, und worin besteht er?« sagte der Kalif, worauf jener bat: »O Fürst der Gläubigen, lasse mich in meine Heimatstadt und zu meinen Angehörigen und Kindern zurückkehren.« Der Kalif erklärte: »Dies werden wir tun, aber erbitte dir außerdem, was du für deine Ehre und deinen Lebensunterhalt Gutes brauchst; denn bei deinesgleichen sind Bedürfnisse dieser Art unausbleiblich.« Der Omaijade antwortete: »Die Statthalter des Kalifen sind gerecht, und ihre Redlichkeit erspart es mir, den Kalifen um Geld zu bitten. Meine Verhältnisse sind geordnet und meine Lebensumstände glücklich. Für die Einwohner meiner Heimatstadt gilt das gleiche dank der allgemeinen Gerechtigkeit, die in dem wohltätigen Schatten der Kalifenherrschaft waltet.« Da erklärte ar-Raschīd: »So kehre wohlbehalten in deine Heimatstadt zurück, und wenn du ein Anliegen hast, so schreibe es uns.« Darauf verabschiedete sich der Omaijade. Nachdem er sich zum Gehen gewandt hatte, sagte ar-Raschīd: »Nimm ihn auf der Stelle mit, Manāra, reise mit ihm zurück, wie du ihn hergebracht hast, und wenn du ihn in den Wohnraum zurückgeleitet hast, aus dem du ihn zuvor entführt hast, dann lasse ihn und kehre um.« So tat ich.

59. Ungeladene Gäste

Al-Ma'mūn befahl einmal, ihm zehn Ketzer vorzuführen, die ihm in Basra genannt worden waren. Als sie dort zusammengeholt wurden, erblickte sie ein Schmarotzer. Er sagte sich: »Diese Leute haben sich bestimmt zur Teilnahme an einem Gelage versammelt.« Nachdem er sich ihnen unbemerkt zugesellt und sich unter sie gemischt hatte, gingen sie in Begleitung der Aufseher von dannen und kamen schließlich zu einer für sie bereitstehenden Barke, in die sie einstiegen. »Dies gibt eine Vergnügungsfahrt«, dachte der Schmarotzer, und so stieg er mit ihnen ein. Jetzt aber wurden sie in Blitzesschnelle gefesselt und mit ihnen auch der Schmarotzer. Dann ging die Fahrt mit ihnen nach Bagdad. Als sie nun al-Ma'mūn vorgeführt wurden, begann dieser, Mann für Mann aufzurufen und jeweils die Enthauptung zu verfügen, bis er an den Schmarotzer kam. Weil die Zahl bereits voll war, fragte er die Aufseher: »Was hat es mit diesem auf sich?« – »Bei Gott«, antworteten sie, »wir wissen nicht mehr, als daß wir ihn zusammen mit den übrigen gefunden haben, und so haben wir auch ihn hergebracht.« Jetzt fragte al-Ma'mūn ihn: »Was hat es für eine Bewandtnis mit dir, du Unglücksmensch?« – »O Fürst der Gläubigen«, jammerte er, versicherte, er wolle seine Frau verstoßen, wenn er auch nur das Geringste von den Leuten und ihrem Gottesglauben wisse, und fuhr fort: »Ich bin nur ein Schmarotzer. Ich habe sie zusammenkommen sehen und gedacht, sie gingen zu einem Gastmahl.« Da lachte al-Ma'mūn und befahl: »Er soll gezüchtigt werden.« Nun stand aber Ibrāhīm ibn al-Mahdī bei ihm. Dieser sprach: »Erlasse ihm mir zuliebe seine Schuld, Kalif. Ich will dir auch ein seltsames Abenteuer von mir erzählen.« – »Sprich, Ibrāhīm«, befahl der Kalif, und jener begann:

Eines Tages verließ ich dein Schloß, o Fürst der Gläubigen, und streifte zu meinem Vergnügen in den Straßen Bagdads umher. Als ich an eine bestimmte Stelle kam, stiegen mir aus irgendwelchen Kochtöpfen Düfte von Gewürzen in die Nase, deren Wohlgeruch ringsum die Luft erfüllte. Weil ich ein großes Verlangen nach ihnen und ihrem köstlichen Geruch verspürte, blieb ich bei einem Schneider stehen und fragte ihn: »Wem gehört dieses Haus?« – »Irgendeinem Tuchhändler«, gab er zur Antwort, und ich fragte weiter, wie er heiße, worauf er mir seinen Namen nannte. Wie ich nun das Haus betrachtete, gewahrte ich plötzlich ein Gitterfenster mit einem Ausguck. Dann sah ich eine Hand mit Oberarm und Handgelenk, die aus dem Gitterfenster herausgriff. O Fürst der Gläubigen, die Schönheit der Hand und des Gelenkes ließ mich den Wohlgeruch der Kochtöpfe vergessen, und eine Weile war ich ganz verblüfft. Als ich wieder zu mir kam, fragte ich den Schneider: »Gehört dies hier einem, der Wein zu trinken pflegt?« – »Ja«, antwortete er, »und ich glaube, heute findet ein Gelage bei ihm statt. Er tafelt übrigens nur mit ehrenwerten Kaufleuten seinesgleichen.« Während ich mich noch erkundigte, kamen vom Ende der Straße her zwei vornehme Männer auf uns zugeritten. »Dies sind seine Zechgenossen«, sagte der Schneider, und ich fragte ihn: »Wie heißen sie mit Namen und Beinamen?« Nachdem er sie mir genannt hatte, setzte ich mein Reittier in Bewegung, sprach sie freundlich an und sagte: »Verehrte Herren, der Soundso – Gott schenke ihm Ruhm – hat bereits auf euch gewartet.« Ich begleitete sie bis zur Haustür, wo sie mich sehr höflich behandelten und mir den Vortritt ließen. So traten wir ein. Als der Hausherr mich erblickte, hegte er keinen Zweifel daran, daß ich oft mit den beiden zusammen sei oder sie aus irgendeinem Grunde aufgesucht hätte. Er hieß mich deshalb willkommen, und man wies mir den vornehmsten Platz an. Jetzt wurde die Tafel mit blütenweißem Brot hereingetragen, und jene Speisen wurden aufgetischt. Ihr Geschmack erwies sich als noch köstlicher denn ihr Duft. Ich dachte bei mir: »Diese Speisen esse ich nun, aber die Hand und das Handgelenk sind mir bis jetzt versagt geblieben. Wie finde ich nur den Weg zu der Frau, der sie gehören?« Schließlich wurden die Speisen weggeräumt und Waschwasser gebracht. Nachdem wir uns gesäubert hatten, begaben wir uns in das für Trinkgelage bestimmte Gemach. Zu meiner Überraschung war es ein ganz ähnlicher Raum wie dieser, o Fürst der Gläubigen.

Nun begann der Hausherr mir Freundlichkeiten zu erweisen und sich in der Unterhaltung immer an mich zu wenden. Die Anwesenden zweifelten nicht daran, daß er dies auf Grund einer alten Bekanntschaft tue. Nachdem wir dann einige Becher getrunken hatten, kam ein Mädchen zu uns heraus, das einer Fee glich, die sich wie ein Rohr hin und her wiegt. Sie trat näher und grüßte ohne Scheu, worauf für sie ein doppeltes Polster ausgebreitet wurde. Dann nahm sie Platz, und man brachte ihr die Laute. Sie legte sie in ihren Schoß und schlug sie an. Mir aber wurde klar, was sie konnte, als sie in die Saiten griff. Danach hub sie an zu singen:

Mein Auge wähnte sie zu schaun, und durch des Blickes Strahl
Trug ihre Wange in der Früh von jenem Wahn ein Mal.
Die Hand ihr reichend, hab ich sie verletzt in nächtger Stund,
Daß nun von meinem Händedruck die Fingerspitzen wund.

Mit ihrem Gesang, o Fürst der Gläubigen, wühlte sie mein Inneres auf, und ich freute mich der Schönheit ihres Liedes. Dann hub sie an zu singen:

Mein Wink sie fragte: »Weißt du nicht von meiner Liebespein?«
Ihr stummer Blick mir Antwort gab: »Ich bleibe ewig dein.«
Da hab ich ihr Geheimnis nicht mit Absicht offenbart,
Und sie hat's ebenso wie ich nach Kräften treu bewahrt.

Jetzt, o Fürst der Gläubigen, schrie ich: »Zu Hilfe!« und es kam eine solche Freude über mich, daß ich meiner nicht mehr mächtig war. Danach hub sie wieder an und sang als dritte Weise:

Ei, daß uns beiden, die *ein* Haus umschließt,
Kein Trautverein, kein Wörtlein möglich ist!
Des Auges Lid allein klagt Sehnsuchtsschmerz
Und daß der Flammen Glut zersprengt das Herz.
Die Braue winkt. Stumm spricht der Lippen Rand.
Die Lider blinzeln, und es grüßt die Hand.

Ich aber, Fürst der Gläubigen, beneidete sie wegen ihres Könnens, ihrer Sangeskunst und der Fähigkeit, den Leitgedanken der Verse treffend zum Ausdruck zu bringen und die musikalische Vortragsart vom Anfang bis zum Ende des Liedes nicht zu wechseln. Ich sagte deshalb zu ihr: »Deine Kunst ist noch nicht vollkommen, Mädchen.« Da warf sie die Laute zu Boden und sprach: »Seit wann laßt ihr widerliche Kerle an euren Gesellschaften teilnehmen?« Jetzt bereute ich mein Verhalten, und ich hatte den Eindruck, daß die Anwesenden sich über mich ärgerten. Ich fragte deshalb: »Habt ihr nicht noch eine andere Laute?« Dies bejahten sie, und nachdem mir eine gebracht worden war und ich sie gestimmt hatte, sang ich:

Wie kommt's, daß dem Betrübten schweiget das Gezelt?
Ist's taub? Ward es im Lauf der Zeit zum Trümmerfeld? –
Am Abend gingen sie. Noch denke ich der Not.
Ihr Leben ist mein Leben und ihr Tod mein Tod.

Ich hatte meinen Gesang noch nicht beendet, als sich das Mädchen erhob, sich zum Kuß auf meine Füße niederwarf und sprach: »Es ist an dir zu entschuldigen; denn, bei Gott, ich habe noch nie jemand dieses Lied so singen hören wie dich.« Auch ihr Herr und die übrigen, die an der Gesellschaft teilnahmen, standen auf und taten das gleiche wie sie. Bei Gott, es herrschte eitel Freude unter den Leuten, der Wein wurde fleißig eingeschenkt, und man trank aus Bechern und Schalen. Dann hub ich abermals an und sang:

Geziemt sich's, daß du abends mein vergißt,
Obwohl mein Aug um dich im Blute fließt?
Mein Herz gib wieder. Brachtest ihm den Tod.
In Wahnsinn laß es nicht und Liebesnot.
Ach Gott, sie zahlt mit Geiz mir Großmut heim,
Reicht bittre Galle mir für Honigseim.
Ich klage Gott, daß sie so hart zu mir,
Indes ich Liebe schenke für und für.

Die Anwesenden freuten sich so sehr, daß sie schier von Sinnen waren. Eine Weile hielt ich inne, bis sie wieder zu sich kamen. Dann hub ich an, als drittes Lied zu singen:

Hier ist dein Freund, der still den Gram versenkt,
Ein Durstger, der den Leib mit Tränen tränkt.
Reckt eine Hand um Gnade himmelwärts.
Die andre legt er duldend auf sein Herz.

Da begann das Mädchen zu schreien: »Mein Herr, einen solchen Gesang haben wir in der Tat noch nicht gehört«, und die Gäste betranken sich. Der Hausherr aber sprach dem Weine nur mäßig zu und blieb nüchtern. Schließlich befahl er seinen Dienern, die Gäste hinauszugeleiten und sie wohlbehalten nach Hause zu bringen, während ich mit ihm allein blieb. Nachdem wir einige Becher getrunken hatten, sagte er: »Du, meine bisherigen Lebensjahre sind ohne Gewinn vergangen, weil ich dich nicht gekannt habe. Wer bist du eigentlich, mein Herr?« Und er ließ nicht ab, in mich zu dringen, bis ich es ihm verriet. Da erhob er sich, küßte mich auf mein Haupt und sprach: »Ich wundere mich, mein Herr, daß es eine solche Bildung gibt außer bei einem Manne deiner Art. Da habe ich doch mit einem Angehörigen des Kalifenhauses zusammengesessen, ohne es zu merken!« Dann bat er mich, mein Erlebnis zu erzählen, und ich berichtete ihm, bis ich an die Geschichte mit der Hand und dem Handgelenk kam. Jetzt befahl er dem Mädchen: »Mache dich auf und sage der Soundso, sie solle herunterkommen.« Dann ließ er ohne Unterlaß seine Mädchen herunterkommen, eine nach der andern. Ich sah mir jedes Mal ihre Hand und ihr Handgelenk an und sagte immer wieder: »Diese ist es nicht.« Schließlich erklärte er: »Bei Gott, jetzt bleiben nur noch meine Frau und meine Schwester übrig. Fürwahr, ich will auch sie zu dir herunterkommen lassen.« Ich wunderte mich über seinen Edelmut und seine Großzügigkeit und bat: »Verehrter Herr, fange mit deiner Schwester an, ehe du deine Frau kommen läßt. Vielleicht ist sie's.« Darauf erschien seine Schwester. Als ich ihre Hand und ihr Handgelenk sah, rief ich aus. »Dies ist sie!« Nun schickte er seine Diener zu zehn angesehenen Nachbarn gesetzten Alters. Nachdem sie diese hergebracht hatten, ließ er zwei Beutel mit je zwanzigtausend Dirhems kommen und erklärte den Männern: »Dies ist meine Schwester Soundso. Ihr sollt mir Zeugen sein, daß ich sie hiermit dem Herrn Ibrāhīm ibn al-Mahdī zur Frau gebe und ihr statt seiner ein Brautgeld von zwanzigtausend Dirhems zahle.« Nachdem ich mein Einverständnis mit der Eheschließung geäußert hatte, überreichte er ihr den einen Geldbeutel. Den anderen verteilte er unter die zehn Männer und sagte: »Ihr könnt wieder gehen.« Danach sprach er zu mir: »Ich lasse für dich eines der Gemächer herrichten, mein Herr, damit du dich mit deiner Frau zur Ruhe begeben kannst.« Beschämt von dem Edelmut, den ich bei ihm erlebte, bat ich: »Ich will lieber eine Sänfte kommen und sie in meine Wohnung bringen lassen.« – »Wie du willst«, antwortete er. So ließ ich denn eine Sänfte kommen und sie in meine Wohnung bringen. Er aber, o Fürst der Gläubigen, sandte ihr, bei Gott, eine Ausstattung nach, die keines unserer Gemächer hätte fassen können. In der Folge schenkte sie mir diesen Sohn, der hier neben dem Kalifen steht.

Erstaunt über die Großmut des Mannes, ließ al-Ma'mūn den Schmarotzer frei, beschenkte ihn und nahm ihn in die Schar seiner Vertrauten auf.

60. *Der Dank des 'Abbās*

Al-'Abbās, der Wachhauptmann Ma'mūns, erzählt:
Als ich eines Tages in den Empfangssaal des Fürsten der Gläubigen in Bagdad eintrat, stand ein Mann in Fußschellen vor ihm. Sobald al-Ma'mūn mich sah, rief er: »'Abbās!« – »Zu Diensten, Fürst der Gläubigen«, antwortete ich, und er befahl mir: »Nimm diesen Mann mit. Sperre ihn ein und laß ihn gut bewachen. Morgen bringst du ihn mir in der Frühe her. Beachte ja alle Vorsichtsmaßregeln bei ihm.« Ich ließ eine Anzahl Leute kommen, und sie schafften ihn weg, ohne daß er sich überhaupt nur rühren konnte. In Anbetracht der eindringlichen Mahnung des Kalifen, ihn gut zu bewachen, sagte ich mir: »Ich muß ihn unbedingt bei mir im Haus behalten.« So ließen ihn die Leute auf meinen Befehl in einem Zimmer meines Hauses. Als ich dann begann, ihn nach seinem Fall zu fragen, was es mit ihm auf sich habe und woher er komme, sagte er: »Ich stamme aus Damaskus.« – »Gott möge Damaskus und seinen Einwohnern mit Gutem vergelten!« rief ich aus. »Wer bist du denn aus Damaskus?« Er erwiderte: »Nach wem willst du dich erkundigen?« Ich fragte: »Kennst du den und den?« Er antwortete mit der Gegenfrage: »Woher kennst du denn jenen Mann?« Als ich ihm sagte, ich hätte einmal mit ihm zu tun gehabt, erklärte er mir: »Du bekommst von mir keine Auskunft über ihn, bis du mir mitteilst, was du mit ihm zu tun gehabt hast.«

Da erzählte ich ihm folgendes: »Als ich einmal, o Jammer, mit irgendeinem Statthalter in Damaskus war, wurde das Volk aufsässig und rottete sich wider uns zusammen. Der Statthalter ließ sich schließlich in einem Korb aus dem Schloß des Hadschschādsch herunter und ergriff mit seinen Anhängern die Flucht. Auch ich floh in der Menge. Während ich so auf einer Straße davonrannte, liefen mir plötzlich einige Leute nach. Ohne zu halten, lief ich vor ihnen her, bis ich ihnen am Ende entkam. Dabei führte mich mein Weg an diesem Mann vorüber, den ich dir genannt habe, während er gerade an seiner Haustür saß. Ich bat ihn: ›Hilf mir, so wird Gott auch dir helfen.‹ Er antwortete: ›Sei unbesorgt. Komm zu mir ins Haus.‹ Nachdem ich eingetreten war, sagte seine Frau zu mir: ›Gehe in das Zimmer dort.‹ Ich ging hinein, worauf der Mann sich wieder an die Haustür stellte. Auf einmal erschien er wieder im Haus, begleitet von den Verfolgern, die behaupteten: ›Er ist bestimmt bei dir!‹ Er antwortete: ›Bitte, durchsucht doch das Haus!‹ So durchstöberten sie es, bis schließlich nur noch jenes Zimmer übrigblieb, in dem sich auch seine Frau befand. Jetzt sagten sie: ›Hier muß er stecken!‹ Da schrie die Frau sie an und hielt sie ab, worauf sie sich entfernten. Der Mann ging wieder hinaus und setzte sich noch eine Weile an die Haustür, während ich zitternd dastand und die Beine mir vor lauter Angst den Dienst versagten. ›Setze dich und sei unbesorgt‹, sagte die Frau, worauf ich mich niederließ. Gleich danach kam der Mann herein und sprach: ›Fürchte dich nicht. Gott hat dich vor ihrem bösen Anschlag bewahrt. Jetzt bist du sicher und bleibst unbehelligt, so Gott will.‹ – ›Gott vergelte dir mit Gutem‹, gab ich ihm zur Antwort. Danach verkehrte er ohne Unterlaß aufs herzlichste und freundschaftlichste mit mir. Er wies mir ein eigenes Zimmer in seinem Hause an, ließ es mir an nichts fehlen und wurde nicht müde, sich um mich zu kümmern. So verbrachte ich vier Monate bei ihm unter angenehmsten Umständen und in bestem Wohlbefinden, bis sich der Aufruhr gelegt und beruhigt hatte und keine Spur mehr von ihm zu bemerken war. Jetzt fragte ich ihn: ›Erlaubst du mir auszugehen, um mich nach meinen Dienern zu erkundigen? Vielleicht gelingt es mir, etwas über sie zu erfahren.‹ Nachdem er mir das Versprechen abgenommen hatte, zu ihm zurückzukehren, ging ich aus und forschte nach meinen Dienern, allein ich fand keine Spur von ihnen. So kehrte ich zu ihm zurück und unterrichtete ihn. Dies geschah alles, ohne daß er wußte, wer ich war, oder mich danach fragte, so daß er mich in Unkenntnis meines eigentlichen Namens mit meinem Beinamen anredete. Als er mich eines Tages über meine Absichten befragte, sagte ich: ›Ich habe den Entschluß gefaßt, mich nach Bagdad zu begeben.‹ Da sprach er: ›Ich kann dir zu meiner Freude mitteilen, daß die Karawane in drei Tagen aufbricht.‹ Ich erklärte ihm: ›Du hast mir diese ganze Zeit hindurch Gutes getan. Ich verspreche dir hoch und heilig, daß ich dir diese Güte nie vergessen werde. Ja ich werde sie dir bestimmt entgelten, wann immer ich es kann.‹ Danach rief er einen Negersklaven von sich herbei und befahl ihm: ›Sattle das und das Pferd und sorge für den nötigen Reisebedarf.‹ Ich sagte mir: ›Er scheint auf ein Landgut von sich oder sonstwohin reisen zu wollen.‹ Den ganzen Tag lang waren die Hausbewohner eifrig bemüht. An dem Tag, an dem die Karawane aufbrechen sollte, kam er in der Frühe zu mir und sprach: ›Stehe auf, Soundso; denn die Karawane wird gleich abgehen, und ich möchte nicht, daß sie ohne dich aufbricht.‹ Ich dachte bei mir: ›Was soll ich nur tun, wo ich doch über keine Mittel verfüge, mir das Nötige für die Reise zu verschaffen und ein Reittier zu mieten?‹ Als ich mich erhob, sah ich zu meiner Überraschung ihn und seine Frau ein Bündel mit prächtigster Kleidung, zwei Schuhen und Reisebedarf bringen. Dann kam er mit einem Schwert und einem Gürtel und band mir beides um die Hüften. Weiter holte er ein Maultier herbei, lud zwei mit einem Teppich bedeckte Kisten darauf und überreichte mir eine Aufstellung über den Inhalt der beiden Kisten. Fünftausend Dirhems waren darin! Zu guter Letzt schaffte er auch noch das Pferd herbei, das er hatte ausrüsten lassen, und sprach: ›Steige auf. Dieser Negersklave wird dich bedienen und für dein Reittier sorgen.‹ Dann begann er gemeinsam mit seiner Frau sich bei mir zu entschuldigen, daß er nicht genug für mich getan habe, und stieg mit mir auf, um mir das Abschiedsgeleit zu geben. So reiste ich nach Bagdad, wo ich der Hoffnung lebe, irgendwann einmal von ihm zu hören, damit ich mein Wort einlösen kann, ihm alles zu vergelten und mich ihm gegenüber erkenntlich zu erweisen. Nachdem ich ein Amt beim Kalifen erhalten habe, bin ich nicht müde geworden, Boten nach ihm auszuschicken, die mir Nachricht über ihn bringen sollten. Das ist der Grund, warum ich nach ihm frage.«

Nachdem der Mann meinen Bericht gehört hatte, sprach er: »Gott der Erhabene hat dich in den Stand gesetzt, ihm dein Wort einzulösen, seine Handlungsweise zu vergelten und ihm für das, was er getan hat, den gebührenden Dank abzustatten, ohne daß du Mühe und Unannehmlichkeiten auf dich nehmen mußt.« Auf meine Frage »Wieso denn?« erklärte er: »Ich bin jener Mann!

Die traurige Lage, in der ich mich gegenwärtig befinde, hat nur mein Äußeres und das Bild, das du von mir in der Erinnerung hattest, entstellt.« Dann hörte er nicht auf, mir seine Behauptung mit Einzelheiten zu begründen, bis ich feststellte, daß ich ihn wirklich kannte. Nun konnte ich nicht an mich halten, sondern stand auf und küßte ihn aufs Haupt. Danach fragte ich ihn: »Was hat dich in diesen Zustand versetzt, in dem ich dich hier sehe?« Da erzählte er mir: »Nachdem in Damaskus eine ähnliche Erhebung ausgebrochen war, wie du sie damals erlebt hast, schrieb man mir die Schuld daran zu. Eine Heeresabteilung, die der Fürst der Gläubigen aussandte, stellte in der Stadt die Ruhe wieder her. Ich aber wurde verhaftet und dermaßen gefoltert, daß ich beinahe gestorben wäre. Danach wurde ich in Fesseln gelegt und zum Kalifen geschickt. Er betrachtet meine Sache als sehr ernst, und mein Fall ist in seinen Augen schwerwiegend. Zweifellos wird er mich hinrichten lassen. Man hat mich von meinen Lieben fortgeführt, ohne daß ich ihnen irgendeinen Rat erteilen konnte; doch ist mir einer von meinen Dienern gefolgt. Dieser könnte meiner Familie Nachricht von mir bringen. Er wohnt bei dem und dem. Ob du wohl damit einverstanden bist, zur Vergeltung für meine Hilfe jemand auszuschicken, der den Diener zu mir herholt, daß ich ihm einige Ratschläge nach meinem Wunsch erteile? Wenn du das tust, hast du das Maß der Vergeltung sogar überschritten und hast mir dein Wort voll eingelöst.« – »Gott wird dir schon Gutes tun«, gab ich ihm zur Antwort. In der Nacht ließ ich dann einen Schmied kommen, der seine Schellen löste und ihm abnahm, was er sonst noch an Fesseln trug. Nachdem ich ihn in das Bad meines Hauses geführt hatte, ließ ich ihn die Kleider anziehen, die er brauchte. Dann schickte ich jemand aus, der seinen Diener zu ihm holte. Als er ihn erblickte, begann er, ihm unter Tränen seine Ratschläge zu erteilen. Danach ließ ich meinen Stellvertreter kommen und befahl ihm: »Bringe mir dies Pferd und das Pferd, dies Maultier und das Maultier« – ich zählte im ganzen zehn auf – »ferner zehn Kisten sowie an Kleidern das und das und an Speisen das und das.« Außerdem ließ ich ein Säckchen mit zehntausend Dirhems und einen Beutel mit fünftausend Dinaren für ihn bringen. Danach befahl ich meinem Stellvertreter im Amt als Wachhauptmann: »Nimm diesen Mann und gib ihm das Geleit bis zur Stadtgrenze von al-Anbār.« Der Gefangene wandte ein: »Meine Schuld ist groß in den Augen des Kalifen und mein Fall schwerwiegend. Wenn du als Entschuldigung bei ihm anführst, ich sei geflohen, so schickt der Kalif alle Leute an seinem Hof auf die Suche nach mir aus, und dann werde ich zurückgeholt und hingerichtet.« Ich riet ihm: »Bringe dich in Sicherheit und lasse mich meine Angelegenheit selber regeln.« Er beteuerte jedoch: »Bei Gott, ich werde Bagdad nicht eher verlassen, als bis ich weiß, wie es dir ergangen ist. Wenn du meine Anwesenheit brauchst, bin ich da.« So befahl ich denn dem stellvertretenden Wachhauptmann: »Wenn er seine Versicherung wahrmacht, dann soll er an dem und dem Ort bleiben. Komme ich morgen früh heil davon, so gebe ich ihm Nachricht. Werde ich aber hingerichtet, so habe ich ihn durch das Opfer meines Lebens gerettet, wie auch er mich unter Lebensgefahr gerettet hat. Im übrigen beschwöre ich dich, daß mir kein Dirhem von seinem Geld abhanden kommt und du alles tust, ihn aus Bagdad hinauszubringen.« Darauf nahm ihn der stellvertretende Wachhauptmann mit und brachte ihn an einen sicheren Ort. Ich aber widmete mich meinen eigenen Dingen, versah mich mit den Duftkräutern für mein Begräbnis und besorgte mir ein Leichentuch.

Ich hatte das Morgengebet noch nicht beendet, da erschienen auch schon die Boten des Kalifen, um mich zu suchen. Sie sprachen: »Der Fürst der Gläubigen läßt dir sagen, du sollst mit dem Mann zu ihm kommen.« So begab ich mich zum Schloß des Kalifen. Er saß schon in voller Gewandung bereit und wartete auf uns. »Wo ist denn der Mann?« fragte er. Da ich schwieg, fragte er wieder: »Wehe dir! Wo ist der Mann?« Nun sprach ich: »O Fürst der Gläubigen, höre mich an.« Er erwiderte jedoch: »Ich schwöre dir, daß ich dir den Kopf abschlagen lasse, wenn du mir erzählst, er sei entflohen.« – »Bei Gott, nein, o Fürst der Gläubigen«, antwortete ich, »er ist nicht geflohen, aber höre zuerst mein Erlebnis und sein Erlebnis an. Dann magst du nach deinem Wunsch über mich befinden.« – »Sprich«, befahl mir der Kalif, und so berichtete ich: »Ich habe das und das mit ihm erlebt, Fürst der Gläubigen.« Ich erzählte ihm die ganze Geschichte und ließ ihn wissen, daß ich gewillt sei, ihm mein Wort zu halten und ihm zu vergelten, was er an mir getan hatte. Ich schloß mit der Feststellung: »Zwei Möglichkeiten gibt es für mich und meinen Herrn und Gebieter, den Fürsten der Gläubigen: Entweder verzeiht er mir, dann habe ich mein Wort gehalten und das Gute vergolten. Oder er läßt mich hinrichten, dann rette ich ihn durch das Opfer meines Lebens. Im übrigen habe ich mich schon mit den Duftkräutern für mein Begräbnis versehen, und hier ist mein Leichentuch, Fürst der Gläubigen.« Nachdem al-Ma'mūn meinen Bericht vernommen hatte, sprach er: »Wehe dir! Möge dir Gott das Opfer deines Lebens nicht mit Gutem vergelten! Was er dir Gutes getan hat, das hat er nämlich getan, ohne dich zu kennen, während du ihm erst vergiltst, nachdem du ihn kennengelernt und dies erlebt hast, nicht jedoch ohne dies. Warum hast du mir nicht mitgeteilt, was es mit ihm auf sich hat? Ich hätte ihm als Kalif an deiner Statt vergolten und ihm dein Versprechen nicht weniger treu erfüllt.« – »O Fürst der Gläubigen«, jubelte ich, »er ist ja noch hier. Er hat nämlich geschworen, Bagdad nicht eher zu verlassen, als bis er weiß, daß ich heil davongekommen bin. Wenn du seine Anwesenheit brauchst, so ist er da.« Da sagte al-Ma'mūn: »Das ist ja ein noch größeres Wohlwollen von ihm als das frühere! Gehe auf der Stelle zu ihm hin und besänftige sein Gemüt. Heiße ihn unbesorgt sein und bringe ihn mir her, damit ich es übernehmen kann, ihm den würdigen Dank abzustatten.« So kam ich denn zu ihm und verkündete ihm: »Fürchte dich nicht länger. Der Kalif hat das und das gesagt.« Da rief er aus: »Gepriesen sei Gott, der einzige, den es in Glück und Leid zu preisen gilt!« Mit diesen Worten erhob er sich und verrichtete zwei Gebetsübungen. Dann stieg er in den Sattel, und wir ritten zum Schloß. Als er vor dem Kalifen stand, empfing dieser ihn freundlich, hieß ihn in seiner Nähe Platz nehmen und plauderte mit ihm, bis das Frühstück gebracht wurde, worauf er mit ihm speiste. Er verlieh ihm ein Ehrengewand und bot ihm an, ihn zum Leiter des Schatzamtes in Damaskus zu machen. Da er bat, von dieser Ernennung Abstand zu nehmen, ließ al-Ma'mūn ihm zehn gesattelte und gezäumte Pferde geben, ferner zehn geschirrte Maultiere, zehn Beutel Kleingeld, zehntausend Dinare und zehn Diener mit den zugehörigen Reittieren. Seinen Statthalter in Damaskus forderte er schriftlich auf, sich seiner besonders anzunehmen und ihm Steuerfreiheit zu gewähren. Dem Manne selbst befahl er, ihn über die Vorgänge in Damaskus schriftlich zu unterrichten. So erhielt nun al-Ma'mūn laufend Briefe von ihm, und jedesmal, wenn der Postsack mit einem Brief von ihm ankam, sagte er zu mir: »'Abbās, hier ist der Brief von deinem Freund.« Gott der Erhabene aber weiß alles am besten.

61. Die Haueninsel

Der Kapitän Abu'z-Zahr al-Barchatī genoß in Sīrāf hohes Ansehen. Er war ursprünglich Feueranbeter nach der Religion der Inder. Den Leuten galt er als so zuverlässig, daß sie ihm glaubten und ihm sowohl ihre Habe wie auch ihre Kinder anvertrauten. Später trat er zum Islam über, wurde ein guter Muslim und pilgerte nach Mekka. Er hat erzählt, er habe einmal mit einer Frau von der Haueninsel gesprochen und dabei folgendes gehört:

Es trat einmal ein Mann mit einem großen, eigenen Schiff und mit einer Menge von Kaufleuten aus aller Herren Ländern eine Reise an. Sie fuhren durch das Malaiische (?) Meer und hatten sich den Küsten Chinas bereits so weit genähert, daß sie irgendwelche Berge des Landes erkennen konnten, als sich unversehens ein Sturm aus der Fahrtrichtung wider sie erhob. Es blieb ihnen nichts anderes übrig, als sich vom Winde treiben zu lassen, und sie waren ohnmächtig gegenüber den Schrecken des Meeres, die auf sie eindrangen. Der Sturm jagte sie in Richtung auf den Canopus. Wer aber in jenem Meer so weit getrieben wird, daß der Canopus über dem Scheitel seines Hauptes steht, der ist in ein Meer geraten, aus dem es keine Rückkehr für ihn gibt. Er ist in eine Wasserflut gestürzt, die nach Süden abfließt und in diese Richtung mitreißt. Das Wasser ist nämlich hinter dem fahrenden Schiff hoch, während es sich vor ihm senkt, so daß es, gleich ob der Wind stark oder schwach ist, nicht mehr umdrehen kann und unweigerlich in den weiten Ozean hinaustreibt. Als die Leute feststellten, daß sie immer näher unter den Canopus kamen, und als es stockfinstere Nacht wurde und Nebel, Wolken, Regen und tobende Flut ihre Rettung verhinderten, sahen sie keinen Ausweg mehr. Bald hob die brodelnde See sie mit ihren Wellen bis zu den Wolken hinauf, bald trug sie das Schiff bis zum Meeresgrund hinunter. Die ganze Nacht über schwammen sie durch Pech und Nebel dahin. Schließlich wurde es Morgen, doch sie merkten nichts davon, weil es ganz dunkel um sie blieb, das Pech des schwarzen Meeres sich mit dem Nebel der Luft verband und der Sturm unheimlich brauste. Als ihnen so die Nacht lang wurde, indes sie dem sicheren Tod entgegenfuhren, hatten ihnen doch der rasende Sturm, die schäumenden Fluten und die schaurigen Wellen ihr Urteil gesprochen, und ihr Schiff sprang ja und stöhnte, krachte und erzitterte, – da verabschiedeten sie sich voneinander, alle wandten sich in irgendeine Richtung zum Gebet je nach dem Gott, den sie verehrten, denn sie stammten gruppenweise aus China, Indien, Persien und von den Inseln, und sie fügten sich in ihren Tod. In dieser Weise fuhren sie zwei Tage und zwei Nächte, ohne dabei zwischen Tag und Nacht unterscheiden zu können.

Nachdem die dritte Nacht bereits zur Hälfte vergangen war, erblickten sie vor sich ein gewaltiges Feuer, das den Horizont erhellte. Da erfaßte sie große Furcht, und voller Angst liefen sie zu ihrem Kapitän und sprachen: »Kapitän, siehst du nicht das entsetzliche Feuer, das den ganzen Himmel dort hinten einnimmt und auf das wir zusteuern? Es hat sich bereits rings um den Horizont ausgebreitet. Wir möchten aber lieber ertrinken als verbrennen. Deshalb beschwören wir dich bei dem Gott, den du verehrst, das Schiff hier in der Flut und der Finsternis mit uns an Bord zum Kentern zu bringen, damit keiner von uns den anderen sieht, keiner weiß, wie der andere stirbt, keiner auch die Todesangst seines Gefährten wie in einzelnen Schlücken zu sich nehmen muß. Du aber sollst für das, was uns zustößt, frei von jeder Verantwortung sein. In diesen Tagen und Nächten sind wir nämlich schon tausend mal tausend Mal gestorben. Ein einziger Tod wäre angenehmer.« – »Wisset«, gab ihnen der Kapitän zur Antwort,

»daß die Reisenden und Kaufleute manchmal Schrecken erdulden müssen, von denen diese hier die leichtesten und mildesten sind. Im übrigen sind wir Kapitäne hoch und heilig verpflichtet, ein Schiff niemals dem Verderben preiszugeben, solange es noch schwimmt und die Vorsehung seinen Untergang noch nicht beschlossen hat. Wenn wir Kapitäne ein Schiff besteigen, so nehmen wir eben stets Tod und Leben mit uns an Bord; denn wir leben, solange das Schiff wohlbehalten bleibt, geht es aber unter, so gehen wir mit ihm zugrunde. Harret aus und vertraut euch dem Herrn über Wind und Meer an, der beide nach seinem Willen lenkt.« Nachdem sie die Hoffnung aufgegeben hatten, den Kapitän umzustimmen, schrien sie weinend und klagend, und jeder von ihnen bejammerte sein Unglück. Wenn nun der Kapitän seinen Zurufer anwies, der Besatzung zuzurufen, daß sie zur besseren Steuerung des Schiffes ein Seil anziehen oder lockern sollten, so konnten die Leute dies wegen des Tosens der See, des Geräuschs der widereinander prallenden Wogen, des Lärmens der Winde in den Segeln und Tauen und wegen des Schreiens der Menschen nicht mehr hören. So drohte das Schiff durch die Untätigkeit der Besatzung und die mangelnde Nutzung der Geräte unterzugehen, ohne daß den Leuten Meer oder Sturm unbedingt hätten zum Verhängnis werden müssen.

Nun befand sich an Bord ein Muslim gesetzten Alters aus Cadiz in Spanien, der sich beim Einschiffen in der Abfahrtsnacht in dem allgemeinen Gedränge mit auf das Schiff geschlichen hatte, ohne daß der Kapitän es merkte. Er hielt sich in einem verlassenen Winkel des Schiffes auf, wo er sich verbarg, aus Angst, entdeckt und dann verleumdet und beschimpft zu werden. Als er sah, wie schlimm es um die Leute stand, in welcher Gefahr sie selbst und ihr Schiff schwebten und daß sie im Verein mit den Schrecken des Meeres selber gegen sich arbeiteten, indem sie ihren Untergang noch beschleunigten, schien es ihm richtig, sein Versteck zu verlassen, gleichgültig, was er durch sie erleben würde. Zu ihnen heraustretend, fragte er: »Was ist mit euch? Hat das Schiff ein Leck?« Sie sagten nein, und er fuhr fort: »Dann ist sicher das Steuer gebrochen.« Auch das verneinten sie. Nun meinte er: »Dann ist das Meer wohl zu euch hereingeschlagen.«

Als sie auch dies bestritten, fragte er: »Was ist denn mit euch?« Da sprachen sie zu ihm: »Es ist ja so, als ob du nicht mit uns auf dem Schiffe wärest. Siehst du nicht den Schrecken und die Wellen dieses Meeres sowie die Finsternis in der Luft, durch die wir weder einen Tag noch Sonne, Mond oder Sterne als Richtpunkte erkennen können? Wir sind unter den Canopus geraten. Meere und Winde haben ihr Urteil über uns gesprochen. Das Schlimmste für uns ist aber dieses Feuer, auf das wir losfahren und das bereits den ganzen Horizont erfüllt; denn es erscheint uns leichter, unterzugehen als zu verbrennen. Wir haben den Kapitän gebeten, das Schiff mit uns an Bord hier in Meer und Finsternis zum Kentern zu bringen. Dann würde einer den anderen nicht sehen, wir würden zwar ertrinken, aber nicht in der Weise verbrennen, daß einer den anderen brennen sieht und hört, wie das Feuer ihn verzehrt.«

Darauf bat er sie, ihn zum Kapitän zu führen. Als sie ihn zu ihm hinaufbrachten, grüßte der Muslim ihn auf Indisch. Der Kapitän wunderte sich über ihn und fragte: »Wer bist du? Ein Kaufmann oder einer von ihren Dienern? Du bist mir unter den Männern des Schiffes unbekannt.« – »Ich gehöre weder zu den Kaufleuten noch zu ihren Dienern«, gab er zur Antwort, worauf der Kapitän weiter fragte: »Wer hat dich auf das Schiff gebracht, und was führst du als Ware mit?« Er erwiderte: »Ich habe mich in der Abfahrtsnacht unter den Leuten auf das Schiff geschlichen und mich an eine bestimmte Stelle gesetzt.« Auf die Frage schließlich, woher er zu essen und zu trinken bekommen habe, erklärte er: »Der Schiffsmaat hat täglich in meiner Nähe eine Schüssel mit Butterreis für die Schutzengel des Schiffes, dazu die Schöpfkelle des Schiffes voll Wasser hingestellt. Davon habe ich mich ernährt. Meine einzige Ware aber ist ein Schlauch mit Dattelmus.« Der Kapitän wunderte sich hierüber, und die Leute wurden durch das Mitanhören seines Berichts von ihrem Geschrei abgehalten. Die Mannschaft brachte das Takelwerk wieder in Ordnung, und einer, der zwischen ihnen umherging, rief ihnen zu, die Segel zu bedienen. So gewann das Schiff seine Führung wieder. Der Muslim aber fragte: »Warum weinen und jammern die Leute schon die ganze Zeit, Kapitän?« Er antwortete: »Siehst du nicht die Schrekken des Meeres, die Winde und die Finsternis, die über sie gekommen sind? Schlimmer aber noch als dies ist das den ganzen Horizont füllende Feuer, auf das wir zugetrieben werden. Ich habe dieses Meer, bei Gott, schon als Knabe mit meinem Vater befahren, nachdem er dies bereits sein Leben lang getan hatte. Jetzt habe ich glücklich achtzig Jahre hinter mich gebracht, aber noch nie habe ich gehört, daß einer in diese Gegend geraten ist oder von ihr berichtet hat.« Der Muslim sprach: »Sei getrost und guten Mutes, Kapitän. Ihr werdet durch Gottes Allmacht Rettung finden. Dort ist eine Insel, die von Bergen umgeben und umschlossen ist, gegen die ringsum die Meereswogen prallen. Nachts sieht man in dieser Gegend ein grauenerregendes, schauriges Feuer, vor dem sich jeder ängstigt, der nicht Bescheid weiß. Wenn die Sonne aufgeht, verschwindet die Erscheinung aber und wird zu Wasser. Dieses Feuer kann man auch in Spanien sehen. Ich bin einmal daran vorbeigefahren. Dies ist jetzt das zweite Mal.«

Diese Freudenkunde lief unter den Leuten von Mund zu Mund. Die Worte des Mannes gereichten ihnen zum Trost. Sie griffen wieder nach Speise und Trank, und die Qualen und Ängste, die sie belastet hatten, wichen von ihnen. Allmählich ließ auch der Sturm nach, die See wurde wieder ruhig und der Wind sanft. Bei Sonnenaufgang näherten sie sich der Insel, und als sich der Himmel aufklärte, lagen sie unmittelbar davor. Sie suchten noch einen geschützten Ankerplatz. Dann gingen alle an Land, warfen sich in den Sand, und aus lauter Sehnsucht nach der Erde wälzten sie sich auf dem Boden. Keiner von ihnen blieb auf dem Schiff zurück. Während sie hiermit beschäftigt waren, strömten auf einmal aus dem Inneren der Insel Frauen bei ihnen zusammen. Es waren ihrer so viele, daß nur Gott der Erhabene sie hätte zählen können. Auf jeden einzelnen von ihnen stürzten sich tausend oder noch mehr. Ohne zu zögern, schleppten die Frauen sie in die Berge und zwangen ihnen ihre Liebe auf. Dies taten sie immerzu, wobei die jeweils stärkste von ihnen sich des Mannes bemächtigte. Obwohl die Männer einer nach dem anderen vor Erschöpfung starben, stürzten sich die Frauen noch um die Wette auf jeden neuen Toten, ohne des Leichengeruches zu achten. Keiner von ihnen überlebte dies außer dem Mann aus Spanien; denn zu ihm war nur eine einzige Frau gekommen. Sie suchte ihn bei Nacht auf. Wenn es wieder Morgen wurde, versteckte sie ihn irgendwo in der Nähe des Meeres und brachte ihm etwas zu seiner Stärkung. So lebte er, bis der Wind von der Insel abdrehte und in Richtung des Teiles von Indien wehte, von wo das Schiff gekommen war. Jetzt nahm sich der Mann das Beiboot des Schiffes und belud es nachts mit Wasser und Reisevorrat. Als die Frau dies durchschaute, faßte sie ihn bei der Hand und führte ihn an einen Ort, wo sie mit den Händen die Erde von einer Mine mit Goldkörnern wegschaufelte. Sie schafften zusammen soviel Gold fort, wie das Beiboot tragen konnte. Dann nahm er die Frau mit, und nach einer Reise von zehn Tagen traf er wieder in der Stadt ein, von der das Schiff ausgefahren war. Dort erzählte er sein Abenteuer. Die Frau aber blieb bei ihm. In der Folge lernte sie gut Arabisch, trat zum Islam über und schenkte ihm Kinder.

Als er sie eines Tages danach fragte, warum die Frauen auf der Insel allein seien und keine Männer hätten, erzählte sie ihm folgendes:

»Wir bewohnen weite Länder und große Städte rings um jene Insel. Es gibt keine Stadt in allen unseren Ländern, die nicht wenigstens drei Tage und Nächte von der Insel entfernt läge. Ob König oder Untertan, alle beten bei uns zu Lande das Feuer an, das ihnen nachts über der Insel erscheint. Sie nennen das Eiland ›Sonnenhaus‹, weil die Sonne an seiner Ostküste auf- und an seiner Westküste untergeht, und sie glauben, daß sie die Nacht auf dieser Insel verbringt. Geht die Sonne am Morgen an der Ostküste der Insel auf, so verschwindet das Feuer und erlischt, und die Sonne steigt hoch. Dann sagen sie: ›Da ist es.‹ Geht sie an der Westküste unter und wird es Abend, so erscheint das Feuer wieder. Dann sagen sie ebenfalls: ›Da ist es.‹ So verehren sie es überall, wenden sich ihm betend zu und werfen sich vor ihm nieder.

Nun hat es Gott der Gepriesene und Erhabene so eingerichtet, daß die Frauen bei uns daheim zuerst einen Knaben und beim zweitenmal zwei Mädchen zur Welt bringen. Dieser Wechsel setzt sich ihr Leben lang fort. Ei, was mußte es da wenig Männer und viele Frauen bei uns geben! Als die Frauen schließlich sehr zahlreich geworden waren und die Herrschaft über die Männer an sich reißen wollten, rüsteten diese für sie die Schiffe aus, verluden sie zu Tausenden und setzten sie auf der Insel aus, indem sie zur Sonne sprachen: ›Du Gott paßt besser zu dem, was du erschaffen hast. Wir werden nicht mehr mit ihnen fertig.‹ So blieben die Frauen auf dem Eiland und starben dort eine nach der anderen. Wir haben von keinem Menschen mehr gehört. Außer euch ist keiner bei uns vorbeigekommen, und es wird auch im Laufe der Zeiten niemand unser Land aufsuchen. Unsere Heimat liegt nämlich im großen Ozean unter dem Canopus, so daß keiner zu uns kommen und dann nach Hause zurückkehren kann. Es wird deshalb niemand wagen, Küste und Festland zu verlassen, aus Angst, daß ihn der Ozean verschlingt. So hat es der Allmächtige und Allwissende beschlossen. Preis sei Gott, dem besten aller Schöpfer!«

62. Der Seidenhändler und sein Diener

Abu'l-Kāsim ibn al-Husain hat einmal in Mosul folgendes erzählt:

Hier in dieser Moschee, in diesem Hause und in diesem Laden – dabei zeigte er auf sie – hat sich einmal eine seltsame Geschichte zugetragen.

In diesem Hause wohnte nämlich einmal ein Kaufmann, der wegen seines Handels mit Seidenwaren nach Kufa zu reisen pflegte. Während er wieder einmal die Seide in den Satteltaschen seines Esels beförderte – es war alles, was er besaß –, machte die Karawane halt. So wollte auch er die Seide von dem Esel abladen. Weil sie ihm jedoch zu schwer war, half ihm auf sein Ersuchen ein Mann, sie herunterzunehmen. Danach setzte er sich nieder, um zu essen, und forderte den Mann auf, mit ihm zu speisen. Dieser nahm die Einladung an und aß mit ihm. Dann fragte der Kaufmann seinen Gast nach seinen Lebensumständen, und dieser berichtete ihm, er sei wegen einer bestimmten Sache genötigt gewesen, Kufa ohne Reisevorrat zu verlassen. Der andere bot ihm deshalb an: »Du kannst bei mir bleiben, mir auf der Reise behilflich sein und wirst dafür bei mir deinen Unterhalt finden.« Der Mann antwortete: »Ich bin begierig darauf, dich zu bedienen, und dein Unterhalt ist für mich unentbehrlich.« So legte er seinen Weg an der Seite des Kaufmanns zurück und bediente ihn aufs beste.

Nachdem sie Takrīt erreicht hatten, machte die Reisegesellschaft außerhalb der Stadt halt, und die Leute gingen in die Stadt, um ihre Geschäfte zu erledigen. Da sprach der Kaufmann zu dem Diener: »Gib du auf unser Gepäck acht, so will ich in die Stadt gehen und das Nötige für uns besorgen.« Damit ging er in die Stadt, erledigte, was zu tun war, hielt sich aber zu lange dort auf; denn nachdem er sie wieder verlassen hatte, fand er die Reisegesellschaft und seinen Begleiter nicht mehr vor. Er nahm an, jener habe, als die Karawane aufgebrochen sei, mit ihr die Weiterreise angetreten, und so eilte er ihnen ohne Unterlaß nach, bis er die Karawane mit Mühe einholte. Auf die Frage nach seinem Begleiter erklärten ihm die Leute: »Er ist nicht mit uns gekommen, und wir haben ihn nicht gesehen. Er hat vielmehr die Waren wieder auf den Esel geladen und ist dir in die Stadt gefolgt. Wir haben geglaubt, du hättest ihm dies befohlen.« Darauf ging der Kaufmann nach Takrīt zurück und erkundigte sich nach ihm. Allein er fand keine Spur von ihm und brachte nichts über ihn in Erfahrung. Bar aller Hoffnung, ihn jemals wiederzufinden, machte er sich auf den Weg nach Mosul, seiner ganzen Habe beraubt.

Es war noch heller Tag, als er die Stadt erreichte, hungrig und nackt, bettelarm und abgeplagt. Er schämte sich, sie am Tage zu betreten, weil seine Feinde schadenfroh und seine Freunde traurig werden könnten. Deshalb wartete er bis zum Abend. Dann ging er hinein und klopfte an seiner Haustür. »Wer ist da?« scholl es ihm entgegen, und er antwortete: »Der Soundso.« Da zeigten ihm seine Angehörigen, daß sie sich sehr über seine Rückkehr freuten und daß sie ihn dringend brauchten. Sie sprachen: »Preis sei Gott, der dich gerade jetzt hat kommen lassen, wo wir von Not, Sorge und Hunger heimgesucht sind! Du hast nämlich deine gesamte Habe mitgenommen und bist lange unterwegs gewesen. Deine Frau leidet Mangel, obwohl sie heute ein Kind geboren hat.

Bei Gott, wir haben nichts gefunden, wovon wir etwas für die Wöchnerin hätten kaufen können. Ungeachtet ihres Zustandes hat sie heute nacht Hunger gelitten. Überlege deshalb, wie du Mehl für uns beschaffst sowie Öl zum Leuchten; denn bei uns brennt keine Lampe.« Diese Worte vergrößerten noch seinen Schmerz. Weil er ihnen nicht kundtun wollte, wie es um ihn stand, und sie nicht betrüben wollte, nahm er ein Gefäß für Öl und ein Säckchen für Mehl und ging damit zu diesem Laden.

Dort wohnte ein Mann, der Mehl, Öl, Honig und dergleichen verkaufte. Er hatte seinen Laden bereits geschlossen, die Lampe gelöscht und sich zur Ruhe begeben. Als der Kaufmann ihn anrief, gab er ihm Antwort, und weil er seine Stimme erkannte, dankte er Gott für seine glückliche Heimkehr. Danach bat der Kaufmann den Krämer: »Schlage Feuer, dann will ich dir das Geld für Mehl, Öl und Honig abzählen. Ich brauche dies alles sofort.« Er wollte ihm nämlich nicht sagen, daß er die Ware erst später bezahlen könne, weil er es sonst vielleicht abgelehnt hätte. Nachdem der Krämer Feuer geschlagen und die Lampe angesteckt hatte, sagte der Kaufmann zu ihm: »Nun wiege mir soundsoviel Mehl, Öl, Honig, zerlassene Butter und Salz ab.« Während jener damit beschäftigt war, bot sich ihm Gelegenheit, sich für einen Augenblick dem Hintergrund des Ladens zuzuwenden. Da entdeckte er dort seine Satteltaschen, mit denen sein Begleiter entflohen war. Jetzt verlor er die Gewalt über sich. Er stürzte sich auf den Krämer, klammerte sich an ihn, packte ihn am Kragen, zerrte ihn an sich heran und sprach: »Du Schuft, wo ist mein Hab und Gut?« Der Krämer erwiderte: »Was hast du, Mann? Bei Gott, ich habe dich bisher nicht als gewalttätig gekannt, und du wirst dich auch nicht erinnern, daß ich dir oder einem anderen Unrecht getan hätte. Worum handelt es sich denn?« – »Um meine Satteltaschen«, rief er aus. »Ein Diener ist mir mit ihnen entflohen, ja mit meiner ganzen Habe und mit meinem Esel.« Der Krämer erklärte: »Ich weiß nicht mehr, als daß nach dem Abendgebet ein Mann zu mir gekommen ist und bei mir zum Abendessen eingekauft hat. Weil er mich um Unterkunft bat, habe ich sie ihm in der Weise gewährt, daß ich diese Satteltaschen in meinen Laden gesetzt und den Esel in dem Anwesen unseres

Nachbarn untergebracht habe, während der Mann die Nacht in der Moschee verbringt.« Der Kaufmann sagte: »Lade die Satteltaschen mit mir auf und komm mit zu dem Mann.« So hob er die Satteltaschen mit ihm auf, legte sie ihm auf den Nacken und ging mit ihm zu der Moschee. Siehe, da lag der Mann in der Moschee und schlief. Als ihm der Kaufmann einen Tritt versetzte, sprang er erschreckt auf und fragte: »Was willst du?« Er antwortete: »Du Betrüger, wo ist mein Hab und Gut?« – »Du hast es ja auf dem Nacken«, erwiderte er. »Bei Gott, es fehlt dir nicht die geringste Kleinigkeit.« – »Und wo ist der Esel?« fragte er weiter, worauf er erklärte: »Bei diesem, der mit dir hergekommen ist.« Da ging der Kaufmann nach Hause. Dort stellte er fest, daß seine Ware unversehrt geblieben war. Nachdem er den Esel aus seiner Unterkunft geholt hatte, bescherte er die Seinen mit reicher Hand und erzählte ihnen sein Erlebnis. Da fanden sie noch mehr Grund, sich zu freuen und die Geburt des Kindes als Segen des Himmels zu betrachten.

63. Sawikis Schicksalswende

Abū Ishāk Ibrāhīm as-Sawīkī, ein Freigelassener der Sippe Muhallabs, erzählt:

Ich hatte einmal eine Reihe magerer Jahre. Die Not, hier die große Zahl der Meinen, dort der Mangel an Unterhalt, verursachten mir arge Pein. Weil ich als Dichter bekannt war, widmete ich Freunden, einflußreichen Leuten und anderen Gedichte, stieß aber schließlich bei allen, die mir nahestanden, auf Ablehnung, und wen immer ich anging, dem fiel ich lästig. Dies quälte mich sehr.

Als ich eines Tages mit meiner Frau zusammensaß – es war ein besonders kalter Tag –, sprach sie zu mir: »Wir leben nun schon lange in Armut, Mann, und die Not hat uns hart zugesetzt. Du hockst nur noch bei mir zu Hause, als littest du an einer unheilbaren Krankheit, und dies trotz unseres Kinderreichtums. Packe dich weg von mir, enthebe mich wenigstens der Sorge um dich und laß mich mit diesen Kleinen allein. Ich will mich schon eifrig für sie abmühen.« Ja sie quälte mich mit ihren Zänkereien und hielt mir vor: »Du Unglücksmensch hast einen Beruf erlernt, der dir nichts einbringt.« Ich ärgerte mich über sie und ihre Vorwürfe und ging in Kälte und Wind blindlings von dannen, nur mit einem abgeschabten Pelz auf dem Leib, nichts darüber und nichts darunter, dazu auf dem Nacken ein Tuch. Als aber ein heftiger Windstoß kam, riß er mir den Pelz vom Leibe, und er löste sich in Fetzen von mir, weil er zerschlissen und zerrissen war. Auch das Tuch auf meinem Nacken bestand eigentlich nur noch aus einem kümmerlichen Rest. So ging ich, bei Gott, ganz verstört von dannen ohne Weg und Ziel.

Während ich nun meinen Gedanken nachhing, geriet ich in einen Dauerregen. Nach einer Weile erreichte ich ein Haus, vor dessen Tür sich ein Schatten spendender Bogen wölbte. Darunter stand eine saubere Bank, auf der niemand saß. Ich dachte bei mir: »Ich will unter dem Bogen Schutz suchen, bis der Regen aufhört.« Als ich nun meine Schritte zu dem Hause lenkte, sah ich plötzlich ein Mädchen dicht an der Haustür sitzen, das anscheinend die Aufgabe hatte, sie zu bewachen. Sie fuhr mich an: »Schere dich fort von unserer Tür, Alter!« – »Ach, ich bin doch kein Bettler«, gab ich ihr zur Antwort, »bin auch keiner, dessen Nähe man fürchten müßte.« Sprach's und ließ mich auf der Bank nieder. Nachdem sich mein Gemüt ein wenig beruhigt hatte, hörte ich hinter der Tür eine weiche Stimme wie von einer Frau. Ich lauschte und vernahm zu meiner Überraschung Worte, die wie ein Vorwurf klangen. Dann hörte ich eine andere, ähnliche Stimme, die sagte: »Du hast dies und hast das getan«, worauf die vorige erklärte: »Du hast vielmehr dies und hast das getan.« Schließlich sagte jene wieder: »Verehrte Herrin, wenn ich Böses getan habe, so verzeihe mir und vergiß nicht bei mir zwei Verse unseres Freigelassenen Ibrāhīm as-Sawīkī.« Die andere fragte: »Wie lauten sie denn? Er ist ja unser Freigelassener, und es kommen mir manche feinen Gedichte von ihm zu Ohren.« Da sprach sie die Verse:

Nimm an, o Rächerin, ich trüge Schuld,
Ich wär's, der dir entzogen meine Huld.
Doch sieht man, Herrin, dich für besser an,
Wenn du nun tust, was scheinbar ich getan?

Da sprach die andere: »Bei Gott, dies hat er klug und schön gesagt.« Als ich hörte, daß sie mich nannte und die Bezeichnung »unser Freigelassener« gebrauchte, wußte ich, daß sie eine Frau aus der Sippe des Muhallab war. Jetzt konnte ich nicht mehr an mich halten, sondern stieß die Tür auf und stürzte zu den beiden hinein. Sie schrien: »Mache kehrt, Alter, bis wir uns hinter dem Vorhang verborgen haben«, und sie wähnten, ich sei einer von ihren Hausgenossen. Ich sagte: »Verehrte Herrinnen, ihr braucht euch nicht vor mir zu schämen; ich bin ja Ibrāhīm as-Sawīkī«, (und, an die eine gewandt, fuhr ich fort:) »ich beschwöre dich bei Gott und meiner Hochachtung vor euch: Nimm meine Fürsprache für sie an, vergib ihr um meinetwillen ihre Schuld und höre auf mich; denn ich bin es, der sagt:

> Entreiße mich der langen Traurigkeit,
> Dieweil der Freund dem Freunde gern verzeiht.
> Ich hab gefehlt. Üb, Herrin, Edelmut.
> Der Edle füglich immer Edles tut.«

Sie antwortete: »Ich tue es hiermit und verzeihe ihr Unrecht.« Danach fuhr sie fort: »Wie kommt es, Abū Ishāk, daß ich dich in solch zerlumpter und verschlissener Kleidung sehe?« – »Verehrte Herrin«, gab ich zur Antwort, »das Glück ist mir feindlich gesinnt gewesen, und das Schicksal hat mich ungerecht behandelt. Meine Freunde sind hartherzig zu mir, und für meine Ware habe ich keinen Absatz gefunden.« Da sprach sie: »Dies tut mir aber leid« und machte der anderen ein Zeichen, worauf diese mit der Hand nach ihrem Ärmel griff und einen Reif von ihrem Arm streifte. Dann tat sie das gleiche mit der anderen Hand und streifte auch von dem anderen Arm einen Reif herunter. Nun sprach jene weiter: »Nimm dies, Abū Ishāk, setze dich auf deinen Platz an der Haustür und warte, bis das Mädchen zu dir kommt.« Und sie fragte diese: »Hat der Regen aufgehört, Mädchen?« Als sie es bejahte, erhoben sie sich beide und gingen hinaus, während ich mich auf meinen Platz setzte. Auf einmal erschien das Mädchen mit einem Tuch, in das fünf Gewänder und ein Beutel mit tausend Dirhems eingewickelt waren, und sprach zu mir: »Meine Herrin läßt dir sagen: ›Verwende dies für dich, und wenn du wieder etwas brauchst, dann komme zu uns, auf daß wir dir noch mehr geben, so Gott will.‹«

Ich nahm alles und schickte mich an zu gehen. Dabei dachte ich: »Wenn ich die beiden Armreife meiner Frau bringe, wird sie erklären: ›Diese sind für meine Töchter‹ und wird sie mir abnehmen.« Ich begab mich deshalb auf den Markt, verkaufte sie für fünfzig Dinare und ging nach Hause. Als ich die Tür öffnete, schrie mich meine Frau an: »Jetzt trägst du uns schon wieder dein Unglück ins Haus!« Ich aber warf ihr die Dinare und die Dirhems vor die Füße, dazu die Gewänder. »Woher hast du dies?« fragte sie. Da sprach ich: »Von dem, was du als unheilvoll betrachtet und als meine ertraglose Ware bezeichnet hast!« Und sie antwortete: »Nach meiner Meinung ist sie in der Tat höchst unheilvoll gewesen. Heute aber trägt sie reichsten Segen.«

64. Der Schatz am Tigrisufer

Ein Kaufmann aus dem Bagdader Stadtteil al-Karch gibt an, ein Freund von ihm habe ihm folgendes erzählt:

Ich stand geraume Zeit in Geschäftsverbindung mit einem Mann, der mit den Chorasaner Mekkapilgern nach Bagdad zu kommen pflegte. Alljährlich verkaufte ich in seinem Auftrag Waren, die er mitbrachte. Aus den Maklergeschäften für ihn erzielte ich einen Gewinn von vielen Tausenden. Dann fehlte er in irgendeinem Jahr plötzlich in der Pilgerkarawane. Dies beeinflußte meine wirtschaftliche Lage, und da mich in der Folge ein Schicksalsschlag nach dem anderen traf, mußte ich meinen Laden schließen. Drei oder vier Jahre lang saß ich zu Hause und hielt mich verborgen, weil ich verschuldet war. Als es wieder einmal an der Zeit war, daß die Mekkapilger eintreffen mußten, folgte ich, um etwas über den Chorasaner zu erfahren, da ich mir von seiner Ankunft Rettung aus meiner wirtschaftlichen Beklemmung erhoffte, meinem inneren Drang und ging zum Jahjā-Markt. Allein ich konnte nichts über ihn in Erfahrung bringen und kehrte wieder um.

Müde und sorgenschwer ging ich zu der Halbinsel am Tigris

hinunter. Da es ein heißer Tag war, stieg ich in den Fluß hinab und schwamm. Als ich wieder herauskam, war ich noch naß. So wurde es feucht, wo ich meine Füße hinsetzte, und beim Gehen blieb etwas Sand an ihnen kleben. Dadurch wurde ein Ledergurt im Sande freigelegt. Ich zog meine Kleider wieder an, wusch mir die Füße und setzte mich nachdenklich nieder, erpicht darauf, den Ledergurt aufzuziehen. Ich zog ohne Unterlaß daran, bis ein Lederbeutel zum Vorschein kam. Als ich ihn herausholte, stellte ich zu meiner Überraschung fest, daß er gefüllt war. Ich verbarg ihn daher unter meinen Kleidern und ging nach Hause. Jetzt öffnete ich ihn, und siehe, er enthielt bare tausend Dinare. Dies gab meinem Herzen großen Mut, und ich sprach: »O Gott, ich habe dir gegenüber die Pflicht, Nachrichten über diesen Beutel einzuziehen, sobald meine wirtschaftliche Lage durch diese Dinare wieder in Ordnung ist. Wenn ich weiß, wem er gehört, werde ich ihm den Wert der in ihm enthaltenen Dinare zurückerstatten.« Im übrigen nahm ich den Beutel in Verwahrung und bereinigte meine Angelegenheiten mit den Gläubigern. Meinen Laden eröffnete ich wieder und kehrte zu meiner gewohnten Tätigkeit als Händler und Makler zurück. Es dauerte nicht länger als drei Jahre, bis ich Tausende von Dinaren in barem Geld erwarb.

Schließlich trafen wieder einmal die Mekkapilger ein. Ich folgte ihnen, um endlich Kunde über den Beutel zu erlangen. Aber keiner konnte mir Nachricht über ihn geben. So ging ich zu meinem Laden, und als ich dort saß, sah ich auf einmal einen staubbedeckten Mann mit zottigen Haaren und üppigem Bart vor meinem Laden stehen. Er hatte Art und Aussehen der chorasanischen Bettler, und weil ich ihn für einen Bettler hielt, griff ich nach Kleingeld, um ihm etwas zu geben, worauf er sich schleunigst entfernte. Er kam mir jedoch verdächtig vor. Deshalb stand ich auf, holte ihn ein, und als ich ihn genauer betrachtete, siehe, da war es mein Geschäftsfreund, aus dessen Maklueraufträgen ich Jahr für Jahr Gewinn erzielt hatte. Ich fragte ihn: »Was ist dir zugestoßen?«, und aus Mitleid mit ihm mußte ich weinen. Da weinte auch er und sprach: »Meine Geschichte ist lang.« Ich sagte: »Du mußt unbedingt mit mir nach Hause kommen.« So nahm ich ihn mit und führte ihn ins Bad. Nachdem ich ihm saubere Kleider angezogen und ihm zu essen gegeben hatte, fragte ich ihn nach seinen Erlebnissen. Da erzählte er mir folgendes:

»Du kennst ja meine Verhältnisse und meinen früheren Wohlstand. Nun wollte ich nach dem letzten Jahr, in dem ich nach Bagdad gekommen bin, wieder auf die Pilgerfahrt gehen. Da sagte der Emir meiner Heimatstadt zu mir: ›Ich besitze einen Rubin, der so groß ist wie eine Handfläche. Er ist unermeßlich wertvoll und kostbar und eigentlich nur für den Kalifen geeignet. Nimm ihn mit und verkaufe ihn für mich in Bagdad. Von dem Erlös handele für mich Waren im Wert von soundsoviel Geld ein‹ – er zählte dabei seine Wünsche auf an Duftmitteln und Gefäßen – ›und bringe mir den Rest in Bargeld her.‹ Ich nahm den Edelstein, der in der Tat der Beschreibung des Emirs entsprach, steckte ihn in einen Beutel, der soundso aussah« – er beschrieb dabei eben den Beutel, den ich besaß –, »tat noch tausend bare Dinare von meinem Geld in den Beutel und band ihn mir um die Hüften. In Bagdad angekommen, ging ich zum Fluß hinunter, um auf der Halbinsel beim Jahjā-Markt zu schwimmen. Dabei ließ ich den Beutel und meine Kleider an einer Stelle liegen, an der ich sie beobachten konnte. Als ich aus dem Tigris herauskam, zog ich meine Kleider wieder an, nachdem die Sonne bereits untergegangen war. Dabei vergaß ich den Beutel, und er fiel mir erst am nächsten Tag wieder ein. So kam ich in der Frühe, um ihn zu suchen, allein es war, als hätte ihn die Erde verschluckt. Ich nahm das Mißgeschick nicht allzu schwer und sagte mir: ›Der Wert des Steines mag fünftausend Dinare betragen, die ich eben bezahlen werde.‹ Danach setzte ich meine Pilgerfahrt fort, führte sie zu Ende und kehrte in meine Heimatstadt zurück. Nun stellte ich dem Emir zu, was ich als Ersatz für den Rubin mitgebracht hatte. Ich berichtete ihm, was mir widerfahren war, und sagte zu ihm: ›Nimm von mir diese ganzen fünftausend Dinare.‹ Er aber war sehr begehrlich und erklärte: ›Der Stein ist fünfzigtausend Dinare wert!‹ Alles, was ich an Geld und Waren besaß, beschlagnahmte er, bereitete mir Widerwärtigkeiten aller Art und hielt mich sieben Jahre lang gefangen, während derer ich immer wieder gefoltert wurde. In diesem Jahre haben nun die Leute bei ihm Fürsprache für mich eingelegt. So hat er mich freigelassen.

Weil es mir unmöglich war, in meiner Heimatstadt zu bleiben und die Schadenfreude meiner Feinde zu ertragen, bin ich blindlings von dannen gezogen, um mein Armenleben dort zu führen, wo mich keiner kennt. Ich bin mit der Chorasaner Pilgerschar hergekommen, indem ich den größten Teil des Weges zu Fuß gegangen bin und ohne zu wissen, was ich nun anfangen soll. Ich habe dich aufgesucht, um dich um Rat zu fragen, wie ich mir wohl mein Brot verdienen könnte.«

Da sprach ich: »O du! Gott der Mächtige und Erhabene gibt dir jetzt zurück, was du verloren hast; denn der Beutel, den du soeben beschrieben hast, befindet sich in meinem Besitz. Er hat tausend Dinare enthalten, die ich an mich genommen habe. Ich habe dem lieben Gott gelobt, dem, der mir den Beutel beschreibt, für das Geld zu haften. Du hast ihn mir soeben beschrieben, und ich weiß, daß er dir gehört.« Dann stand ich auf, holte einen Beutel mit tausend Dinaren und sprach: »Nimm dieses Geld und lebe hier in Bagdad davon; denn, so Gott will, wird es dir an nichts Gutem fehlen.« – »Mein lieber Herr«, fragte er mich, »besitzt du auch den Beutel selbst und hast ihn nicht etwa fortgegeben?« Als ich den Besitz bejahte, tat er einen Seufzer, daß ich meinte, er sei daran gestorben, sank auf sein Angesicht nieder und erholte sich erst nach einer Weile. Dann bat er mich, den Beutel zu holen. Nachdem ich es getan hatte, verlangte er ein Messer. Ich gab es ihm, und nun schnitt er ihn unten auf und holte einen Rubin aus ihm heraus, groß wie eine Handfläche. Das Zimmer wurde hell von ihm, und seine Strahlen blendeten mich schier. Da trat er auf mich zu, um mir zu danken und Gottes Segen zu wünschen. Ich sagte: »Nimm deine Dinare.« Er aber leistete jeden Eid, nur die Kosten für eine Kamelin und eine Sänfte davon zu nehmen sowie das, was er brauche, um sein Leben zu fristen. Erst nachdem ich ihm eine Zeitlang zugesetzt hatte, nahm er dreihundert Dinare und verzichtete auf den Rest zu meinen Gunsten.

Im nächsten Jahr kam er fast so wohlhabend zu mir, wie er es einst zu tun pflegte. Auf meine Frage, wie es ihm inzwischen ergangen sei, sprach er: »Nachdem ich fortgegangen bin, habe ich den Einwohnern meiner Heimatstadt berichtet, was ich erlebt habe, und habe ihnen den Stein gezeigt. Darauf sind die Vornehmen mit mir zum Emir gegangen, haben ihm die Geschichte erzählt und ihn ersucht, mir Gerechtigkeit widerfahren zu lassen. Er hat dann den Edelstein entgegengenommen, mir alles zurückerstattet, was er mir an Geld, Grundbesitz, Ländereien und anderem abgenommen hatte, und obendrein Geld aus seinem eigenen Besitz geschenkt. Er hat mich um Verzeihung für die Strafen gebeten, die er mir erteilt hat, und ich habe sie ihm gewährt. Danach habe ich den alten Wohlstand wiedererlangt und bin zu meinem Handel und meinem früheren Lebensunterhalt zurückgekehrt. Alles dies verdanke ich Gottes Güte und deinem Segen. Möge Gott dir seine Gnade schenken!« – Danach kam er wieder alljährlich zu mir, bis er starb.

65. Der Wesir und der Weber

Als al-Mu 'tasim von der byzantinischen Grenze zurückkehrte und in die Gegend von ar-Rakka kam, sprach er zu 'Amr ibn Mas 'ada: »Du hast mich unaufhörlich für ar-Ruchchadschī gebeten, so daß ich ihn schließlich zum Statthalter von al-Ahwāz ernannt habe. Nun sitzt er im Nabel der Welt, indem er sich dort dick und rund frißt, ohne mir bis jetzt auch nur einen einzigen Dirhem zu schicken. Mache dich unverzüglich auf den Weg zu ihm.«

('Amr erzählt:) Ich dachte mir: »Soll ich vom Wesir zu einem Manne werden, den man auf einen Steuereinnehmer hetzt?« Allein ich fand kein Mittel, mich dem Auftrag des Kalifen zu entziehen, und so sprach ich: »Ich werde mich auf den Weg zu ihm machen, Fürst der Gläubigen.« Er befahl mir: »Schwöre mir, nur einen einzigen Tag in Bagdad zu verweilen.« Ich leistete den Eid, und dann reiste ich hinab nach Bagdad. Dort ließ ich eine Barke mit Teppichen aus Tabaristān für mich auslegen, mit einem Lederverdeck versehen, ließ Leinensegel anbringen und setzte dann meine Reise fort.

Als ich die Gegend zwischen Dair Hizkil und Dair al-'Ākūl erreichte, gewahrte ich plötzlich einen Mann, der nicht mehr weiterreisen konnte. Er schrie: »Hallo, Schiffer!« Ich sagte zu dem Schiffer: »Fahre ans Ufer.« Er erwiderte: »Dies ist ein lästiger Bettler, Herr. Wenn er erst bei dir sitzt, bereitet er dir Unannehmlichkeiten.« Ich kümmerte mich jedoch nicht um seinen Einwand, sondern auf mein Geheiß ließen die Bootsknechte ihn einsteigen, und er nahm auf dem Achterdeck Platz. Als die Essenszeit heranrückte, entschloß ich mich, ihn zur Teilnahme an meiner Mahlzeit einzuladen. Ich rief ihn deshalb herbei, und nun begann er zwar mit einem wahren Heißhunger, aber durchaus sauber zu essen. Nachdem die Tafel aufgehoben war, wollte ich, daß er zusammen mit mir täte, was alle, ob hoch oder niedrig, tun, daß er nämlich aufstünde und sich nebenan die Hände wüsche. Er tat es jedoch nicht, und auch als die Bootsknechte ihm ein Zeichen mit den Augen machten, erhob er sich immer noch nicht. Nun ließ ich ihn unbeachtet (ohne daß ihn selbst dies dazu veranlassen konnte). Darauf fragte ich ihn: »Was ist dein Beruf, mein Lieber?« – »Ich bin Weber«, gab er zur Antwort, und ich dachte bei mir: »Dies ist ja noch schlimmer!« Jetzt sagte er zu mir: »Du hast mich nach meinem Beruf gefragt, verehrter Herr, und ich habe dir Auskunft darüber erteilt. Was ist denn nun dein Beruf?« Ich dachte mir: »Es wird ja immer fürchterlicher!« und wollte ihn nicht wissen lassen, daß ich Wesir war. »Laß es für ihn gut sein mit dem Beruf des Kanzleischreibers«, dachte ich mir und sagte deshalb: »Ich bin Kanzleischreiber.«

Da erklärte er: »Es gibt fünf Arten von Kanzleischreibern, verehrter Herr. In der allgemeinen Verwaltung muß der Schreiber unterscheiden können, wo ein Abschnitt zu machen und wo im Zusammenhang zu schreiben ist, muß die verschiedenen Einleitungsfloskeln kennen, muß Glückwunsch- und Beileidsbriefe entwerfen, anfeuern und warnen, sowohl knapp wie auch ausführlich schreiben können und muß etliche Kapitel der arabischen Grammatik beherrschen. In der Verwaltung der Grundsteuer muß er sich auf Saatflächen, Feldvermessung, Ödländereien, Grundsteuern sowie deren Festsetzung und Berechnung verstehen. In der Heeresverwaltung muß er nicht nur rechnen können, sondern auch über die Löhnungen, die Kennzeichen der Reittiere und das Aussehen der Leute Bescheid wissen. Als Schreiber eines Richters muß er vertraut sein mit der Beurkundung von Verträgen und der Abfassung von Urteilen, mit dem angewandten Recht, den Gesetzesaufhebungen, den Fragen von erlaubt und verboten sowie mit dem Erbrecht. In der Polizeiverwaltung schließlich muß er sich in Verletzungen, Wiedervergeltung, Blutpreisen und Sühnegeldern auskennen. Zu welcher von diesen Arten von Kanzleischreibern gehörst nun du, verehrter Herr?«

»Ich bin Kanzleischreiber in der allgemeinen Verwaltung«, gab ich ihm zur Antwort. Da sprach er: »Dann sage mir: Wenn du einen Freund hast, dem du bei erfreulichen und unerfreulichen Ereignissen, kurz, bei allen Anlässen zu schreiben pflegst, und seine Mutter verheiratet sich, schreibst du ihm dann einen Glückwunsch- oder Beileidsbrief?« Ich antwortete: »Bei Gott, ich weiß nichts von dem, was du da sagst.« Er erwiderte: »Dann bist du eben kein Schreiber in der allgemeinen Verwaltung. Zu welcher Art von Kanzleischreibern gehörst du also?« – Als ich ihm jetzt erklärte, ich sei Schreiber in der Verwaltung der Grundsteuer, fragte er: »Was sagst du, verehrter Herr, zu folgendem Fall? Der Sultan hat dir die Verwaltung eines Bezirkes übertragen, und du hast deine Angestellten über den Bezirk verteilt. Nun kommen Leute zu dir, die sich darüber beschweren, daß einer deiner Angestellten sie ungerecht behandelt hat. Du aber willst sie in ihren Angelegenheiten wohlwollend betreuen und ihnen Gerechtigkeit widerfahren lassen, weil du Billigkeit und Rechtschaffenheit liebst und auf einen guten Ruf und einen untadeligen Leumund bedacht bist. Einer von den Beschwerdeführern hat nun ein Saatfeld ohne Gebäude oder Bäume. Wie gedenkst du es zu vermessen?« Ich antwortete: »Ich multipliziere die Schrägseiten mit der Höhe und schaue, welcher Betrag sich daraus ergibt.« – »Dann benachteiligst du den Mann«, wandte er ein, worauf ich mich berichtigte: »Ich vermesse nur den Teil, der die größte Höhe hat.« Er aber sagte: »Dann benachteiligst du den Sultan«, und ich mußte gestehen: »Bei Gott, ich weiß es nicht.« Da sprach er: »Dann bist du eben kein Schreiber in der Verwaltung der Grundsteuer. Zu welcher Art von Kanzleischreibern gehörst du also?« – Als ich ihm jetzt erklärte, ich sei Schreiber in der Heeresverwaltung, fragte er: »Was sagst du zu folgendem Fall? Zwei Männer heißen beide Ahmad. Der eine hat in der oberen, der andere in der unteren Lippe eine Hasenscharte. Wie würdest du sie nach ihrem Aussehen in deiner Liste bezeichnen?« – »Ich würde beide als ›Ahmad mit der Hasenscharte‹ bezeichnen«, gab ich zur Antwort. Er wandte ein: »Wie soll dies möglich sein, wenn der eine einen Sold von zweihundert und der andere einen von tausend Dirhems bezieht? Dann könnte ja der eine den Sold des anderen einstreichen, und du ließest den, der Anspruch auf tausend Dirhems hat, zu kurz kommen.« Wieder mußte ich bekennen: »Bei Gott, ich weiß es nicht.« Da sprach er: »Dann bist du eben kein Schreiber in der Heeresverwaltung. Zu welcher Art von Kanzleischreibern gehörst du also?« – Als ich ihm erklärte, ich sei Schreiber eines Richters, fragte er: »Was sagst du, verehrter Herr, zu folgendem Fall? Ein Mann läßt bei seinem Tod eine Ehefrau und eine Leibeigene zurück. Danach bringt (in der gleichen Nacht) die Ehefrau eine Tochter und die Leibeigene einen Sohn zur Welt. Noch in der Nacht nimmt die freie Frau den Sohn der Leibeigenen, behauptet, es sei ihr Sohn, und legt ihre Tochter an die Stelle des Sohnes. Nun machen sie sich gegenseitig den Sohn streitig. Die eine sagt: ›Dies ist mein Sohn‹, und auch die andere sagt: ›Dies ist mein Sohn.‹ Wie würdest du als Stellvertreter des Richters zwischen beiden entscheiden?« Abermals mußte ich bekennen: »Bei Gott, ich weiß es nicht.« Da sprach er: »Dann bist du eben nicht Schreiber eines Richters. Zu welcher Art von Kanzleischreibern gehörst du nun eigentlich?« – Als ich ihm jetzt erklärte, ich sei Schreiber in der Polizeiverwaltung, fragte er: »Was sagst du, verehrter Herr, zu folgendem Fall? Ein Mann greift einen anderen an und bringt ihm am Kopf eine bis auf den Schädel klaffende Wunde bei. Dann stürzt sich der also Verwundete auf den Angreifer und schlägt ihm ein Loch in den Schädel.« Wieder mußte ich zugeben: »Ich weiß es nicht.« Und ich fuhr fort: »Nachdem du mir nun etliche Fragen gestellt hast, mußt du mir nun aber auch zu dem, was du gesagt hast, die nötige Erklärung geben.«

Da sprach er: »An den Mann, dessen Mutter sich verheiratet hat, schreibst du (nach den üblichen Einleitungsfloskeln): ›Im übrigen bin ich der Meinung, daß Gottes Sprüche nicht nach dem Willen der Geschöpfe ergehen und daß Gott die Wahl für seine Diener trifft. So möge er dir denn die Gnade erweisen, sie zu sich zu nehmen; denn das Grab ist das Beste für sie. Schönen Gruß!‹ Was das Grundstück betrifft, so bemühst du dich gesondert um die Berechnung der Winkelflächen; denn wenn du dies erledigt hast, kommst du weiter. Was die beiden Männer mit Namen Ahmad betrifft, so bezeichnest du in der Liste den mit der gespaltenen Oberlippe als ›Ahmad mit der oberen Hasenscharte‹ und den mit der gespaltenen Unterlippe als ›Ahmad mit der unteren Hasenscharte‹. Bei den beiden Frauen muß sowohl die Milch der einen wie auch die der anderen gewogen werden. Wessen Milch dann weniger wiegt, ist die Mutter des Mädchens. Für die Hiebe auf den Kopf gilt, daß für die bis auf den Schädel klaffende Wunde fünf, für das Einschlagen des Schädels jedoch dreiunddreißigeindrittel Kamele zu erstatten sind. Demnach muß der Mann, der den Schädel eingeschlagen hat, dem anderen achtundzwanzigeindrittel Kamele erstatten.«

Darauf fragte ich ihn: »Was hat dich eigentlich hierhergeführt, mein Lieber?« – »Dies ist durch einen Vetter von mir geschehen«, gab er zur Antwort, »der Verwalter eines Bezirkes war. Ich hatte mich auf die Reise zu ihm begeben, sollte aber bei meiner Ankunft bei ihm feststellen, daß er inzwischen abgesetzt war. Ich mußte mich deshalb wieder von ihm trennen und ging meiner Wege, um mich für meinen Lebensunterhalt abzurackern.« Ich hielt ihm vor: »Hast du mir nicht erklärt, du seiest Weber?« Er aber erwiderte: »Ich bin einer, der Reden webt, nicht aber ein Weber von Kleidern!« Nun rief ich den Barbier herbei. Dieser schnitt ihm die Haare, und nachdem er ins Bad geführt worden war, ließ ich ihn Kleider von mir anziehen. Als ich dann nach al-Ahwāz kam, sprach ich mit ar-Ruchchadschī. Dieser schenkte ihm fünftausend Dirhems, worauf er den Heimweg mit mir antrat. Nachdem ich beim Kalifen angekommen war, fragte er mich: »Was hast du unterwegs erlebt?« Ich berichtete ihm, wie es mir ergangen war, und erzählte ihm am Ende auch das Erlebnis mit dem Manne. Da sprach der Kalif: »Dieser Mann ist unentbehrlich. Wofür könnten wir ihn gebrauchen?« Ich sagte: »Er ist der beste Kenner der Feldmesserei und der Geometrie«, worauf ihn der Kalif zum Vorsteher des Bau- und Einrichtungswesens ernannte. Bei Gott, in der Folge pflegte ich ihn mit einem vornehmen Geleit zu treffen. Dann stieg er immer ungeachtet meiner Beschwörungen vom Pferd und erklärte: »Gott sei gepriesen! Ich verdanke dies nur deinem Wohlwollen, und durch dich ist mir dies zuteil geworden.«

66. Die Treuhänderschaft

Abū Dharr erzählt:
Ich war einmal damit beschäftigt, dem Scheich Abū Hafs 'Umar ibn Ahmad ibn Schāhīn in Bagdad ein Heft mit Stücken aus der heiligen Überlieferung als Schüler vorzulesen. Wir saßen dabei in dem Laden eines Mannes, der Duftkräuter verkaufte. Da kam ein Hausierer mit einer Schale in der Hand, überreichte ihm zehn Dirhems und sprach: »Gib mir das und das« und nannte dabei einige Duftkräuter. Nachdem er sie in seine Schale gelegt hatte und weitergegangen war, fiel ihm die Schale aus der Hand, und der ganze Inhalt wurde nach allen Seiten verstreut. Da weinte der Hausierer und grämte sich so sehr, daß wir Mitleid mit ihm empfanden. So schlug Abū Hafs dem Ladeninhaber vor: »Vielleicht ersetzt du ihm einen Teil der Ware.« Jener stimmte zu; dann ging er zu ihm hinunter, sammelte von der Ware auf, was zusammen auf dem Boden lag, und ersetzte ihm das Fehlende. Währenddessen näherte sich der Scheich dem Hausierer, forderte ihn auf, sich zu fassen, und sprach zu ihm: »Gräme dich nicht; denn solche weltlichen Schwierigkeiten sind leichter zu lösen als unsere geistlichen.« Da sprach der Hausierer: »Glaubst du wirklich, verehrter Scheich, ich grämte mich über diesen Verlust? Gott der Erhabene weiß, daß ich damals, als ich mit der und der Karawane gereist bin, einen Beutel mit vierhundert« oder »viertausend Dinaren« – Abū Dharr wußte den Betrag nicht mehr genau – »sowie Edelsteinen im gleichen Wert verloren habe und daß ich mich damals über den Verlust nicht gegrämt habe. Heute nacht aber ist mir ein Kind geboren worden, und da

waren mir zu Hause die Dinge vonnöten, deren eine Wöchnerin nun einmal bedarf. Weil ich aber nur über diese zehn Dirhems verfügte, fürchtete ich, sie für die Bedürfnisse der Wöchnerin auszugeben, da ich mich so meines Kapitals entblößen würde, ohne die Gelegenheit zu haben, es neu zu verdienen. Dann sagte ich mir: ›Ich will doch lieber etwas dafür kaufen und mich am nächsten Morgen als Hausierer überall umtun. Es könnte ja sein, daß ich am Ende doch noch einen Überschuß zur Bestreitung der dringendsten Notdurft erziele und das Kapital zur Verfügung behalte.‹ Nachdem aber Gott den Verlust des Geldes beschlossen hatte, war mein Gleichmut dahin. Ich mußte mir sagen: ›Weder besitze ich Geld, womit ich zu meinen Angehörigen zurückkehren, noch sonst etwas, woraus ich Geld schlagen könnte.‹ Ich erkannte, daß mir nichts anderes übrigblieb, als vor den Meinen zu fliehen und sie in diesem Zustand zu verlassen, so daß sie nach meinem Fortgang zugrunde gehen mußten. Dies ist es, was meinen Gram verursacht hat.«

Just zu dieser Stunde saß an seiner Haustür ein Kriegsknecht, der alles mitanhörte. Dieser sagte zu dem Scheich Abū Hafs: »Ich hätte gern, daß du mit ihm zu mir hereinkommst, wenn ihr seine Angelegenheiten erledigt habt.« Dabei erhob er sich, so daß wir schon meinten, er wolle ihm etwas geben. Nachdem wir bei ihm eingetreten und er uns willkommen geheißen hatte, sagte der Kriegsknecht zu dem Hausierer: »Ich habe mich über deinen Kummer gewundert«, worauf jener ihm die ganze Geschichte wiederholte. Da fragte der Kriegsknecht: »Bist du wirklich mit jener Karawane gereist?« Er antwortete: »Ja, und an vornehmen Leuten waren der Soundso und der Soundso mit dabei.« Jetzt merkte der Kriegsknecht, daß er die Wahrheit sprach, und er fragte weiter: »Wie hat der Geldbeutel ausgesehen, und wo hast du ihn verloren?« Nachdem er ihm die Stelle und das Aussehen beschrieben hatte, fragte er: »Würdest du ihn wiedererkennen, wenn du ihn sähest?« Als er dies bejahte, holte der Kriegsknecht einen Beutel heraus und legte ihn vor ihm nieder. »Das ist ja mein Beutel«, rief der Hausierer aus, »und ein Zeichen für die Wahrheit meiner Worte soll sein, daß die darin enthaltenen Steine so und so aussehen.« Dann öffnete er den Beutel und fand die

Steine, wie er sie beschrieben hatte. Jetzt sagte der Kriegsknecht: »So nimm, was dein ist, und Gott schenke dir seinen Segen dazu!« Der Hausierer widersprach: »Diese Steine sind ebensoviel wert wie die Dinare. Wenn du die Dinare für dich nimmst, so werde ich mich darüber freuen.« Der Kriegsknecht entgegnete: »Für meine Treuhänderschaft nehme ich nichts.« So war der Hausierer als ein Armer bei ihm eingetreten und verließ ihn nun als ein reicher Mann.

Als der Kriegsknecht danach bitterlich zu weinen und zu jammern begann, fragte Abū Hafs ihn: »Warum weinst du, nachdem Gott das dir anvertraute Gut dem Eigentümer zurückerstattet und dir viel Geld geschenkt hat? Wenn du willst, schlagen wir jenem vor, daß er dir das Geld doch noch zurückgibt.« Da sprach er: »Nicht deshalb weine ich. Ich weine vielmehr, weil ich weiß, daß ich nun bald sterben werde; denn ich hatte nur noch die eine Hoffnung und den einen Wunsch, daß Gott den Eigentümer dieses Geldes zu mir führen und er es wieder an sich nehmen möchte. Nachdem Gott der Erhabene dies in seiner Gnade beschlossen hat und mir sonst keine Hoffnung mehr bleibt, weiß ich, daß ich bald sterben werde.« Danach dauerte es keinen Monat mehr, bis er starb und wir über seiner Bahre das Gebet sprachen.

67. Der Tod Hārūn ar-Raschīds

Ar-Raschīd träumte einmal, wie man es im Traume erleben kann, daß eine Frau vor ihm stehenblieb, eine Handvoll Erde aufnahm und dann zu ihm sprach: »Dies wird in Kürze deine Grabeserde sein.« Am Morgen erzählte er voller Schrecken seinen Traum. Seine Freunde antworteten ihm jedoch: »Was soll dies schon bedeuten? Die Menschen träumen manchmal noch mehr und noch Grausigeres, als du getan hast, ohne daß es eine böse Folge hat.« Als er danach ausritt, sagte er: »Ja ich sehe das Verhängnis auf mich zukommen!« Während er so seines Weges zog, gewahrte er auf einmal eine Frau, die hinter einem Eisengitter stand und den Blick auf ihn gerichtet hielt. Da sprach er: »Dies ist wahrhaftig die Frau, die ich im Traum geschaut habe!

Selbst unter tausend Frauen würde ich sie wiedererkennen.« Er befahl ihr, eine Handvoll Erde aufzunehmen und ihm zu reichen, worauf sie nach dem Boden griff, auf dem sie stand, und ihm eine Handvoll Erde gab. Da brach er in Tränen aus und sprach: »Bei Gott, dies ist die Erde, die mir im Traum gezeigt worden ist, und dies ist dieselbe Frau!« Nicht lange danach starb er, und nachdem sie für ihn gekauft worden war, wurde er an eben jener Stelle begraben.

68. Al-Mu ʿtadid und der Schiffer

Abū Muhammad al-Husain ibn Muhammad as-Sālihī erzählt: Wir waren eines Tages zur Mittagszeit um das Lager von al-Muʿtadid-billāh versammelt. Nachdem er gespeist hatte, schlief er ein. Dann erwachte er aufgeregt und rief: »Diener!« Wir beeilten uns, seinem Ruf zu folgen. Da sprach er: »Um Gottes willen! Helft mir, lauft hinunter zum Ufer des Tigris und den ersten Schiffer, den ihr in einem leeren Boot den Strom hinunterfahren seht, den ergreifet und bringet her. Für das Boot bestellt jemand zur Aufsicht.« Wir eilten von dannen und fanden in der Tat einen Schiffer in einem Boot, das leer den Fluß hinunterfuhr. Wir ergriffen ihn, bestellten jemand, der das Schiff beaufsichtigen sollte, und stiegen mit ihm hinauf zu al-Mu ʿtadid. Als er den Kalifen sah, kam er schier um vor Angst. Al-Mu ʿtadid schrie ihm so fürchterlich entgegen, daß ihm die Seele beinahe aus dem Leibe fuhr: »Du Verfluchter, schildere mir wahrheitsgemäß deine Angelegenheit mit der Frau, die du heute umgebracht hast. Andernfalls lasse ich dir den Kopf abschlagen.« Stockend bekannte er: »Ja, als ich mich bei Tagesanbruch an der und der Schöpfstelle befand, stieg eine Frau zum Wasser herab, wie ich noch keine je gesehen habe, angetan mit herrlichen Gewändern, reichem Schmuck und Edelsteinen. Weil sie meine Gier erregte, überlistete ich sie und hielt ihr den Mund zu. Nachdem ich sie ertränkt hatte, eignete ich mir alles an, was sie trug, und warf sie dann wieder ins Wasser. Ich wagte nicht, was ich ihr geraubt hatte, nach Hause zu bringen, weil mein Verbrechen sonst ruchbar geworden wäre. Deshalb beschloß ich, zu fliehen und nach Wāsit hinunterzufahren. So wartete ich ab, bis der Strom zu dieser Stunde frei von Schiffern war, und schickte mich an hinunterzufahren. Da haben mich diese Leute ergriffen und zu dir geschleppt.« Der Kalif fragte: »Wo ist der Schmuck und was du ihr sonst noch geraubt hast?« – »Vorn im Boot unter den Rohrmatten«, antwortete er, und al-Mu 'tadid verlangte: »Es soll mir sofort hergebracht werden!« Nachdem es geholt worden war, befahl er, den Schiffer zu ertränken. Danach ließ er durch Herolde in Bagdad verkünden: »Wo in einer Familie eine Frau bei Tagesanbruch zu der und der Schöpfstelle ausgegangen ist, angetan mit herrlichen Gewändern und Schmuck, da sollen die Angehörigen herkommen.« Am nächsten Tag erschienen ihre Angehörigen und gaben eine Beschreibung von ihr und von allem, was sie angehabt hatte, worauf der Kalif ihnen alles übergab. Da fragte ich ihn: »Hoher Herr, von wem hast du deine Kenntnis? Ist dir der Vorfall und das Schicksal dieses Mädchens von Gott offenbart worden?« – »Nein«, gab er mir zur Antwort, »ich habe vielmehr im Traum einen alten Mann mit weißem Haupt- und Barthaar und mit weißen Gewändern gesehen. Dieser hat mir verkündet: ›Ahmad, den ersten Schiffer, der zur Stunde den Strom hinunterfährt, ergreife und zwinge ihn, den Mord an der Frau zu gestehen, die er heute zu Unrecht getötet und ihrer Gewänder beraubt hat. Führe ihn der gesetzlichen Strafe zu, und er soll dir nicht entkommen.‹ Dann ist geschehen, was ihr selbst miterlebt habt.«

69. Die Weissagung des Bettlers

Eine Frau hatte einmal eine Tochter zur Welt gebracht und befahl nun einem Diener: »Gehe Feuer für uns holen.« Beim Hinausgehen stieß der Diener auf einen Bettler. Dieser fragte ihn: »Was hat deine Herrin zur Welt gebracht?« – »Eine Tochter«, antwortete er. Da verkündete ihm der Bettler: »Das Mädchen wird nicht eher sterben, als bis sie mit tausend Männern Unzucht getrieben und ihren Diener geheiratet hat. Ihren Tod wird sie durch eine Spinne finden.« Der Diener dachte bei sich: »Soll ich wirklich mit diesem Weib Langmut üben, so daß all die bösen Dinge durch sie geschehen?« Er wartete deshalb, bis die Mutter aufstand, um irgendetwas zu erledigen. Dann trat er an das Mädchen heran, schlitzte ihr mit einem Messer den Bauch auf und ergriff die Flucht. Als die Mutter zurückkam und ihre Tochter in diesem Zustand fand, rief sie jemand herbei, der sie behandelte, bis sie schließlich wieder gesund wurde. Nachdem das Mädchen herangewachsen war, wurde sie eine Dirne. Nach einiger Zeit begab sie sich auf die Reise und kam in eine Stadt, die irgendwo am Gestade des Meeres lag. Dort blieb sie wohnen, indem sie ihr liederliches Leben weiterführte.

Der Diener aber wurde Kaufmann und kam schließlich als ein reicher Mann in diese Stadt. Dort bat er eines Tages ein altes Weib: »Vermittle mir die Heirat mit einer hübschen Frau.« Sie pries ihm die Vorzüge der Dirne und sagte: »Eine schönere als sie gibt es hier nicht, aber sie führt ein liederliches Leben.« Er bat die Alte: »Komm mit ihr her.« Darauf ging sie fort und berichtete ihr alles. »Ich nehme ihn sehr gern zum Mann«, gab sie zur Antwort, »denn mein Lasterleben gebe ich gerade auf.« So heiratete sie der Mann, und er gewann sie herzlich lieb. Er lebte bereits eine Zeitlang mit ihr zusammen, als er immer noch den Wunsch hegte, sie einmal nackt zu sehen. Dies war jedoch nicht möglich, bis er eines Tages wie gewöhnlich ausging, um seine Geschäfte zu erledigen, während sie ins Bad ging. Weil er irgendetwas brauchte, kehrte er nach Hause zurück und ging hinauf in ihr Gemach. Als er sie dort nicht fand, fragte er nach ihr, und man sagte ihm, sie sei im Bad. Da trat er zu ihr hinein, und wie er sie nun nackend sah, gewahrte er an ihrem Bauch eine Narbe, die wie eine Naht aussah. »Was ist das?« fragte er sie. »Ich weiß nur«, erwiderte sie, »daß meine Mutter mir erzählt hat, wir hätten einmal einen Diener gehabt. Dieser habe am Tage meiner Geburt eine Unachtsamkeit von ihr dazu benutzt, mir mit einem Messer den Bauch aufzuschlitzen, und dann sei er geflohen. Als sie mich in diesem Zustand gefunden habe, habe sie einen Arzt gerufen, der meinen Bauch genäht und mich behandelt habe, bis meine Wunde geheilt, ich wieder gesund und nur noch diese

Narbe übrig gewesen sei.« Da sprach er zu ihr: »Ich bin jener Diener«, und nun erzählte er ihr, warum er dies getan und daß der Bettler ihm auch verkündet habe, daß sie einmal an dem Biß einer Spinne sterben werde.

In der Folge machte er sich große Sorge um ihr Schicksal. Er versammelte deshalb alle Baumeister der Stadt, in der sie wohnten, und gab ihnen den Auftrag, ihm ein Haus zu bauen, in dem die Spinnen kein Gewebe herstellen könnten. Sie erwiderten: »Es gibt kein Haus ohne Spinngewebe, es sei denn, daß es aus Kristall gebaut ist, weil es dann zu glatt für Spinngewebe ist.« Nun befahl er ihnen, ein Schloß aus Kristall für seine Frau zu errichten, und er gewährte ihnen alles, was sie verlangten. So bauten sie das Schloß, und nachdem er es hatte einrichten lassen, befahl er ihr, sich ständig darin aufzuhalten und es nicht zu verlassen, weil er für sie Angst vor Spinnen hatte. Als er eines Tages sah, daß auch in diesem Schlosse eine Spinne ihr Gewebe gesponnen hatte, ging er hin, warf etwas hinein und sprach zu seiner Frau: »Diese ist es, die dir den Tod bringen wird.« Die Frau aber setzte ihre große Zehe auf die Spinne und sagte spöttisch: »Diese soll es sein, die mich umbringen wird?« und trat sie tot. Da blieb ein winziges Tröpfchen von dem Spinnengift an ihrer Zehenspitze haften. Dieses wurde wirksam bei ihr, so daß der Unterschenkel anschwoll. Schließlich drang die Schwellung weiter bis zum Herzen und verursachte ihren Tod. So hatten ihm sein Schloß und sein ragender Bau nichts genützt. Gott der Erhabene sagt (Koran 4, 78): »Wo ihr auch immer seid, der Tod wird euch erreichen, und befändet ihr euch in hohen Türmen.«

Zauber und Geister

70. *Die Grabung des ʿAbd al-ʿAzīz*

Als ʿAbd al-ʿAzīz ibn Marwān Statthalter seines Bruders ʿAbd al-Malik in Ägypten war, kam einmal ein Mann zu ihm, der es liebte, gute Ratschläge zu erteilen. Auf die Frage des ʿAbd al-ʿAzīz, was er ihm vorzuschlagen habe, erklärte er: »Unter der und der kuppelförmigen Erhebung liegt ein großer Schatz.« – »Wie willst du das beweisen?« fragte ʿAbd al-ʿAzīz, und jener fuhr fort: »Der Beweis besteht in folgendem: Nach kurzer Grabung werden wir auf einen Fußboden aus Marmor und Alabaster aller Art stoßen. Wenn wir dann weitergraben, werden wir eine Messingtür freilegen, unter der sich eine goldene Säule befindet. Auf der Spitze der Säule steht ein goldener Hahn. Seine Augen sind zwei Rubine, die soviel wert sind wie der Steuerertrag der ganzen Welt. Seine Flügel sind mit Rubinen und Smaragden besetzt, und seine Zehen stehen auf den goldenen Platten, mit denen die Säule gedeckt ist.« Da ließ ʿAbd al-ʿAzīz ihm einige tausend Dinare auszahlen, um die Männer zu entlohnen, die bei dem Unternehmen graben oder andere Arbeiten verrichten sollten. Es war also ein hoher Hügel dort. Als man ein großes Loch bei ihm grub, kamen die genannten Anzeichen für den Schatz, wie der Marmor und der Alabaster, wirklich zum Vorschein. Da wurde die Begierde des ʿAbd al-ʿAzīz nach ihm noch größer, so daß er weitere Gelder zur Verfügung stellte und die Zahl der Arbeiter erhöhte. Bei der Fortsetzung der Grabung gelang es zunächst, den Kopf des Hahnes freizulegen. Als er sichtbar wurde, zuckte infolge der großen Leuchtkraft und des jäh erstrahlenden Lichtes seiner Rubinaugen ein heller Schein auf wie von einem blendenden Blitz. Danach kamen seine Flügel und schließlich seine Zehen heraus. Weiter entdeckte man rings um die Säule eine ganze Säulenhalle aus Steinen und Alabaster aller Art mit Arkaden und Nischen über bogenförmigen Türen. Darin waren verschiedenartige Bildwerke und Gestalten aus Gold zu erkennen sowie steinerne Behälter, die mit Deckeln fest verschlossen waren. Dies alles war mit goldenen Stangen zugesperrt.

Danach ritt ʻAbd al-ʻAzīz hinaus und kam zu dem Ort der Ausgrabung. Während er die Dinge betrachtete, die man dort entdeckt hatte, setzte einer von seinen Leuten voreilig seinen Fuß auf eine Treppe aus Messing, die dort hinunter führte. Sein Fuß stand kaum auf der vierten Stufe, da schnellten rechts und links von der Treppe zwei riesige, uralte Schwerter hervor, begegneten einander auf dem Mann, und im gleichen Augenblick hieben sie ihn in Stücke. Sein Leib stürzte in die Tiefe hinab. Als ein Stück von ihm auf einer der Treppenstufen liegenblieb, erbebte die Säule. Der Hahn gab einen ungewöhnlich lauten Schrei von sich, der noch in weiter Ferne zu hören war, und flatterte mit den Flügeln. Jetzt kamen von unten seltsame Töne empor, die von den Verschraubungen und Bewegungen des Triebwerkes stammten. Wenn nun irgend etwas auf eine dieser Treppenstufen geriet oder sie auch nur berührte, dann kehrte sie sich um. So stürzten die dort tätigen Männer einer nach dem anderen auf die Sohle der Grube hinunter. Etwa zweitausend Männer waren dort anwesend, solche, die gruben, und solche, die dabei halfen oder die Erde wegschafften, Zuschauer, Antreiber und Aufseher. Alle kamen sie um. ʻAbd al-ʻAzīz bedauerte dies sehr, und er sprach: »Dies ist eine Trümmerstätte, die seltsamerweise unantastbar ist. Gott bewahre uns vor ihr!« Dann warfen auf seinen Befehl einige Leute die dort ausgehobene Erde auf die Toten, und so bildete diese Stätte ihr Grab.

71. Die Talismane der Fische

Dā'ūd ibn Rizk-Allāh ibn ʻAbdallāh, der viel in Ägypten umhergereist ist und das Land gut gekannt hat, erzählt, er sei einmal auf einer Wanderung im Süden in eine große Höhle gekommen, die Schakalkīl-Höhle hieß. Dort stieß er auf einen großen Haufen Sandarak. Er schritt darüber hinweg und ging weiter. Auf einmal gewahrte er eine Riesenmenge von Fischen, die alle in Kleider gewickelt waren, als seien sie nach ihrem Tod in Leinentücher eingehüllt worden. Als er einen von den Fischen in die Hand nahm und untersuchte, entdeckte er in seinem Maul einen Dinar mit einer kaum lesbaren Inschrift. Nun begann er, Fisch für Fisch aufzuheben und aus dem Maul eines jeden einen Dinar herauszuholen, bis er auf diese Weise eine große Anzahl von Dinaren beisammen hatte. Diese nahm er und trat den Rückweg an, um die Höhle wieder zu verlassen. Als er jedoch an den Sandarakhaufen kam, war dieser zu seiner Überraschung inzwischen so hoch angewachsen, daß er ihm den Weg versperrte. So ging er zu den Fischen zurück und legte die Dinare wieder an Ort und Stelle. Als er dann aufs neue hinausgehen wollte, fand er den Sandarak in seiner ursprünglichen Höhe, so daß er über ihn hinweg ins Freie gelangen konnte. Dann kehrte er aber um, nahm die Dinare zum zweiten Mal, und, im Begriff mit ihnen fortzugehen, mußte er abermals feststellen, daß der Sandarak wieder so hoch geworden war, daß ihm der Weg versperrt war. So ging er aufs neue zu den Fischen zurück, legte die Dinare an Ort und Stelle, und, zum Ausgang zurückkehrend, fand er den Sandarak wieder in seinem ursprünglichen Zustand, so daß er über ihn hinweg ins Freie gelangte. Dieses Nehmen und Zurückgeben der Dinare wiederholte er noch mehrere Male, doch es geschah alles wie zuvor, so daß er Angst um sein Leben bekam, die Höhle verließ und von dannen ging.

Als er später einmal in der Nähe dieser Höhle wohnte, entdeckte er in einer Mauer einen ausgehöhlten Stein, auf den ein anderer aufgesetzt war. Nachdem es ihm gelungen war, diesen zu entfernen, kamen darunter sechs Dinare der gleichen Art zum Vorschein, wie er sie in den Fischmäulern gefunden hatte. Einen davon nahm er an sich, die übrigen ließ er jedoch liegen und setzte den Stein wieder auf den anderen. Danach beschloß Gott in seinem Ratschluß, daß er eines Tages in einem Boot vom Ostufer auf das Westufer des Nils übersetzen sollte. Als er in der Mitte des Stromes angekommen war, siehe, da sprangen die Fische aus dem Wasser heraus und stürzten sich in das Boot hinein, »so daß wir« – (er erzählt nun wörtlich) – »ob ihrer Menge unterzugehen drohten. Die Fahrgäste schrien in ihrer Todesangst. Ich aber dachte an den Dīnār, den ich bei mir hatte, und daß er dieses Ereignis veranlaßt haben könnte. Ich holte ihn deshalb aus meiner Tasche und warf ihn ins Wasser. Da sprangen die Fische wieder einer nach dem anderen aus dem Boot hinaus und stürzten sich in die Flut bis keiner mehr übrig war.«

Der Verfasser sagt: Einer, an dessen Glaubwürdigkeit ich keinen Zweifel hege, hat mir früher einmal erzählt, er habe sich einen Talisman dieser Art verschaffen können und er besitze ihn noch. Er wollte mir auch zeigen, wie die Fische aus dem Wasser springen, doch es war mir nicht beschieden, dies zu sehen.

72. Die Rettung des Hādschiz

Als Hādschiz sich wieder einmal auf einem Raubzug befand, umringte ihn der Stamm der Chath'am. Hādschiz war begleitet von seinem Neffen Baschīr. »Was rätst du zu tun, Baschīr?« fragte er ihn. Dieser sprach: »Laß sie in Ruhe. Dann werden sie trinken, die Rückkehr antreten und gehen, und wir werden mit ihnen gehen, so daß sie uns für einen der ihren halten.« Dies taten sie. Nun hatte aber Hādschiz am Unterschenkel ein Mal. Als eine Frau von den Chath'am das Mal gewahrte, schrie sie: »Ihr Leute vom Stamm der Chath'am, dies ist ja Hādschiz!« Da stürmten sie hinter ihm her. Ein altes Weib aber, das sich auf die Zauberkunst verstand, fragte sie: »Soll ich euch der Sorge um seine Waffen oder der Sorge um seinen schnellen Lauf entheben?« Sie antworteten: »Nicht der Sorge um seinen schnellen Lauf, denn wir haben 'Auf bei uns, der ebenso gut laufen kann wie er, wohl aber der Sorge um seine Waffen.« So verzauberte sie ihnen seine Waffen, und 'Auf ibn al-Agharr jagte hinter ihm her. Als er sich ihm näherte, schrien die Chath'am ihm zu: »Nun schieße auf Hādschiz, 'Auf!« Er aber wagte nicht ihn anzugreifen, sondern war feige. Da wurden sie zornig und schrien: »Du sollst deines Lebens sicher sein, Hādschiz! Töte den 'Auf; denn er hat Schande über uns gebracht.« Als Hādschiz nun den Bogen spannte, um auf ihn zu schießen, riß seine Sehne entzwei, weil die Frau von den Chath'am seine Waffen verzaubert hatte. Jetzt nahm er den Bogen seines Neffen Baschīr; doch als er diesen spannte, brach er entzwei. Da flohen die beiden vor den Leuten und entkamen.

73. Die Verzauberung des 'Umāra

Nachdem die Kuraischiten mit 'Umāra ibn al-Walīd al-Machzūmī zu Abū Tālib gegangen war, ist dieser mit 'Amr ibn al-'Ās as-Sahmī – beide waren Kaufleute – zum Nadschāschī gereist. Abessinien war damals für die Kuraischiten ein Handelsmarkt und Reiseziel, und beide Männer waren noch Heiden, Dichter und Meuchelmörder, war doch die Zeit ihrer religiösen Unwissenheit noch nicht vorüber. Im übrigen hatte 'Umāra einen starken Hang zu den Frauen und liebte es, mit ihnen zu plaudern. –

Nachdem sie einige Tage zu Schiff gereist waren, griffen sie einen Wein an, den sie mit sich führten. Als er 'Umāra zu Kopfe stieg, bat er die Frau des 'Amr ibn al-'Ās, ihn zu küssen. 'Amr sagte zu ihr: »Gib deinem Vetter ruhig einen Kuß«, und sie küßte ihn. 'Amr war jedoch um seine Frau besorgt. Er beobachtete sie daher in der Folge wie sie auch ihn, und wenn er mit 'Umāra trank, nahm er von nun an nur wenig Wein und verdünnte ihn für sich mit Wasser, aus Angst, er könnte sich betrinken und 'Umāra würde ihm dann mit Gewalt seine Frau nehmen. Anderseits begann dieser mit Verführungsversuchen, denen sie jedoch widerstand. Danach hockte sich 'Amr eines Tages an den Rand des Schiffes, um Wasser zu lassen. Da stieß 'Umāra ihn ins Meer. Unten angekommen, schwamm er, bis es ihm gelang, das Schiffstau zu ergreifen. Dann kletterte er hinauf und erschien wieder an Bord des Schiffes. 'Umāra sagte zu ihm: »Bei Gott, 'Amr, wenn ich gewußt hätte, daß du gut schwimmen kannst, hätte ich dies nicht getan.« 'Amr aber grollte seiner Frau und wußte jetzt, daß 'Umāra ihm nach dem Leben trachtete. Darauf setzten sie ihre Reise fort, bis sie nach Abessinien kamen und dort haltmachten . . .

Kaum hatten sie sich in Abessinien niedergelassen, da buhlte

'Umāra um die Gunst der Frau des Nadschāschī. Diese gewährte ihm den Zutritt zu sich, und er ging häufig zu ihr hin. Wenn er von seinem Besuch heimkehrte, begann er dem 'Amr ibn al-'Āṣ von seinem Abenteuer zu erzählen. Dieser erwiderte ihm jedoch: »Ich glaube nicht, daß dir dies möglich gewesen ist. Dafür steht die Frau zu hoch.« Nachdem er dem 'Amr immer wieder das gleiche erzählt und dieser ihm schließlich Glauben geschenkt hatte, wollte sich 'Amr aber vergewissern. 'Umāra pflegte ihn zu verlassen, um jeweils bei Tagesanbruch zu ihm zurückzukehren. Sie teilten nämlich die Wohnung miteinander. Als 'Umāra jetzt anfing, ihn zu einem gemeinsamen Trunk einzuladen, lehnte 'Amr dies mit der Begründung ab: »Dies hält dich von deinem Besuch bei der Frau ab!« Weil 'Amr den Wunsch hegte, er möchte ihm einen Gegenstand mitbringen, gegen den er nichts sagen könnte, wenn 'Umāra ihn dem Nadschāschī vorweisen würde, sprach er zu 'Umāra, als er ihm wieder einmal von seinen Erlebnissen erzählte: »Wenn du die Wahrheit sagst, so bitte die Frau, dich mit dem Öl des Nadschāschī einzureiben, das keiner außer ihm verwendet. Ich kenne es nämlich. Wenn du mit diesem Öl zu mir kämest, würde ich dir glauben.« 'Umāra tat dies und brachte eine Flasche von seinem Öl mit. Als 'Amr es roch, erkannte er es wieder, und da sprach er zu ihm: »Du sagst die Wahrheit. Dir ist etwas zuteil geworden, was noch nie einem Araber zuteil geworden ist, und du hast von der Frau des Königs etwas erlangt, was für uns unerhört ist.« Danach sprach er nicht mehr davon. Als er schließlich seiner Sache sicher war, ging er zum Nadschāschī und sagte zu ihm: »Erhabener König, mein Vetter ist ein unverschämter Kerl. Ich fürchte, daß sein Verhalten mich in deinen Augen herabwürdigt, und ich hatte bereits die Absicht, dich über ihn zu unterrichten, doch ich habe davon Abstand genommen, bis ich mich nun versichert habe, daß er bei einer von deinen Frauen Zutritt gefunden und sie häufig besucht hat. Dies hier ist von deinem Öl. Es ist ihm geschenkt worden, und er hat mich damit eingerieben.« Als der Nadschāschī das Öl roch, sagte er: »Du hast recht. Dies ist mein Öl, das nirgends anders als bei meinen Frauen zu finden ist.«

Darauf ließ er 'Umāra kommen und bestellte gleichzeitig die

Zauberinnen. Nachdem man ʿUmāra die Kleider ausgezogen hatte, bliesen die Zauberinnen ihm in sein Glied hinein. Dann ließ er ihn wieder frei, und ʿUmāra suchte schleunigst das Weite. Er lebte in Abessinien, bis ʿUmar ibn al-Chattāb Kalif war. Damals ging ʿAbdallāh ibn abī Rabīʿa, der vor seiner Bekehrung zum Islam Bahīr geheißen und vom Gottgesandten den Namen ʿAbdallāh erhalten hatte, auf die Suche nach ihm aus. Er lauerte ihm in Abessinien an einem Gewässer auf, bei dem er sich mit den wilden Tieren einzufinden pflegte. ʿUmāra kam auch dieses Mal zum Wasser. Als er jedoch den Geruch von Menschen wahrnahm, floh er von dannen, und erst, als ihm der Durst ernstlich zu schaffen machte, kehrte er zum Wasser zurück und trank sich satt. Die Leute aber zogen aufs neue aus, um ihn zu suchen. ʿAbdallāh ibn abī Rabīʿa erzählt selbst: »Da eilte ich auf ihn zu und umarmte ihn. Er aber begann mich anzuflehen: ›Laß mich los, Bahīr! Laß mich los, Bahīr! Wenn ihr mich festhaltet muß ich sterben!‹ Ich aber drückte ihn an mich, und da starb er auf der Stelle in meinen Armen.« Nachdem ʿAbdallāh ihn begraben hatte, ging er seiner Wege. Sein Haarwuchs hatte sich übrigens über seinen ganzen Leib ausgedehnt.

74. Gleicher Kern in anderer Schale

Ein Spaßmacher erzählt:

Ich bin in meiner Jugend ein großer Frauenfreund und arger Schürzenjäger gewesen, aber ich wurde die Frauen schnell leid, so daß keine Liebe bei mir Bestand hatte. Immerhin, jedesmal, wenn mir eine Frau gefiel, war ich gleich rasend, und es gab nichts mehr für mich als die Liebe zu ihr.

Ja man sagt:

> Wen gleich beim Schauen nichts mehr hält,
> Der gleitet aus vor Gier und fällt.

Ferner: Sei auf der Hut vor deinen Augen:

> Oft muß statt Lust Verderben
> Des Auges Vorwitz erben.

Ferner:

> Wer treulos, ist nicht wert
> Des Guts, das er begehrt.

Auch sagt man:

> Nur des Gemeinen Art
> Der Überdruß sich paart.

Und schließlich heißt es:

> Wer Freunde wechselt leicht,
> Dem Glaubenswechsler gleicht.

Der Spaßmacher erzählt also:

Eines Tages führte mich mein Weg nach Sind. Als ich dort in irgendeiner Stadt umherschlenderte, gewahrte ich plötzlich eine Frau: Nie hatte ich zuvor eine gesehen, die so schön gebaut und schlank gewachsen war, die sich mit solcher Anmut bewegte und so liebreizend mit ihren Fingern sprach, die von einem solchen Zauber der Augen und solch bestrickendem Gebaren war wie sie. Ich folgte ihr, ohne in meiner Verwirrung darauf zu achten, wohin meine Füße traten, bis sie schließlich ihre Behausung erreichte und hineinging. Ich aber wich Tag und Nacht nicht mehr von ihrer Haustür, so daß sie mir am Ende durch einen Boten nahelegen ließ, mich von ihrer Haustür zu entfernen, und mich vor Gewaltmaßnahmen ihrer Angehörigen warnte. Da klagte ich ihrem Boten, welch Liebesleid mich getroffen habe, und ich ließ ihn wissen, daß ich nie und nimmermehr von ihrer Tür weichen und daß ich auf Gedeih und Verderben nach ihr trachten würde. Eine Weile ließ sie mich außer Acht. Dann schickte sie den Boten aufs neue zu mir. Ich aber hieß ihn mit dem gleichen Bescheid zu ihr zurückkehren. Schließlich ließ sie mir bestellen: »Ich habe dich im Verdacht, daß du alles leid wirst und treulos bist. Wenn dem nicht so wäre, würde ich mich beeilen, dir zu helfen. Ich bin bereit dich zu heiraten, unter der Bedingung, daß du mir treu bleibst. Wirst du mir untreu, so werde ich dich vernichten, nachdem ich dich als ein warnendes Beispiel bestraft habe. Wenn du diese Bedingung annimmst, so komme getrost her. Andernfalls bringe dich in Sicherheit, bevor es dir unmöglich ist zu entkommen.«

Vier Arten von Menschen gibt es, die bei Heimsuchungen kein Mitleid verdienen: Wer den Arzt bei der Beschreibung seiner Krankheit belügt, wer sich erkühnt, etwas aufzuheben, was für ihn zu schwer ist, wer sein Geld durch Vergnügungen verschwendet und wer Dinge wagt, vor deren bösen Folgen er gewarnt ist.

Ja man sagt:

> Wer dich belehrt, reicht dir die Hand.
> Wer mahnt, den bösen Schlaf verbannt.

Ferner heißt es:

> Wer Dinge deutlich sagt und klar,
> Rät damit ehrlich dir und wahr.
> Wer Augen öffnet, warnend spricht,
> Versäumet Treue nicht und Pflicht.

Der Spaßmacher erzählt weiter:

Ich nahm ihre Bedingung an und gelobte ihr hoch und heilig Treue. So wurde sie meine Frau, und ich durfte meine Sehnsucht bei ihr stillen.

Nachdem ich eine Zeitlang mit ihr gelebt hatte, bekam sie eines Tages Besuch von einer Freundin ihres Alters. Als ich sie verstohlen betrachtete, erregte sie mein Entzücken, und mein Herz war gleich für sie entflammt. Ich schlich ihr auf dem Heimweg nach und begann, ihr Briefe zu schreiben und mich ständig an ihrer Haustür aufzuhalten. Sie aber empfand mich als lästig und beklagte sich bei meiner Frau über mich. Da schalt und tadelte sie mich wegen meines Verhaltens, erinnerte mich an meine Versprechungen und untersagte mir mein Tun, ich aber wurde nur noch ungeduldiger. Als sie dies merkte, verzauberte sie mich in einen Neger mit häßlicher Fratze. In der Folge verwendete sie mich zu allerlei niedrigen Diensten. Gleichwohl beschäftigte mich meine traurige Lage nicht derart, daß ich mich nicht über beide Ohren in eine Negerin verliebte. Ich begann, ihr bei meiner Arbeit nachzustellen und zudringlich zu werden. Als dies der schwarzen Magd zuviel wurde, beklagte sie sich über mich bei meiner Frau, die mich verzaubert hatte.

Ja man sagt: »Die Natur übt auf den Menschen einen stärkeren Einfluß aus als die Erziehung, weil die Natur wesenhaft ist und die mit ihr wachsenden Kräfte sie unterstützen. So übt sie einen stärkeren Einfluß auf die Seele aus, in der sie beheimatet ist; denn sie erschließt sie und verfügt dabei über viele Hilfskräfte. Die Erziehung dagegen greift nur von außen her und als etwas Fremdes Platz.«

Ferner heißt es: »Kein Erzieher geht mehr fehl in seinen Bemühungen als der, der vom Zögling verlangt, er solle ihn wider seine Natur unterstützen. Wie sollte er es auch tun? Denn seine Natur steht ihm näher und übt einen stärkeren Einfluß auf ihn aus als sein Erzieher. Ein weiser Erzieher ist vielmehr der, der seine Forderungen an den Zögling in der Weise stellt, daß er ihm seine tadelnswerten Wesenszüge verschleiert, verheimlicht und verhehlt.«

Der Spaßmacher erzählt weiter:

Als meine Frau erfuhr, was ich trieb, ergrimmte sie gewaltig wider mich. Dann verzauberte sie mich in einen Esel. In der Folge vermietete sie mich an Leute, die mich für die schwierigsten Arbeiten verwendeten und mir die schwersten Lasten aufbürdeten. Lange Zeit mußte ich dies tun. Dennoch beschäftigte mich auch jetzt meine unglückliche Lage nicht derart, daß ich mich nicht in eine Eselin vernarrte. Meine Liebe zu ihr steigerte sich zur Leidenschaft, und jedesmal, wenn ich sie sah, schrie ich und verlangte aufs heftigste nach ihr, wurde aber mit Stockhieben von ihr fortgetrieben. Dies bereitete mir bitteres Leid.

Nun geschah es eines Tages, daß meine Frau, die mich verzaubert hatte, bei der Tochter des Königs jener Stadt zu Besuch war. Sie saß mit ihr zusammen in einem Obergemach von ihr, von dem sie auf die Umgebung hinunterschauen konnte. An jenem Tage hatte mich ein alter, schwacher Mann gemietet. Ich mußte Gefäße aus Ton tragen, die in zwei Behältern verstaut waren. Als ich mit dem Mann an dem Schloß der Königstochter vorbeikam, gewahrte ich daselbst die Eselin, in die ich mich verliebt hatte. Da konnte ich nicht mehr an mich halten, sondern schreiend strebte ich zu ihr hin und benahm mich, wie sich nun einmal Esel in solcher Lage zu benehmen pflegen. Die Leute begannen von allen Seiten auf mich einzudreschen, während mir die Töpferwaren Stück um Stück vom Rücken hinunterpurzelten.

Dabei schrie der Alte, dem sie gehörten, und rief die Leute zu Hilfe. Straßenjungen und Gesindel stimmten ringsum ein wildes Gebrüll an, indes die Eselin, nach mir ausschlagend, vor mir fortlief, ich hinterher in meinem Zustand. Alles dies sah die Königstochter mit an. Es machte ihr großen Spaß, und sie mußte lachen. Da sagte meine Frau, die mich verzaubert hatte, zu ihr: »Liebe Prinzessin, soll ich dir noch etwas Seltsameres erzählen als das, was du soeben mit dem Esel erlebt hast?« Nachdem sie dies bejaht hatte, sprach meine Frau zu ihr: »Dieser Esel ist mein Mann!« Dann erzählte sie ihr meine Geschichte. Die Königstochter wunderte sich aufs höchste über das, was sie hörte, und freute sich herzlich. Danach bat sie meine Frau, meinen Zauber zu lösen und mich meiner Wege gehen zu lassen. Dies sagte sie ihr zu und nahm den Zauber von mir. Da wurde ich wieder ein richtiger Mensch, und ich hatte nichts Eiligeres zu tun, als Sind zu verlassen.

75. Bestrafter Geiz

Nadschīh al-Jarbū'ī ging eines Tages auf die Jagd. Da stieß er auf einen Wildesel. Er verfolgte ihn bis in ein Dickicht hinein. Dort gewahrte er plötzlich einen blinden Mann von schwarzer Hautfarbe. Dieser saß in Lumpen gekleidet, und vor ihm lagen Gold und Silber, Perlen und Edelsteine. Nadschīh trat an ihn heran und nahm etwas von dem Schatz in die Hand. Doch nun konnte er die Hand nicht mehr bewegen, bis er es wieder losließ. Dann fragte er den Blinden: »Du, was ist dies, was hier vor dir liegt, und wie kann man es an sich nehmen? Gehört es dir oder einem anderen? Ich wundere mich nämlich über den Anblick. Bist du freigebig? Dann beschenkst du mich sicher in reichem Maß. Oder bist du geizig? Na, dann will ich dir verzeihen.« Der Blinde erwiderte: »Suche einen Mann, der seit drei Jahren vermißt wird. Er heißt Sa'd ibn Chaschram ibn Schammās. Wenn du mit ihm zu mir herkommst, schenke ich dir, was du wünschst.« Da eilte Nadschīh in höchster Aufregung von dannen und kehrte zu seiner Sippe zurück. Er trat in sein Zelt ein, und aus lauter

Kummer, weil er nicht wußte, wer Sa'd ibn Chaschram war, legte er sein Haupt nieder und schlief ein. Da erschien ihm im Traum ein Mensch, der zu ihm sprach: »Nadschīh, Sa'd ibn Chaschram gehört zu den Banū Muhallim aus der Sippe des Dhuhl ibn Schaibān.« Als er sich dann nach den Banū Muhallim und dort wieder nach Chaschram ibn Schammās erkundigte, traf er plötzlich einen Greis, der am Eingang seines Zeltes saß. Nadschīh grüßte ihn, und jener gab ihm den Gruß zurück. Auf Nadschīhs Frage, wer er sei, erklärte er: »Ich bin Chaschram ibn Schammās.« Weiter fragte er: »Und wo findet sich dein Sohn Sa'd?« Jener antwortete: »Er ist ausgezogen, um Nadschīh al-Jarbū'ī zu suchen. Ihm ist nämlich im Traum jemand erschienen, der ihm gesagt hat, auf dem Gebiet der Banū Jarbū' liege ein Schatz für ihn, den keiner kenne außer Nadschīh al-Jarbū'ī.« Da schlug Nadschīh auf sein Roß ein und jagte davon. Als er sich seinem Lagerplatz näherte, kam ihm Sa'd entgegen. Nadschīh fragte ihn: »Hast du, Reiter, bei den Banū Jarbū' Sa'd getroffen?« – »Ich bin selbst Sa'd«, antwortete er, »und kannst du mir wohl Nadschīh zeigen?« – »Dies bin ich«, sagte Nadschīh und erzählte ihm sein Erlebnis. Da erklärte Sa'd: »Wer den Weg zum Guten zeigt, ist gleich dem, der Gutes tut.« – Er ist es übrigens, der dieses Wort geprägt hat. – Danach brachen sie zusammen auf und gelangten schließlich zu jenem Ort. Der Blinde versteckte sich vor ihnen, ließ jedoch den Schatz liegen. Als nun Sa'd alles an sich nahm, sagte Nadschīh: »Teile mit mir, Sa'd.« Er aber gab ihm zur Antwort: »Schere dich fort von mir und von meinem Schatz«, und er lehnte es ab, ihm irgend etwas zu geben. Da zückte Nadschīh sein Schwert und begann auf ihn einzuschlagen, bis er starb. Nachdem er tot zu Boden gesunken war, verwandelte sich der Mann, der den Schatz gehütet hatte, in eine Dämonin und beeilte sich, Sa'd aufzufressen. Der Schatz aber kam an seinen alten Platz. Als Nadschīh dies sah, machte er kehrt und floh zu seiner Sippe.

76. *Das Abenteuer des ʿAbīd ibn al-Abras*

Der Richter Jahjā ibn Aktham erzählt:

Als ich eines Tages beim Kalifen Hārūn ar-Raschīd, dem Sohn Mahdīs, eintrat, schaute er nachdenklich zu Boden. Dann fragte er mich: »Weißt du, wer den Vers gedichtet hat:

Das Gute bleibt dir auch nach langer Zeit,
Doch Übeltat gibt schlechtes Weggeleit?«

»Fürst der Gläubigen«, antwortete ich, »dieser Vers hat etwas mit ʿAbīd ibn al-Abras zu tun.« Da befahl er, ʿAbīd zu holen. Nachdem er bei ihm erschienen war, sprach der Kalif zu ihm: »Berichte mir, was für eine Bewandtnis es mit diesem Vers hat.« Da erzählte ʿAbīd folgendes:

Ich befand mich in irgendeinem Jahr auf der Wallfahrt nach Mekka. Als ich mitten in der Wüste war – es war an einem glühend heißen Tage –, hörte ich plötzlich ein fürchterliches Geschrei, das sich von einem Ende der Karawane bis zum anderen fortsetzte. Auf meine Frage nach dem Grund sagte einer von den Pilgern zu mir: »Gehe weiter nach vorn; dann siehst du, was bei den Leuten geschehen ist.« Als ich bis zum Anfang der Karawane vorging, gewahrte ich zu meinem Entsetzen eine schwarze Schlange von der Länge einer Dattelpalme, die ihren Rachen aufriß. Dabei schrie sie wie ein Stier und brüllte wie ein Kamel. Ihr Anblick jagte mir Schrecken ein, und ich war so verblüfft, daß ich nicht wußte, wie ich mich ihr gegenüber verhalten sollte. Als wir dann von diesem Weg abbogen und eine andere Richtung einschlugen, trat sie uns ein zweites Mal entgegen. Jetzt erkannte ich, daß dies einen bestimmten Grund haben mußte. Weil sich keiner von den Leuten ihr zu nähern wagte, sagte ich mir: »Ich will mein Leben für diese Leute opfern und mir dadurch Gottes Huld erwerben, daß ich die Karawane von der Schlange errette.« Ich nahm daher einen Schlauch mit Wasser, band ihn mir um die Schultern und ging mit gezücktem Schwert vor. Als die Schlange mich herankommen sah, verhielt sie sich ganz ruhig, während ich erwartete, daß sie nun einen Sprung machen und mich dabei verschlingen würde. Kaum hatte sie den Schlauch erblickt, da sperrte sie den Rachen auf. Ich aber legte ihr die Öffnung des Schlauches in den Rachen und goß das Wasser hinein wie in ein Gefäß. Als der Schlauch leer war, kroch sie durch den Sand davon. Ich wunderte mich darüber, daß sie sich uns zuerst in den Weg gestellt, dann aber verlassen hatte, ohne daß uns durch sie ein Leid widerfahren war. Nach diesem Erlebnis setzten wir unsere Wallfahrt fort. Später kehrten wir auf dem gleichen Weg zurück und machten in einer dunkeln, finstern Nacht wieder an dieser Stelle halt. Da nahm ich mir etwas Wasser und bog von dem Weg ab, um mein Bedürfnis zu befriedigen. Dann wusch ich mich dem Gesetz gemäß, verrichtete mein Gebet und ließ mich nieder, um Gott den Erhabenen zu preisen. Jetzt fielen mir die Augen zu, und ich schlief an Ort und Stelle ein. Als ich aus dem Schlaf erwachte, fand ich keine Spur mehr von der Karawane; denn sie war bereits aufgebrochen. So war ich ganz allein, ohne irgend jemand zu sehen, ratlos, was ich tun sollte. Ich wurde verwirrt und geriet in Aufregung. Da erscholl plötzlich eine unsichtbare Stimme, deren Laute ich wohl hörte, ohne jedoch den Sprecher sehen zu können. Sie verkündete:

Der du dein Reittier nun vermißt
Und ohne kundgen Führer bist,
Nimm dieses Füllen, steig hinauf,
Dein eignes froh daneben lauf'.
Doch wenn die Finsternis vorbei,
Laß meines in der Wüste frei.

Als ich aufschaute, sah ich zu meiner Überraschung ein Kamelfüllen bei mir stehen und dazu an meiner Seite mein eigenes. Ich ließ das fremde Füllen niederknien, stieg auf und führte das meine am Zügel nebenher. Nachdem ich zehn Meilen geritten war, tauchte die Karawane vor mir auf, und gleichzeitig brach die Morgenröte an. Nun blieb das Füllen stehen. Ich merkte dadurch, daß es an der Zeit war abzusteigen. So wechselte ich auf mein eigenes über und sprach:

Hast, Füllen, Rettung mir aus Not gebracht,
Die selbst den Führer irren läßt bei Nacht.
Sag mir, bei Gott, der uns erschaffen all:

Wer war es, der mir half im Wüstental?
Geh heim. Hab Dank. Denn du warst gut zu mir.
Bleib stets gesegnet, liebes Buckeltier!

Da kehrte sich das fremde Füllen zu mir und sprach die Worte:

Du fandst als Schlange mich in heißem Sand. –
Gott hilft, wenn uns verwirrt des Durstes Brand. –
Gabst mir das Naß, das andre wohl verwahrt.
Dein Edelmut hat nicht an mir gespart.
Das Gute bleibt dir auch nach langer Zeit,
Doch Übeltat gibt schlechtes Weggeleit.
Geh heim. Hab Dank. Nur karg ist dies Entgelt.
Behüt dich Gott, der unsern Pfad erhellt!

Ar-Raschīd wunderte sich über die Worte ʿAbīds. Er ließ das Erlebnis und die Verse nach seiner Wiedergabe aufzeichnen und sprach: »Das Gute ist nie umsonst getan, wo auch immer es geschieht.« Gott der Gepriesene und Erhabene weiß am besten, was richtig ist. Zu ihm finden wir zurück. Zu ihm kehren wir heim.

77. *Die Heinzelmännchen vom Nil*

Auf der großen Halbinsel zwischen dem Weißen und dem Grünen Nil lebt ein al-Karnīnā genannter Volksstamm, der ein weites, vom Nil und vom Regen bewässertes Gebiet einnimmt. Wenn die Zeit der Saat anbricht, zieht bei ihm ein jeder mit allem Samen, den er besitzt, hinaus. Nachdem er je nach der Menge seines Saatgutes eine Fläche abgesteckt hat, sät er ein klein wenig an den vier Ecken des Feldes. Das übrige Saatgut stellt er in die Mitte, dazu etwas Bier, und geht wieder von dannen. Am nächsten Morgen findet er die abgesteckte Fläche eingesät und das Bier ausgetrunken. Kommt dann die Zeit der Ernte, so mäht er ein klein wenig davon ab, legt es mit Bier an eine beliebige Stelle und geht wieder fort. Nachher findet er dann alles abgeerntet und gebündelt. Das gleiche tut er, wenn er das Getreide gedroschen und geworfelt haben möchte. Manchmal kommt es vor, daß einer sein Saatfeld vom Unkraut gereinigt wissen möchte.

Dann reißt er nur wie aus Versehen etwas Unkraut aus dem Feld heraus, und am nächsten Morgen ist alles ausgejätet. Der Landstrich, in dem sich das, was ich hier erzählt habe, zuträgt, ist ein großes Gebiet, das in der Länge und Breite je zwei Monate Weges mißt und das in vollem Umfang zur gleichen Zeit eingesät wird ...

Diese Kunde ist wahr und allgemein bekannt. Überall in Nubien und im Gebiet von ʻAlwa ist sie verbreitet. Von den muslimischen Kaufleuten, die in diese Gegend kommen, bezweifelt sie keiner auch nur im geringsten. Wenn sie nicht so allgemein bekannt und verbreitet wäre, daß eine Absprache darüber ausgeschlossen ist, würde ich nichts davon erzählt haben, weil sie im Grunde ungeheuerlich ist. Die Bewohner der Gegend selbst behaupten, daß die Geister diese Arbeit tun sowie daß sie einigen ihrer Landsleute erscheinen und sie bedienen kraft eines Steines, der sie ihnen gefügig macht, und daß sie Staunenswertes für sie verrichten, ja daß selbst die Wolken diesen Leuten gehorchen.

78. Umaija und die Hexe

Es zog einmal eine Reiterschar vom Stamme der Thakīf nach Syrien. Unter ihnen befand sich auch Umaija ibn abi's-Salt. Als sie sich auf der Heimreise an einer Lagerstelle niederließen, um ihr Abendbrot zu verzehren, näherte sich plötzlich eine Eidechse und kroch an sie heran. Einer von ihnen warf ihr Kieselsteine ins Gesicht, worauf sie sich wieder entfernte. Nachdem die Leute ihr Speisetuch zusammengefaltet hatten, brachen sie wieder auf, um ihre Reise in der Nacht fortzusetzen. Plötzlich tauchte hinter einem vor ihnen liegenden Sandhügel ein altes Weib auf, das sich auf einen Stock stützte. Sie sprach zu ihnen: »Was hat euch daran gehindert, dem Waisenmädchen Radschīma etwas zu essen zu geben, als sie am Abend zu euch kam?« Die Reiter fragten: »Wer bist du eigentlich?« – »Ich heiße Umm al-ʻAuwām und bin seit Jahren verwitwet«, gab sie zur Antwort. »Beim Herrn der Gottesknechte, ihr sollt im Land zerstreut werden!« Dabei schlug sie mit ihrem Stock auf die Erde und sprach dann zu dieser: »Verzögere ihre Heimkehr und jage ihre Reittiere davon!« Sogleich sprangen die Kamele auf, als ob ein jedes von ihnen auf dem Höcker einen Teufel sitzen hätte, so daß keines von ihnen zu halten war, und sie zerstreuten sich im Tal.

(Einer von den Reiseteilnehmern erzählt:) Mit knapper Not brachten wir sie am Ende des nächsten Tages wieder zusammen. Nachdem wir sie hatten niederknien lassen, um sie zu satteln, tauchte die Alte wieder bei uns auf, schlug mit ihrem Stock auf die Erde und sprach dasselbe wie beim ersten Mal. Da verhielten sich die Kamele wie am vorhergehenden Tage, und wir brachten sie erst am Abend des folgenden wieder zusammen. Nachdem wir sie dann wieder hatten niederknien lassen, um sie zu satteln, näherte sich die Alte wieder und tat das gleiche wie an den beiden vorhergehenden Tagen, und die Kamele sprengten wieder von dannen. Jetzt sagten wir zu Umaija: »Wo bleibt das, was du alles rühmend von dir erzählt hast?« – »Machet ihr euch nur auf die Suche nach den Kamelen und lasset mich in Ruhe«, erwiderte er. Dann ging er in Richtung jenes Sandhügels, von dem die Alte gekommen war, und stieg auf ihn hinauf. Als er auf der anderen Seite in ein Tal hinunterstieg, gewahrte er zu seiner Überraschung eine mit Lampen ausgestattete Kirche. Dort lag, das Gesicht zur Tür gewandt, ein Mann mit weißem Kopf- und Barthaar. Als er Umaija erblickte, sagte er zu ihm: »Ja du hast einen Begleiter. Doch von welcher Seite tritt dein Führer an dich heran?« – »Er spricht zu mir durch mein linkes Ohr«, antwortete Umaija, worauf jener weiter fragte: »Und was für eine Kleidung schreibt er dir vor?« – »Schwarze Kleidung«, erwiderte er. Jetzt sagte der Mann: »Dann ist es der Sprecher der Geister. Bei Gott, beinahe wärest du ein Prophet; doch du bist es nicht. Wenn einer nämlich die Prophetenwürde besitzt, so spricht sein Führer durch das rechte Ohr zu ihm und schreibt ihm weiße Kleidung vor. – Was ist nun dein Begehren?« Jetzt erzählte Umaija ihm, was sie mit der alten Frau erlebt hatten. Da sprach der Greis: »Sie hat die Wahrheit gesagt, obwohl sie sonst nicht wahrhaftig ist. Sie ist ein jüdisches Geisterweib, dessen Mann seit Jahren tot ist. Sie wird ohne Unterlaß in dieser Weise mit euch verfahren, bis sie euch vernichtet, falls sie es vermag.« – »Was läßt sich dagegen tun?«

fragte Umaija, und jener riet ihm: »Sammelt eure Kamele. Wenn sie dann wiederkommt und das gleiche tut wie zuvor, dann sprechet zu ihr: ›Sieben Himmel oben, sieben Erden unten. In deinem Namen, o Gott!‹ Dann wird sie euch nichts anhaben können.«

Nun kehrte Umaija zu den Seinen zurück, die inzwischen die Kamele gesammelt hatten. Sobald sich die Alte wieder näherte, sagte er zu ihr, was ihm der Greis befohlen hatte, und jetzt konnte sie ihnen nicht mehr schaden. Als sie sah, daß sich die Kamele nicht rührten, sprach sie: »Ich weiß nun, wer euer Führer ist. Er soll oben weiß und unten schwarz werden!« Im gleichen Augenblick wurde Umaija an den Wangen weiß wie ein Aussätziger und unten schwarz. Als sie dann nach Mekka kamen, erzählten sie den Leuten dieses Erlebnis. Seit jener Zeit schrieben die Mekkaner in ihren Schriftstücken: »In deinem Namen, o Gott.«

79. Das Ende der Götzen

Mālik ibn Nafī' erzählt:

Als mir einmal eines meiner Kamele entlaufen war, schwang ich mich auf eine edle Kamelstute von mir und verfolgte es, bis ich es wiedererlangte. Dann nahm ich es und machte mich auf den Heimweg zu meinen Angehörigen. Nachdem ich die Nacht hindurch beinahe bis zum Morgen geritten war, ließ ich die Stute und das Kamel niederknien, fesselte sie beide und legte mich im Schutze eines Sandhügels nieder. Der Schlaf hatte eben über meine Lider gestrichen, da hörte ich eine unsichtbare Stimme sprechen: »Mālik, Mālik, wenn du an der Stelle grübest, wo das junge Kamel kniet, so würdest du Freude an dem haben, was sich dort befindet.« Ich sprang sogleich auf, scheuchte das Kamel von seinem Platz hoch und fing an zu graben. Da stieß ich auf das Bildwerk einer Frau, das aus safrangelbem Stein gehauen und glatt wie ein Spiegel war. Ich holte es heraus, und nachdem ich es mit meinem Gewand abgewischt und aufrecht hingestellt hatte, konnte ich der Versuchung nicht widerstehen, mich anbetend vor ihm niederzuwerfen. Dann erhob ich mich, opferte ihm das Kamel, und indem ich das Bildwerk mit dem Blut des Tieres besprengte, erteilte ich ihm den Namen Ghallāb (»Unüberwindlich«). Danach hob ich es auf die Stute und nahm es mit zu meinen Angehörigen. Viele aus meiner Sippe neideten mir nun das Bildwerk und baten mich, es auch ihnen sichtbar aufzustellen, damit sie es gemeinsam mit mir verehren könnten. Ich gewährte es ihnen aber nicht. So blieb ich der einzige, der es verehrte, und ich machte es mir zur Pflicht, ihm täglich ein Stück Kleinvieh zu opfern, besaß ich doch eine große Herde von Schafen und Ziegen. Schließlich schlachtete ich aber doch das letzte Tier der Herde, und eines Morgens besaß ich nichts mehr, was ich hätte opfern können. Weil es mir widerstand, mein Gelübde zu brechen, trat ich an das Bildwerk heran und klagte ihm mein Leid. Siehe, da erscholl eine Stimme aus seinem Bauch, die sprach: »Mālik, Mālik, gräme dich nicht um Opfertiere. Reise vielmehr zu dem Brunnen des Arkam und nimm den schwarzen Hund, der dort Blut leckt. Gehe mit ihm auf die Jagd, so wird es dir nicht an Beute mangeln.«

Unverzüglich begab ich mich auf den Weg zu dem Brunnen des Arkam. Dort gewahrte ich zu meiner Überraschung einen schwarzen Hund, entsetzlich anzuschauen, der sich eben auf einen Wildstier gestürzt hatte und ihn nun unter meinen Augen zu Fall brachte. Danach riß er ihm den Leib auf und begann sein Blut zu lecken. Zuerst schreckte ich vor ihm zurück, dann aber faßte ich Mut und trat an ihn heran, während er sich mit seiner Beute beschäftigte, ohne sich nach mir umzukehren. Ich band ihm einen Strick um den Hals, und als ich ihn mitzog, folgte er mir willig. Nachdem ich zu meinem Reittier zurückgekehrt war, ließ ich es aufstehen und führte es zu dem Wildstier und lud ihn auf mein Reittier. Dann machte ich mich, das Kamel am Halfter führend, zu meinem Stamme auf, während der Hund mich begleitete. Als mir unterwegs eine Gazelle begegnete, begann der Hund zu springen und an dem Strick zu zerren. Erst war ich unschlüssig, ob ich ihn loslassen sollte, tat es aber schließlich. Da schoß er wie ein Pfeil davon, bis er sie ergriffen hatte. Als ich ihn einholte und an der Gazelle zog, ließ er sie los. Dies alles stimmte mich froh.

Nachdem ich zu meinen Angehörigen zurückgekehrt war, opferte ich Ghallab die Gazelle, verteilte das Fleisch des Wildstieres und verbrachte eine fröhliche Nacht. In der Frühe ging ich mit dem Hund auf die Jagd. Da entkam ihm kein Wildesel, kein Stier hielt ihn hin, keine Bergziege konnte sich vor ihm retten und keine Gazelle ihm entfliehen. Jetzt freute ich mich noch einmal so sehr über ihn. Ich behandelte ihn aufs beste und gab ihm den Namen Suhām (»Schwärze«). So verbrachte ich eine Zeitlang.

Als ich eines Tages wieder mit ihm auf die Jagd hinauszog, erblickte ich einen Strauß, der nicht weit von mir auf seinem Nest brütete. Ich hetzte den Hund auf ihn, doch der Strauß floh vor ihm davon. So setzte ich ihm auf einem edlen Renner nach. Just in dem Augenblick, als sich der Hund auf ihn stürzen wollte, stieß ein Adler aus der Luft auf ihn hernieder. Da wich der Hund zu mir zurück und folgte ohne Zögern meinem Ruf. Nachdem ich mein Pferd angehalten hatte, kam Suhām an und verkroch sich zwischen seine Beine. Jetzt ließ sich der Adler vor mir auf einem Baume nieder und rief: »Suhām!« – »Ich stehe zu deinen Diensten«, antwortete der Hund. Da verkündete der Adler: »Die Götzen sind tot, und die Zeit des Islam ist angebrochen! Werde Muslim, dann rettest du deine Seele; wo nicht, so wisse, daß es für die Götzen keine ewige Heimstatt gibt.« Sprach's und flog davon. Ich aber suchte mit den Augen Suhām, ohne ihn zu finden. Dies war das letzte Mal, daß ich ihn gesehen habe.

80. *Die Tochter des 'Auf ibn 'Afrā' und der Dämon*

Die Tochter des 'Auf ibn 'Afrā' hatte sich einmal zu einem Mittagsschlaf in ihrem Zelt ausgestreckt, als sie plötzlich erwachte und auf ihrer Brust ein schwarzer Dämon hockte, der sie an der Kehle packte.

Sie erzählt selbst: »Er hielt mich lange Zeit fest, so daß ich nicht einmal beten konnte. Während ich in dieser Lage verharrte, gewahrte ich, wie das Dach des Zeltes sich öffnete, und, den Himmel schauend, sah ich plötzlich ein gelbes Schriftstück zwischen

Himmel und Erde herniederschweben. Als es schließlich auf meine Brust fiel, ließ der Dämon meine Kehle los, entfaltete es und las es. Siehe, da stand in ihm geschrieben: ›Der Herr des Lukaiz befiehlt dem Lukaiz: Laß ab von der Tochter des frommen Gottesknechtes. Sie ist für dich unantastbar.‹ Da schlug er mich mit der Hand auf mein Knie und sprach: ›Wenn dieses Schriftstück nicht wäre, würde ich dich niedermetzeln.‹ Durch seinen Schlag wurde mein Knie schwarz wie der Kopf eines Schafes. Als ich danach zu 'Ā'ischa kam und ihr dieses Erlebnis erzählte, sagte sie: ›Lege während der Regel deine Kleider nicht ab, Nichte; dann bist du, so Gott will, unantastbar für ihn.‹«

So hat Gott sie um ihres Vaters willen beschützt. Dieser war in der Schlacht bei Badr als Märtyrer gefallen.

81. Die Bekehrung der Malediven zum Islam

Ibn Battūta berichtet:
Vertrauenswürdige Einwohner der Malediven, wie der Rechtsgelehrte 'Īsā al-Jamanī, der Rechtsgelehrte und Lehrer 'Alī, der Richter 'Abdallāh und viele andere, haben mir erzählt, die Einwohner dieser Inseln seien früher Ungläubige gewesen. Einmal in jedem Monat sei bei ihnen von der See her ein Dämon aus dem Volk der Geister erschienen, der ausgesehen habe wie ein Schiff voller Lampen. Sobald sie ihn gewahrten, pflegten sie eine Jungfrau zu nehmen, sie zu schmücken und in das Budchāna, das ist der Götzentempel, zu führen. Dieser stand am Ufer des Meeres und hatte einen gewölbten Torweg, von dem man auf das Meer hinausschauen konnte. Dort ließen sie das Mädchen eine Nacht. Wenn sie dann am Morgen wiederkamen, fanden sie es entjungfert und tot. Nach feststehendem Brauch würfelten sie allmonatlich untereinander, und wen das Los traf, der mußte seine Tochter hergeben.

Nun kam einmal zu ihnen ein Magrebiner namens Abu'l-Barakāt der Berber, der den heiligen Koran auswendig kannte. Er stieg in dem Hause einer alten Frau auf der Insel al-Mahal ab. Als er eines Tages bei ihr eintrat, hatte sie alle ihre Angehörigen versammelt, und die Frauen weinten, als ob sie bei einem Leichenbegängnis wären. Auf seine Frage, was ihnen widerfahren sei, gaben sie ihm keine Auskunft. Dann kam ein Dolmetscher, und dieser teilte ihm mit, das Los sei auf die alte Frau gefallen, sie habe aber nur eine einzige Tochter, die der Dämon nun morden werde. Abu'l-Barakāt sprach zu ihr: »Ich werde in der Nacht an Stelle deiner Tochter hingehen.« Er war nämlich völlig bartlos. So nahmen sie ihn in jener Nacht mit. Nachdem er die religiöse Waschung vorgenommen hatte, führten sie ihn in den Götzentempel, und er sprach ohne Unterlaß Worte aus dem Koran. Da trat auf einmal der Dämon durch den gewölbten Torweg zu ihm herein, während er seine Koranverse ruhig weitersprach. Nachdem er so nahe an ihn herangekommen war, daß er seine Worte hören konnte, stürzte er sich ins Meer, indes der Magrebiner seine Koranverse noch am Morgen in der gleichen Weise hersagte. Jetzt kam die alte Frau mit ihren Angehörigen und den Inselbewohnern, um das Mädchen wie gewöhnlich herauszuholen und einzuäschern. Sie fanden den Magrebiner, wie er immer noch den Koran murmelte. Da führten sie ihn zu ihrem König namens Schanūrāza und sagten ihm, was mit ihm geschehen war. Der König wunderte sich darüber. Nun schlug ihm der Magrebiner vor, zum Islam überzutreten, und machte ihn auch geneigt, dies zu tun. Schließlich sagte der König zu ihm: »Bleibe noch bis zum nächsten Monat bei uns. Wenn du dann das gleiche tust wie diesesmal und wieder von dem Dämon errettet wirst, so will ich den Islam annehmen.« Also blieb er bei ihnen. Gott aber öffnete des Königs Herz für den Islam, und ehe noch der Monat zu Ende ging, trat er zu ihm über, er, seine Weiber, seine Kinder und der ganze Hofstaat.

Nachdem der neue Monat angebrochen war, wurde der Magrebiner wieder in den Götzentempel gebracht, ohne daß jedoch der Dämon erschien, während er bis zum Morgen den Koran sprach. Dann kam der Sultan in Begleitung der Menge. Als sie ihn in seine Koranandacht vertieft fanden, zerschlugen sie die Götzenbilder und zerstörten den Tempel. Die Bewohner der Insel traten zum Islam über und schickten Boten zu den übrigen Inseln, worauf die Leute dort das gleiche taten. Hochgeehrt blieb der Magrebiner bei ihnen wohnen, und sie schlossen sich seiner Lehrmeinung in Glauben und Recht an. Es war die des Imam Mālik. Seinetwegen achten sie die Magrebiner bis zum heutigen Tage sehr hoch. Er errichtete eine Moschee, die unter seinem Namen bekannt ist. Dort habe ich an der Fürstenloge die in das Holzgitter geschnitzten Worte gelesen: »Der Sultan Schanūrāza ist durch den Magrebiner und Berber Abu'l-Barakāt zum Islam bekehrt worden.« Ein Drittel von den Einkünften der Inseln hat dieser Sultan zur Unterstützung der Reisenden bestimmt, weil er durch einen von ihnen den Weg zum Islam gefunden hat, und es dient bis heute diesem Zweck.

Vor der Bekehrung zum Islam sind viele von den Malediven-Inseln durch diesen Dämon entvölkert worden. Bei unserer Ankunft wußte ich noch nichts davon. Als ich jedoch eines Nachts mit irgend etwas beschäftigt war, hörte ich plötzlich die Leute mit lauter Stimme rufen: »Es gibt keinen Gott außer Gott« und »Gott ist am größten.« Dabei sah ich, wie die Kinder Korane auf den Köpfen trugen und die Frauen kupferne Becken und Gefäße schlugen. Erstaunt über ihr Gehaben fragte ich: »Was soll dies?« Sie erwiderten: »Siehst du denn nicht das Meer?« Als ich hinschaute, sah ich zu meinem Erstaunen etwas wie ein großes Schiff, das anscheinend voller Lampen und Fackeln war. Da sagten sie: »Dies ist der Dämon. Er ist gewohnt, einmal im Monat zu erscheinen. Sobald wir das tun, was du hier siehst, geht er von uns fort und tut uns kein Leid an.«

82. 'Abd al-Kādir al-Kīlānī und die Geister

Es kam einmal ein Mann aus Bagdad zu 'Abd al-Kādir al-Kīlānī und klagte, ihm sei eine Tochter, die noch Jungfrau war, vom Dache seines Hauses entführt worden. Da befahl ihm der Meister: »Gehe heute nacht zu den Ruinen von al-Karch, lasse dich bei dem fünften Hügel nieder und zeichne auf der Erde einen Kreis um dich. Sprich, während du ihn ziehst: ›Im Namen Gottes, mit der Absicht 'Abd al-Kādirs.‹ Wenn dann die Nacht hereinbricht, werden Scharen von Geistern verschiedener

Gestalt an dir vorüberziehen. Ihr Anblick braucht dich nicht zu erschrecken. Am Ende wird in der Morgendämmerung ihr König mit großem Geistergefolge bei dir vorbeikommen und dich nach deinem Anliegen fragen. Dann sprich:›'Abd al-Kādir hat mich zu dir geschickt‹ und erzähle ihm, was sich mit deiner Tochter zugetragen hat.«

(Der Mann erzählt selbst:)

So ging ich und tat, wie mich der Meister geheißen hatte. Da zogen Gestalten von erschreckendem Aussehen an mir vorüber, aber keine von ihnen vermochte sich dem Kreis zu nähern, in dem ich mich befand. Ohne Unterlaß zogen sie vorüber, Schar auf Schar, bis ihr König erschien, reitend auf einem Roß, während ihm ganze Sippen von Geistern voranschritten. Vor dem Kreise blieb er stehen und fragte: »Was ist dein Begehr, Mensch?« Ich antwortete: »Meister 'Abd al-Kādir hat mich zu dir gesandt.« Da stieg er vom Pferd, und nachdem er den Erdboden geküßt hatte, ließ er sich außerhalb des Kreises nieder, worauf sich auch seine Begleiter setzten. Jetzt fragte er mich: »Was gibt's denn?« Nachdem ich ihm erzählt hatte, was mit meiner Tochter geschehen war, befahl er den Geistern seiner Umgebung: »Schafft mir den Kerl her, der dies getan hat.« Da brachte man einen Dämonen in Begleitung meiner Tochter herbei. »Dies ist einer von den Dämonen, die in China hausen«, sagte man mir. Der König fragte ihn: »Was hat dich veranlaßt, gleichsam unter dem Steigbügel des Erzfrommen etwas wegzustehlen?« – »Ich hatte mich in sie verliebt«, gab er zur Antwort. Der König aber ließ ihn enthaupten und führte mir meine Tochter wieder zu. Ich sagte: »Noch nie hat man bei dir etwas ähnliches erlebt wie die Befolgung von Meister 'Abd al-Kādirs Geheiß in dieser Nacht.« Da sprach er: »Ja, er beobachtet von seinem Hause aus die bösen Dämonen unter den Geistern, selbst wenn sie am Ende der Erde weilen. Dann fliehen sie aus Angst vor ihm. Wenn Gott der Erhabene nämlich einen Erzfrommen aufstehen läßt, so gibt er ihm Gewalt über die Geister und über die Menschen.«

83. Der Kampf mit dem Dämonen

Irgendeiner von den fahrenden Leuten erzählt:
Als wir eines Nachts durch die Wüste reisten, fühlte ich plötzlich ein Bedürfnis. Ich sonderte mich deshalb von meinen Begleitern ab, fand sie aber nachher nicht mehr wieder. Während ich nun ihren Spuren folgte, gewahrte ich auf einmal ein großes Feuer und ein Zelt. Bei dem Zelt angekommen, sah ich ein schönes Mädchen darinsitzen. Ich fragte sie, was es mit ihr auf sich habe. Da sprach sie: »Ich gehöre zum Stamme der Fazāra. Ein Dämon namens Zillīm (»Erzbösewicht«) hat mich geraubt und hierhergebracht. Nachts geht er von mir fort, und am Tage kommt er wieder.« Ich forderte sie auf, mit mir zu fliehen, doch sie sagte: »Dann ist es aus mit uns beiden. Er wird uns nämlich verfolgen und einholen. Mich wird er ergreifen, dich aber wird er kurzerhand töten.« Ich erwiderte: »Er wird weder dich ergreifen noch mich töten können.« Und ich wurde nicht müde, ihr immer wieder dasselbe vorzuschlagen, bis sie schließlich einwilligte. Nun ließ ich meine Kamelin für sie niederknien, sie stieg auf, und dann ritt ich mit ihr, bis der Morgen graute. Als ich mich umwandte, sah ich plötzlich ein großes, grauenerregendes Wesen herantapsen. Seine Fußspuren zeichneten sich auf der Erde ab. »Da ist er ja schon bei uns!« schrie das Mädchen auf. Nachdem ich meine Kamelin hatte niederknien lassen, zog ich im Sand einen Kreis um sie herum, sprach einige Koranverse und nahm meine Zuflucht zu Gott dem Allmächtigen. Jetzt kam er heran und hub an zu sprechen:

Das Schicksal hat dem Tode dich geweiht.
Fahr lieber hin und laß die schöne Maid.
Hast Kunde du von uns, dann sei gescheit.

Ich gab ihm zur Antwort:

Die Dummheit hat dem Tode dich geweiht.
Geh lieber fort und laß die schöne Maid.
Schon andre Geister trugen Liebesleid.

Auf einmal erschien er mir in der Gestalt eines Löwen, und wir kämpften eine Weile miteinander, ohne daß einer den anderen überwältigen konnte. Als er die Hoffnung aufgeben mußte, mich zur Strecke zu bringen, sagte er: »Möchtest du mir mein Stirnhaar abschneiden, oder ist es dir lieber, daß ich eine von drei Verpflichtungen übernehme?« Auf die Frage, was dies für Verpflichtungen seien, antwortete er: »Ich gebe dir zweihundert Kamele oder diene dir mein Leben lang oder zahle dir auf der Stelle tausend Dinare, wenn du mir freie Hand bei dem Mädchen läßt.« Ich erwiderte: »Meinen Glauben verkaufe ich nicht für irdische Güter, und deinen Dienst brauche ich nicht. Schere dich fort, woher du gekommen bist.« Da ging er und murmelte dabei Worte, die ich nicht verstand. Ich aber reiste mit dem Mädchen zu ihren Lieben, nahm sie zur Frau und wurde von ihr mit Kindern beschenkt.

84. Macht und Ohnmacht der Geister

Zwei Männer gingen einmal zusammen ihres Weges. Als sie sich einer gewissen Stadt näherten, sagte einer von beiden zu dem anderen: »Unsere Gemeinschaft hat dich mir inzwischen verpflichtet. Ich bin ein Mann aus der Geisterwelt und habe einen Wunsch an dich.« Auf die Frage, was für ein Wunsch dies sei, fuhr er fort: »Wenn du in dieser Stadt an den und den Ort gelangst, wirst du dort einer alten Frau mit einem Hahn begegnen. Kaufe ihr den Hahn ab und schlachte ihn.« Darauf sagte der andere: »Auch ich habe meinerseits einen Wunsch an dich.« Auf die Frage, was dies für ein Wunsch sei, sagte er: »Wenn ein Mensch von einem Geist besessen ist, was kann man dann für ihn tun?« Jener antwortete: »Du bindest seine beiden Daumen mit einem Riemen aus Wildeselhaut fest und träufelst ihm etwas Rautensaft in die Ohren, vier Tropfen in das rechte, drei in das linke. Dann stirbt der Geist, der ihn erfaßt hat.« Nachdem sich die beiden Männer getrennt hatten, ging der, der ein Mensch war, in die Stadt und tat, wie ihn der Geist geheißen hatte, indem er den Hahn kaufte und ihn schlachtete. Nach einigen Tagen umringten ihn plötzlich die Angehörigen eines Mädchens aus dieser Stadt und erklärten ihm: »Du bist ein Zauberer. In dem Augenblick, da du den Hahn geschlachtet hast, hast du einem Mädchen bei uns den Verstand geraubt. Wir lassen dich nur los, wenn du mit uns zum Bürgermeister der Stadt kommst.« Er erzählt nun selbst: Da sprach ich zu ihnen: »Bringet mir einen Riemen aus Wildeselhaut und ein wenig Rautensaft.« Nachdem ich zu dem Mädchen hineingegangen war, band ich ihr die beiden Daumen fest und träufelte ihr den Rautensaft in die Ohren. Da hörte ich eine Stimme sprechen: »Ach, ich habe dich selbst gelehrt, wie ich zu bekämpfen bin.« In dem gleichen Augenblick starb der Geist, und Gott heilte das Mädchen.

Tier und Mensch

85. Umaijas Tod

Als der Prophet Muhammad – Gott schenke ihm Segen und Heil – zu seiner Sendung berufen wurde, nahm Umaija ibn abi's-Salt seine beiden Töchter und floh mit ihnen in die entfernteste Gegend des Jemen. Später kehrte er nach Tā'if zurück. Als er eines Tages mit etlichen Freunden im Schlosse Ghailāns in Tā'if beim Weine saß, ließ sich plötzlich ein Rabe auf einer Zinne des Schlosses nieder und krächzte. Da rief Umaija: »Dir sollte man den Schnabel mit Dreck stopfen!« – »Was sagt er denn?« fragten seine Freunde. Er erwiderte: »Er erklärt: ›Fürwahr, wenn du den Becher trinkst, den du in der Hand hältst, stirbst du.‹ Deshalb habe ich zu ihm gesagt: ›Man sollte dir den Schnabel mit Dreck stopfen!‹« Darauf krächzte der Rabe ein zweites Mal, und Umaija gab ihm eine ähnliche Antwort. Seine Freunde fragten wieder: »Was sagt er nun?« Umaija sprach: »Er erklärt, er werde sich dort auf den Misthaufen unterhalb des Schlosses setzen, einen Knochen aufstöbern und ihn verschlingen. Der Knochen werde ihn aber im Halse würgen, und er werde sterben. Ich habe ihm deshalb etwas Ähnliches wie vorhin gesagt.« Jetzt ließ sich der Rabe auf den Misthaufen nieder, stöberte den Knochen auf, würgte und starb. Da zeigte sich Umaija zutiefst erschüttert, setzte den Becher aus der Hand und erbleichte. Seine Freunde trösteten ihn jedoch: »Wie oft haben wir etwas Derartiges gehört, und hinterher hat es sich als Lüge erwiesen!« Und sie drangen in ihn, so daß er schließlich den Becher trank. Darauf neigte er sich zur Seite und fiel in Ohnmacht. Als er wieder zu sich kam, sprach er: »Es gibt keinen, der unschuldig ist, deshalb bitte ich um Vergebung, und keinen, der stark ist, deshalb bitte ich um Beistand.« Sprach's und hauchte seine Seele aus.

86. Der Todesbote

Mulāzim ibn Huraith al-Hanafī erzählt:
Als ich wegen meiner Zugehörigkeit zur Harūrīja-Sekte von al-Haddschādsch ins Gefängnis geworfen wurde, befand sich dort mit uns ein Mann, den wir geraume Zeit kein einziges Wort reden hörten. Dies währte bis zu dem Tag vor der Sterbenacht des Haddschādsch. Am Abend dieses Tages kam nämlich ein Rabe geflogen, ließ sich auf die Gefängnismauer nieder und krächzte. Da fragte jener Mann: »Wer vermag, was du vermagst, o Rabe?« Als er ein zweites Mal krächzte, fragte der Mann: »Wer könnte solch gute Nachricht bringen wie du, o Rabe?« Nach dem dritten Krächzen fragte er: »Wen nimmst du mit gen Himmel, Rabe?« Da sagte ich zu dem Mann: »Seitdem du im Gefängnis bist, haben wir dich bis zur Stunde nicht reden hören. Was hat dich veranlaßt, nun dies zu sagen?«

Da erklärte der Mann: »Das erste Krächzen des Raben bedeutete: ›Ich habe mich auf den Vorhang des Haddschādsch gesetzt.‹ Dies hat mich zu der Bemerkung veranlaßt: ›Wer vermag, was du vermagst, o Rabe?‹ Das zweite Krächzen hieß: ›Al-Haddschādsch wird von Schmerzen heimgesucht‹, und meine Antwort war: ›Wer könnte solch gute Nachricht bringen wie du, o Rabe?‹ Beim dritten Mal hat er gesagt: ›Heute nacht wird er sterben‹, und ich habe noch gefragt: ›Wen nimmst du mit gen Himmel, Rabe?‹« Der Mann fuhr fort: »Wenn es tagt, ohne daß ich geholt worden bin, habe ich nichts zu befürchten. Wenn man mich aber vor Morgengrauen kommen läßt, wird mir der Kopf abgeschlagen. Danach werdet ihr drei Tage lang verweilen, ohne daß einer zu euch hereinkommt. Am vierten Tage wird man euch kommen lassen und eine Bürgschaft von euch verlangen. Wer dann einen Bürgen für sich findet, wird auf freien Fuß gesetzt werden. Wer aber keinen findet, dem steht langes Leid bevor.«

Als die Nacht hereinbrach, hörten wir das Wehgeschrei um al-Haddschādsch. Vor Anbruch des Morgens holte man dann den Mann heraus und schlug ihm den Kopf ab. Danach kam drei Tage lang keiner zu uns herein. Schließlich ließ man uns kommen und verlangte eine Bürgschaft von uns. Als die Reihe an mir war, wartete ich lange, so daß ich schon fürchtete, ins Gefängnis zurückgeschickt zu werden. Doch da trat ein Mann vor und leistete für mich Bürgschaft. Ich fragte ihn: »Wer bist du, frommer Diener Gottes, daß ich dir meinen Dank abstatten kann?« Er aber gab mir zur Antwort: »Gehe! Man wird nie mehr nach dir fragen.« So gewann ich die Freiheit wieder.

87. Die Errettung aus dem Strudel

Ein Mann aus Isfahan erzählt, er habe einmal drückende Schulden besessen und nicht mehr gewußt, wie er seine Familie ernähren sollte. Er habe deshalb Isfahan verlassen, und, vom Mißgeschick verfolgt, habe er am Ende mit einigen Kaufleuten eine Seereise angetreten. Er erzählt wörtlich:

Eines Tages brach über uns ein gewaltiger Sturm aus, und wir gerieten schließlich in den berüchtigten Strudel des persischen Meerbusens. Da gingen die Leute gemeinsam zum Kapitän und fragten: »Weißt du einen Ausweg aus unserer Lage?« – »Liebe Leute«, antwortete er, »dies ist ein Strudel, aus dem es für kein Schiff Rettung gibt, es sei denn, daß Gott der Erhabene es will. Wenn einer von euch sein Leben für seine Gefährten opfert und ich selbst alle Kräfte aufwende, wird Gott uns vielleicht erretten.« Darauf erklärte ich: »Wir sehen alle einer wie der andere dem Tod entgegen, Leute; ich aber bin ein Mann, der des Elends müde ist, und ich wünsche mir schon lange den Tod.« Nun befanden sich auf dem Schiff etliche Leute aus Isfahan. Zu diesen gewandt, fuhr ich fort: »Schwöret, meine Schulden zu bezahlen und gut für meine Kinder zu sorgen. Dann will ich mein Leben für euch opfern.« Nachdem sie mir dies zugesagt hatten, fragte ich den Kapitän: »Was befiehlst du mir?« Er antwortete: »Falls es dir gelingt, den Fuß auf diese Insel zu setzen« – in der Nähe des Strudels befand sich nämlich eine Insel, die eine Ausdehnung von drei Tage- und Nachtreisen hatte – »dann werde nicht müde, diese Trommel zu schlagen.« Ich sagte zu ihnen: »Dies werde ich tun.« Dann leisteten sie mir heilige Eide, auszuführen, was ich ihnen auferlegt hatte, und versahen mich mit Wasser und Eßvorrat für mehrere Tage. – Nachdem ich die Küste der Insel erreicht hatte, begann ich, bald gehend, bald stehend, die Trommel zu schlagen. Da sah ich auf einmal, daß die Wasser sich geteilt hatten und das Schiff davonfuhr, indes ich ihm nachschaute, bis ich es nicht mehr sehen konnte.

Nachdem das Schiff verschwunden war, begann ich auf der Insel umherzugehen. Da gewahrte ich plötzlich einen gewaltigen Baum, wie ich einen größeren nie gesehen habe. Oben auf ihm befand sich etwas, das wie ein rohes Dach aussah. Als es dann Abend wurde, vernahm ich ein gewaltiges Krachen. Siehe, da kam ein Vogel – ein größeres Lebewesen ist mir nie zu Gesicht gekommen – und ließ sich auf dem Dach jenes Baumes nieder. Ich empfand Angst vor ihm, er könnte mich ergreifen, bis schließlich der Morgen tagte. Nun schwang er die Flügel und flog davon. In der zweiten Nacht kehrte er zurück und ließ sich wieder auf seinem Horst nieder. Aufs neue schien es mir um mich geschehen, und ich fand mich darein, sterben zu müssen. So ging ich kurzerhand nahe an ihn heran; er aber tat mir nichts zuleide, und am Morgen flog er wieder fort. In der dritten Nacht setzte ich mich sogar unbefangen neben ihn. Als er dann in der Morgendämmerung seine Flügel schwang, ergriff ich einen seiner Füße, worauf er in rasendem Fluge davoneilte, bis es voller Tag wurde. Jetzt wandte ich meinen Blick zur Erde; allein ich sah nichts als das unendliche Meer. Um ein Haar hätte ich sein Bein losgelassen, weil ich heftige Schmerzen verspürte, doch ich zwang mich auszuharren. Als ich schließlich wieder einmal zur Erde hinunterschaute, sah ich Dörfer und bebaute Felder. Danach senkte sich der Vogel zur Erde, und nachdem er mich unter den Blicken der Leute in einem Strohhaufen auf einer Tenne irgendeines Dorfes abgesetzt hatte, erhob er sich wieder in die Luft und entschwand.

Da liefen die Leute bei mir zusammen und brachten mich zu ihrem Dorfvorsteher. Dieser ließ einen Mann für mich kommen, der meine Rede verstand. Sie fragten mich, wer ich sei, und ich erzählte ihnen alles, was ich erlebt hatte. Voll des Staunens über mich sahen sie in mir einen Glücksbringer, und der Dorfvorsteher ließ mir Geld geben. So blieb ich eine Zeitlang bei ihnen. Eines Tages ging ich an die Küste des Meeres, um dort umherzuschlendern. Siehe, da war gerade das Schiff meiner Reisegefährten angekommen. Als sie mich erblickten, eilten sie auf mich zu, um sich nach meinem Befinden zu erkundigen. »Liebe Leute«, gab ich ihnen zur Antwort, »ich habe mein Leben Gott dem Erhabenen zuliebe aufs Spiel gesetzt. Er aber hat mich auf einem wunderbaren Weg errettet und den Menschen in mir eine sichtbare Lehre erteilt, indem er mich mit Hab und Gut versorgt und mich noch vor euch das Ziel hat erreichen lassen.«

Dies ist zwar eine merkwürdige Geschichte, doch in Anbetracht der Güte Gottes des Erhabenen ist sie nicht unwahrscheinlich.

88. Die arabische Maus

Unter den Mäusen gibt es eine Gattung, die man die arabische nennt. Diese Maus liebt Dirhems und Dinare und spielt damit. Oft holt sie einen nach dem anderen hervor, tummelt darauf herum und trägt sie dann Stück für Stück wieder fort.

Irgendjemand erzählt, er habe einmal in seinem Haus eine Maus gehabt, die ihm manchen Ärger verursachte. Er sagt wörtlich:

Als ich ihretwegen eine Falle aufstellte, lief sie hinein, und nun wartete sie darauf, daß eine Katze sie erbeuten werde. Nachdem das zugehörige Männchen lange auf die Rückkehr der Maus gewartet hatte, kam es aus seinem Loch heraus und lief ihr nach, um sie zu suchen. Als es sie in der Falle sah, kehrte es um und brachte einen Dinar herbei, den es bei der Falle liegen ließ. Dann zog es sich ein wenig zurück und wartete einen Augenblick. Schließlich lief es fort, brachte einen weiteren Dinar und zog sich wieder ein wenig zurück. In der Folge zögerte es jedes Mal, wenn es einen Dinar brachte, eine Weile in der Hoffnung, ich würde die Dinare an mich nehmen und ihm dafür das Weibchen freigeben. Als es sah, daß ich das Weibchen nicht freiließ, brachte es beim letzten Mal einen Lappen herbei. Da wußte ich, daß es alle Dinare, die es besaß, hervorgeholt hatte. So ließ ich denn das Weibchen frei und nahm die Dinare an mich.

89. Die enttäuschte Schlange

In der vorislamischen Zeit begaben sich einmal zwei Brüder auf die Reise. Unter einem Felsblock machten sie im Schatten eines Baumes halt. Als der Abend nahte, kam unter dem Felsen eine Schlange zu ihnen heraus, die einen Dinar mitbrachte, den sie vor ihnen niederlegte. Die Brüder sagten: »Dieser Dinar muß aus einem hier befindlichen Schatz stammen.« So blieben sie drei Tage dort, indes die Schlange ihnen täglich einen Dinar herausbrachte. Danach sagte einer von beiden zu dem anderen: »Wie lange wollen wir noch täglich auf diese Schlange warten, anstatt sie zu töten und nach dem Schatz zu graben, um ihn an uns zu nehmen?« Sein Bruder riet ihm aber dringend ab und sprach zu ihm: »Du weißt nicht Bescheid. Es könnte sein, daß du umkommst und nicht bis zu dem Geld vordringst.« Er aber wollte nicht auf ihn hören, sondern nahm ein Beil, beobachtete die Schlange, als sie wieder herauskam, und brachte ihr mit einem Schlag eine Kopfwunde bei, ohne sie jedoch tödlich zu treffen. Da eilte die Schlange auf ihn zu, tötete ihn und kroch wieder in ihr Loch. Der Bruder begrub den Toten und blieb weiter dort. Am nächsten Tag kam die Schlange wieder heraus, dieses Mal mit einem verbundenen Kopf und ohne etwas mitzubringen. Da sagte der Überlebende zu ihr: »Liebe Schlange, ich habe das dir zugefügte Leid, bei Gott, nicht gebilligt, sondern meinem Bruder dringend davon abgeraten, er aber hat meine Mahnung in den Wind geschlagen. Ist es dir recht, daß wir uns Gott gegenüber verpflichten, einander kein Leid zuzufügen und daß du zu deinem früheren Brauch zurückkehrst?« Als die Schlange dies ablehnte, fragte er: »Warum?« Da sprach sie: »Weil ich weiß, daß du mir niemals wieder vertrauen wirst, da du das Grab deines Bruders vor Augen hast, und ich dir nicht, weil ich an diese Kopfwunde denken muß.«

90. Die Geschichte von der Schlange

Jahjā ibn 'Abd al-Hamid al-Himmānī erzählt:

Ich saß einmal bei Sufjān ibn 'Ujaina, als dieser die Leute in der heiligen Überlieferung unterrichtete. Etwa tausend Männer mochten zugegen sein. Gegen Ende der Sitzung wandte sich Sufjān an einen zu seiner Rechten und sprach: »Erhebe dich und erzähle den Leuten die Geschichte von der Schlange.« Der Mann bat uns, ihn zu stützen. Dies taten wir, und mit weit geöffneten Augenlidern hub er an zu sprechen:

So höret denn und merket es euch wohl! Mein Vater hat mir nach meinem Großvater erzählt, es habe einmal einen Mann namens Muhammad ibn Humaijir gegeben. Er war ein gottesfürchtiger Mann, der tagsüber und nachts aufstand, um zu beten. Im übrigen plagte er sich als Jäger ab.

Als er eines Tages wieder auf die Pirsch ging, begegnete ihm plötzlich eine Schlange und sprach zu ihm: »Muhammad ibn Humaijir, gewähre mir Schutz, so wird Gott auch dir Schutz gewähren.« – »Vor wem denn?« fragte Muhammad ibn Humaijir. Sie antwortete: »Vor meinem Feind. Er verfolgt mich.« Muhammad fragte: »Wo ist denn dein Feind?« und sie sagte: »Er ist mir auf den Fersen.« Nun wollte er wissen: »Welcher Gemeinschaft gehörst du an?« Sie sprach: »Der Gemeinschaft des Propheten Muhammad – Gott segne ihn und schenke ihm Heil. Wir bezeugen, daß es keinen Gott gibt außer Gott.« – Er selbst erzählt nun weiter: Da öffnete ich meinen Überwurf und sprach: »So schlüpfe hinein.« Sie entgegnete: »Dort wird mich mein Feind entdecken.« So hob ich mein zerschlissenes Kleid hoch und sagte: »Krieche zwischen meine Lumpen und meinen Bauch.« – »Auch dort wird mich mein Feind entdecken«, widersprach sie. Ich fragte: »Was soll ich denn mit dir machen?« und sie sagte: »Wenn du eine gute Tat tun willst, so öffne mir deinen Mund, daß ich hineinschleiche.« – »Ich fürchte, du wirst mich töten«, wandte ich ein. Sie beteuerte jedoch: »Nein, bei Gott, ich werde dich nicht töten. Gott soll mit seinen Engeln und Propheten, mit den Trägern seines Thrones und den Bewohnern seiner Himmel Zeuge wider mich sein, wenn ich dich töte.« So verließ ich mich auf ihren Eid, öffnete meinen Mund, und sie schlüpfte hinein. Danach ging ich weiter.

Auf einmal begegnete mir ein Mann mit einem scharfen Schwert. »Muhammad!« sprach er mich an. Ich erwiderte :»Was willst du?« Er fragte: »Hast du meinen Feind getroffen?« Ich antwortete mit der Gegenfrage: »Wer ist denn dein Feind?« – »Eine Schlange«, erklärte er. Da rief ich aus: »O Gott, nein!« Und ich bat den lieben Gott für mein »Nein« hundert Mal um Verzeihung, wußte ich doch, wo sie war. Mit diesen Stoßgebeten setzte ich meinen Weg fort.

Danach steckte sie plötzlich ihren Kopf aus meinem Mund heraus und sprach: »Schau, ob dieser Feind wirklich fort ist.« Nachdem ich mich umgedreht hatte, ohne einen Menschen zu sehen, sagte ich: »Ich sehe keinen Menschen. Wenn du willst, kannst du herauskommen.« Sie meinte jedoch: »Halte noch eine Zeitlang Ausschau.« Da durchbohrte ich mit meinen Augen die Wüste, doch ich sah keinen Recken, kein Wesen, keinen Menschen und wiederholte deshalb: »Wenn du willst, kannst du herauskommen; denn ich sehe keinen Menschen.« Da sprach sie: »Jetzt wähle eine von zwei Möglichkeiten, Muhammad.« Auf meine Frage, was dies für Möglichkeiten seien, fuhr sie fort: »Entweder beiße ich dich in die Leber und zersetze sie in deinem Inneren, oder ich strecke deinen Leib mit einem Biß entseelt zu Boden.« – »Um des Himmels willen!« rief ich aus. »Wo bleibt das Versprechen, das du mir gegeben, wo die Vereinbarung, die du mit mir getroffen, und der Eid, den du mir geschworen hast? Wie schnell hast du dies vergessen!« Sie antwortete: »Wie konntest du, Muhammad, die Feindschaft vergessen, die bereits zwischen mir und deinem Stammvater Adam bestanden hat, als ich ihn verführte und seine Vertreibung aus dem Paradies bewirkte? Auf Grund welcher Tatsache warst du bestrebt, mir Gutes zu tun?« Ich fragte: »Mußt du mich denn unbedingt töten?« und sie erwiderte: »Bei Gott, ich muß dich töten.« Nun bat ich: »Gewähre mir wenigstens solange Aufschub, bis ich am Fuß dieses Berges bin, damit ich mir ein Stück Erde zum Sterben glätten kann.« – »Damit bin ich einverstanden«, sprach sie.

So ging ich auf den Berg zu ohne Hoffnung für mein Leben.

Auf einmal richtete ich den Blick gen Himmel, und dann brach ich in die Worte aus: »O du Gütiger, erweise mir deine verborgene Güte. O du Gütiger, bei der Allmacht, die es dir ermöglicht, auf deinem Throne allen gleich nahe zu sein, der Himmelsthron weiß nicht, wo du auf ihm sitzest, wenn du mich nicht von der Schlange erlöst.« Als ich danach weiterging, begegnete mir ein untadeliger Mann mit freundlichem Antlitz, feinem Duft und frei von allem Unreinen. Er grüßte mich, und ich erwiderte seinen Gruß. Dann fragte er: »Wie kommt es, daß ich dich so blaß sehe?« – »Mein lieber Freund«, gab ich zur Antwort, »weil mir ein Feind Gewalt angetan hat.« – »Wo ist denn dein Feind?« fragte er, und ich sagte: »In meinem Bauch.« Jetzt forderte er mich auf, den Mund zu öffnen. Als ich es tat, legte er mir etwas wie ein grünes Olivenblatt hinein und sprach: »Kaue und schlucke.« Kaum hatte ich es getan, da bekam ich heftige Leibschmerzen und brach die Schlange Stück für Stück aus der Tiefe aus. Danach schloß ich mich dem Manne an. »Mein lieber Freund«, sagte ich zu ihm, »Preis sei Gott, der mich mit dir begnadet hat!« Er aber lachte und fragte dann: »Kennst du mich nicht?« Als ich es entschieden verneinte, sagte er: »Muhammad ibn Humaijir, nach deinem Erlebnis mit der Schlange und deinem Gebet haben die Engel aller sieben Himmel Gott den Mächtigen und Erhabenen mit lauter Stimme angefleht. Da hat er verkündet: ›Bei meiner Macht und Hoheit, meiner Großmut und Erhabenheit, ich selbst bin's, der alles veranlaßt hat, was die Schlange meinem Diener angetan hat.‹ Darauf hat Gott mir – man heißt mich ›die gute Tat‹, und meine Wohnstätte ist im vierten Himmel – befohlen: ›Gehe ins Paradies, hole ein grünes Blatt vom Tūbā-Baum und bringe es meinem Diener Muhammad ibn Humaijir.‹ O Ibn Humaijir, bleibe darauf bedacht, Gutes zu üben; denn es schützt vor den Richtstätten des Bösen. Mag auch der, dem du Gutes tust, es als ungeschehen betrachten, bei Gott dem Mächtigen und Erhabenen ist es nicht ungeschehen.«

91. Der Hund als Rächer

Es war einmal in Bagdad ein Mann, der ein Spielgefährte der Hunde war. Als er eines Tages ausging, weil er irgendetwas brauchte, lief ihm einer von seinen Hunden nach, den er besonders liebevoll zu behandeln pflegte. Obwohl er ihn zurückjagte, kehrte er nicht um. So ließ er ihn und ging seines Weges, bis er auf einige Leute stieß, mit denen er verfeindet war. Weil sie ihn schutzlos antrafen, ergriffen sie ihn, während der Hund ihr Treiben mitansah. Sie schleppten ihn ins Haus, und der Hund lief mit hinein. Dort töteten sie den Mann, warfen ihn in einen Brunnen und schütteten diesen bis oben zu. Den Hund aber schlugen sie, jagten ihn zur Tür hinaus und trieben ihn fort. So lief er schnell zum Hause seines Herrn und bellte, ohne daß man ihn beachtete. Als dann die Mutter des Mannes ihren Sohn vermißte und erkannte, daß er umgekommen war, trauerte sie ohne Unterlaß um ihn und verjagte die Hunde von ihrer Tür. Jener Hund aber wich nicht vom Tor und ließ sich nicht vertreiben.

Eines Tages kam einer von den Mördern seines Herrn an der Haustür vorbei, während der Hund immer noch dort wartete. Als er ihn erblickte, sprang er ihn an, zerkratzte ihm ein Bein, biß ihn und klammerte sich an ihn fest. Die Vorübergehenden bemühten sich vergebens, ihn von dem Hund zu befreien, und es entstand ein großer Lärm bei den Leuten. Da kam der Wächter der Straße herbei. Er sagte: »Der Hund hat sich nur deshalb an den Mann geklammert, weil er etwas mit ihm gehabt hat. Vielleicht hat der Mann ihn verletzt.« Die Mutter des Ermordeten hörte diese Worte und trat deshalb aus dem Hause. Als sie sah, wie der Hund den Mann krampfhaft festhielt, schaute sie sich den Mann näher an. Nun erinnerte sie sich, daß er einer von den Feinden ihres Sohnes und einer von den Leuten war, die ihm nachstellten, und gewann die Überzeugung, er sei der Mörder ihres Sohnes. Sie heftete sich deshalb an ihn, und als man beide dem Kalifen ar-Rādī-billāh vorführte, klagte sie ihn des Mordes an. Der Kalif ließ ihn ins Gefängnis werfen, nachdem er ihn hatte auspeitschen lassen, doch er bestritt jede Schuld. Der Hund aber wich und wankte nicht vom Gefängnistor.

Nach einiger Zeit befahl ar-Rādī, den Gefangenen auf freien Fuß zu setzen. Als er aus dem Kerkertor heraustrat, klammerte sich der Hund wieder an ihn wie zuvor. Die Leute wunderten sich darüber und bemühten sich, ihn von dem Hund zu befreien. Es gelang ihnen aber erst, nachdem sie sich lange abgequält hatten. Als ar-Rādī dies erfuhr, befahl er einem seiner Diener, er solle den Mann ungehindert gehen lassen, ihm aber den Hund nachschicken und diesem selber folgen. Wenn der Mann dann sein Haus betreten wolle, solle er ihm zuvorkommen und den Hund mithineinnehmen. Alles, was er den Hund nun tun sehe, solle er ihm melden. Der Diener führte seinen Befehl aus: Als der Mann sein Haus betreten wollte, kam er ihm zuvor, ging hinein, nahm den Hund mit und durchsuchte das Haus. Während er selbst nicht das Geringste entdecken konnte, begann der Hund zu bellen und an der Stelle, wo der Brunnen war, in den man den Ermordeten geworfen hatte, zu suchen. Der Diener wunderte sich hierüber und teilte ar-Rādī das Verhalten des Hundes mit. Jetzt befahl der Kalif, den Brunnen auszuheben, und als es geschah, kam der Ermordete zum Vorschein. Nachdem der Hausbesitzer ar-Rādī vorgeführt worden war, ließ dieser ihn auspeitschen. So gab er zu, daß er selbst und seine Spießgesellen den Mord begangen hatten. Da wurde er hingerichtet, während die anderen sich den Häschern durch die Flucht entziehen konnten.

92. Das rätselhafte Grabgebäude

Es ging einmal ein Mann auf eine Reise. Da kam er an einem wunderschönen Grabgebäude vorbei, das in der Nähe eines Weilers lag und die Inschrift trug: »Wer den Grund der Erbauung erfahren möchte, der gehe ins Dorf.« So ging er ins Dorf und fragte die Einwohner, warum man das Grabgebäude errichtet habe, aber er konnte von niemand Auskunft darüber erlangen, bis man ihn schließlich an einen Mann verwies, der bereits zweihundert Jahre alt war. Als er ihn fragte, berichtete er ihm, sein Vater habe ihm folgendes erzählt:

Es war einmal ein König in diesem Lande. Der besaß einen

Hund, von dem er sich weder daheim noch auf Reisen, weder wachend noch schlafend trennte, sowie eine Magd, die stumm und gelähmt war. Als er eines Tages zu einem seiner Lustorte ausreiten wollte, ließ er den Hund festbinden, damit er nicht mitlief, und befahl seinem Koch, für ihn selbst eine Milchspeise herzurichten, die er besonders liebte. Nachdem der Koch die Speise bereitet hatte, brachte er sie und setzte sie bei der Magd und dem Hund hin. Dort ließ er sie offen stehen und ging wieder fort. Danach kroch eine große Schlange an das Gefäß heran. Sie trank von der Speise, spie sie aber in das Gefäß zurück und verschwand wieder. Von seinem Lustort heimgekehrt, verlangte der König die Speise, und sie wurde ihm aufgetischt. Da begann die Magd, in die Hände zu klatschen und dem König durch Zeichen zu bedeuten, daß er sie nicht essen solle, aber keiner wußte, was sie wollte. So griff der König mit der Hand nach der Schüssel. Nun begann der Hund, zu bellen, zu heulen und dermaßen an der Kette zu reißen, daß er sich schier umbrachte. Der König wunderte sich hierüber und befahl, ihn loszulassen. Kaum war der Hund frei, da rannte er auch schon zum König hin, der bereits den Bissen mit der Hand zum Munde führte, sprang hoch und schlug dem König den Bissen aus der Hand. Dieser ergrimmte, riß sich einen Dolch von der Seite und wollte ihn mit dem Dolch erstechen. Da steckte der Hund seinen Kopf in das Gefäß, und nachdem er einen Teil der Speise aufgeleckt hatte, sank er mit zerfetztem Leib auf die Seite nieder. Voller Verwunderung wandte sich der König an die Magd. Diese gab ihm durch Zeichen zu verstehen, was sich mit der Schlange zugetragen hatte. Jetzt wurde dem König alles klar. Er ließ die Speise wegschütten und den Koch bestrafen, weil er das Gefäß hatte offen stehenlassen. Weiter befahl er, den Hund zu bestatten, über seinem Grab das Gebäude zu errichten und es mit jener Inschrift zu versehen, die du gelesen hast.

93. Der Affe als Bestecher

Ein Ungenannter erzählt, daß er einmal auf irgendeiner Reise mit einem Mann, dessen Frau und einem Affen, der dem Mann gehörte, auf dem Dach einer Herberge übernachtete. »Während die Leute schliefen«, (so berichtet er,) »plagte mich Schlaflosigkeit. Als aller Augen Ruhe gefunden hatten, sah ich auf einmal, daß der Affe den Nagel, an dem seine Kette befestigt war, herausgerissen hatte und auf die Frau zuging. Weil ich nicht wußte, was er wollte, erhob ich mich. Als er dies sah, ging er zu seinem Platz zurück. Dann wiederholte er das gleiche mehrere Male, während ich mich jedes Mal erhob. Als ihm dies schließlich zu langwierig wurde, kam er zu mir, öffnete eine Satteltasche, entnahm ihr einen Geldbeutel mit Dirhems – er schien mir mehr als hundert zu enthalten – und warf ihn mir zu. Ich wunderte mich darüber und sagte mir, ich wolle schweigen, um zu sehen, was er nun anstellen werde. Darauf ging er zu der Frau. Diese gab sich ihm hin, und er wohnte ihr bei. Da tat es mir leid, daß ich es gewesen war, der es ihm ermöglicht hatte, und ich behielt den Beutel bei mir.

Am folgenden Tag suchte der Eigentümer des Affen schreiend, was ihm abhanden gekommen war, und er sprach zu dem Herbergswirt: »Mein Affe wird mich darüber unterrichten, wer diesen Geldbeutel an sich genommen hat. Schließe die Herbergspforte zu. Ich werde mich mit dir hinsetzen. Dann gehen die Leute hinaus, und der, an dem sich der Affe anklammern wird, der ist mein Widersacher.« Der Wirt tat nach seinem Geheiß. Nun fingen die Leute an hinauszugehen, während der Affe ruhig sitzen blieb. Als ich dann hinausging, kümmerte er sich ebensowenig um mich. Draußen vor der Herberge blieb ich stehen, um zu beobachten, was weiter geschehen werde. Als schließlich kein anderer mehr übrig war, kam ein Jude heraus, und an diesen klammerte sich der Affe. Da schrie sein Herr: »Dies ist mein Widersacher«, und er zerrte an ihm, um ihn zum Wachhauptmann zu bringen. Jetzt erschien es mir nicht mehr statthaft zu schweigen. Ich sagte deshalb: »Leute, ihr habt es hier nicht mit dem Juden, sondern mit mir zu tun. Den Geldbeutel besitze ich, und es ist seltsam, wie er in meinen Besitz gekommen ist!« Nun holte ich ihn heraus und erzählte ihnen den Hergang. Nachdem man uns mit dem Geldbeutel zum Wachhauptman gebracht hatte, unterrichteten die Leute ihn über meine gesellschaftliche Stellung, meinen Rang und meinen Wohlstand, während der Affenhalter allmählich nichts mehr von dem Tier wissen wollte. Ich hatte mich noch nicht entfernt, als der Wachhauptmann die Tötung des Affen befahl und die Frau gesucht wurde. Da ergriff sie die Flucht. Der Jude aber ging ungeschoren davon.

94. Zwischen Löwe und Bär

Irgendjemand hat erzählt, es sei einmal ein Löwe auf ihn zugekommen. Er habe sich deshalb zu einem Baum geflüchtet. Auf dem Gipfel angekommen, habe er plötzlich auf einem seiner Äste einen Bären entdeckt, der eben eine Frucht pflückte. Er erzählt wörtlich: Als der Löwe sah, daß ich zu dem Baum lief, kam er und streckte sich darunter aus, um zu warten, bis ich herunterkäme. Meine Blicke auf den Bären richtend, bemerkte ich plötzlich, daß er mit seiner Zehe auf seine Schnauze zeigte, womit er sagen wollte »Schweig still«, damit der Löwe nicht merke, daß ich auf dem Baume war. So saß ich lange ratlos zwischen Löwe und Bär. Nun hatte ich aber ein kleines Messer bei mir. Dieses holte ich hervor und begann den Zweig abzusägen, auf dem sich der Bär befand. Nachdem ich ihn beinahe durchgesägt hatte, brach er ab, und weil der Bär schwer war, plumpste er auf die Erde. Da sprang der Löwe auf ihn zu. Eine Zeitlang kämpften sie miteinander. Dann überwältigte der Löwe den Bären, fraß ihn auf und ging seiner Wege.

95. Der geschändete König der Tiere

Zwei glaubwürdige Verwalter von zwei Gütern in der Gegend von al-Dschāmida und dem Dscha'far-Fluß erzählten: Als wir einmal mit einigen unserer Arbeiter ins Ried hinauszogen, um Rohr zu schneiden, erblickten wir einen jungen Löwen, der noch aussah wie eine Katze. Nachdem einer von den Rohrschneidern ihn getötet hatte, sagten die Leute: »Des Jungen haben wir uns entledigt, jetzt wird aber sofort der alte Löwe mit der Löwin auftauchen. Wenn sie ihr Junges nicht finden, werden sie sich auf uns stürzen, die wir die Nacht im Röhricht des Ödlandes verbringen müssen, um uns zu zerreißen.« Kaum hatten sie dies gesagt, da hörten wir auch schon die Stimme des Löwen. Blindlings rasten wir von dannen und eilten allesamt zu einem verfallenen Haus außerhalb des Rieds. Wir stiegen gleich ins Dachgeschoß hinauf, wo sich eine mit einer Tür versehene Kammer befand, in der wir nachts Unterkunft suchten. Als der Löwe sah, daß sein Junges umgebracht worden war, eilte er auf uns zu und kam mit uns in den Hof des verfallenen Hauses. ... Nun begann er emporzuspringen, um uns zu erreichen. Als er es nicht vermochte, kehrte er um, stieg auf einen Hügel in der Einöde und brüllte. Da kam die Löwin zu ihm, und auch sie sprang gleich empor, ohne an uns heranzukommen. Nachdem sie sich beide brüllend entfernt hatten, gesellten sich ihnen einige andere Löwen bei, die dann ebenfalls in die Höhe sprangen; doch auch sie konnten uns nicht erreichen. So ging es weiter, bis sich schließlich mehr als zehn Löwen zusammenfanden. Jedesmal wenn ein neuer kam, sprang er zu uns empor, ohne bis zu uns zu gelangen, indes wir schier starben aus Furcht, daß uns am Ende doch einer von ihnen erreichen könnte. Während wir in dieser Angst schwebten, bildeten alle Löwen auf einmal einen Kreis, drückten die Mäuler in die Erde und gaben einen einzigen Schrei von sich. Danach konnten wir sehen, daß durch ihre Atemzüge eine Grube in der Erde entstanden war. Es dauerte nur ein Weilchen, da erschien ein großer, schwarzer, ausgemergelter Löwe, der bereits keine Haare mehr hatte. Die übrigen gingen ihm höflich entgegen und wedelten vor ihm und rings herum mit den Schwänzen. Darauf schritt er ihnen voran, während sie ihm folgten. Als er uns dann in der Kammer gewahrte, sprang er hoch und kam am Ende bis zu der Tür herauf. Wir aber hatten sie verriegelt und uns wie ein Ring fest zusammengeschlossen, um ihn am Eindringen zu verhindern. Jetzt warf er sich ohne Unterlaß mit seinem Hinteren gegen die Tür, und nachdem er schließlich eines von den Türbrettern eingedrückt hatte, steckte er seinen Steiß zu uns herein. Da sprang einer von uns an seinen Schwanz heran und schnitt ihn mit einer Sichel ab, die wir bei uns hatten. Der Löwe tat einen gewaltigen Schrei, wie man noch nie einen gehört hat, rannte fort und warf sich auf die Erde. Nachdem er die übrigen Löwen, die vor ihm standen, lange mit seinen Krallen bearbeitet hatte, lief er blindlings in die Einöde, die anderen hinterher. Als keiner von ihnen mehr zu sehen war, stiegen wir herunter, gingen in unser Dorf und erzählten den Leuten, was wir erlebt hatten. Da sagte ein alter Mann zu uns: »Diesem Leu ist es ergangen wie der vornehmen Ratte, der beim Mäusefressen der Schwanz abgeschnitten wurde.«

96. Der Dank des Elefanten

Es wird von einigen angesehenen Männern aus al-Baḥrain, die wiederholt in Indien gewesen sind, berichtet, sie hätten dort eine weitverbreitete Geschichte gehört. Ein Mann, der von der Elefantenjagd lebte, habe nämlich folgendes erzählt:

Ich versteckte mich einmal in einem Dickicht, das die Elefanten auf dem Weg von ihren Wasserplätzen zu ihrer Weide zu durchkreuzen pflegten, auf einem hohen, dichtbelaubten Baum. Da kam eine Gruppe von ihnen an mir vorbei. Nun hatte ich die Gewohnheit, die Gruppen vorbeigehen zu lassen, bis der letzte Elefant kam. Dann pflegte ich einen vergifteten Pfeil auf eine seiner verwundbaren Stellen zu schießen, worauf die Elefanten erschraken und sich davonmachten. Wenn das verwundete Tier starb, kam ich vom Baum herunter, brach ihm die Stoßzähne aus, häutete es, nahm beides mit und verkaufte es im Lande. Als nun diese Gruppe an mir vorbeikam, schoß ich auf das letzte Tier der Gruppe, und es stürzte zu Boden. Da bemächtigte sich der Elefanten eine große Aufregung. Sie eilten zu dem erlegten Tier, und siehe, da kam auch schon der größte von ihnen zurück, blieb bei ihm stehen und betrachtete den Pfeil und die Wunde. Die übrigen Elefanten kehrten mit ihm um und blieben gleich ihm stehen. Er wich nicht von der Stelle, während sich das verwundete Tier hin und her wälzte, bis es verendete. Jetzt stieß jener Elefant fürchterliche Schreie aus, und die übrigen stimmten in sein Brüllen mit ein. Danach verteilten sie sich über das Dickicht und suchten Baum für Baum ab. Ich aber war meines Todes gewiß. Schließlich kam der größte von den Elefanten auch zu dem Baum, auf dem ich saß. Als er sich gegen ihn lehnte, brach dieser trotz seiner Größe und Dicke ab und stürzte zu Boden. Jetzt gab es keinen Zweifel mehr für mich, daß der Elefant mich zerstampfen werde, und siehe, schon näherte er sich und blieb stehen, um mich zu betrachten, während die übrigen mich unbeachtet ließen. Als er mich sah und meinen Bogen und Pfeil gewahrte, wand er seinen Rüssel, schlang ihn um mich und holte mich auf die Erde herunter. Nun fing er an, höflich und freundlich mit dem Rüssel auf eine dort befindliche Riesenschlange zu zeigen. Da legte ich einen Pfeil auf die Schlange an, schoß und traf sie. Nachdem ich dies mehrere Male wiederholt hatte, kroch sie schwerverwundet fort, worauf der Elefant an sie herantrat und sie zerstampfte.

Danach kehrte er zurück, ergriff mich mit seinem Rüssel und setzte mich auf seinen Rücken. Dann trabte er fort, während ihm die anderen Elefanten folgten, und lief in ein Dickicht hinein, das ich nicht kannte und das größer war als jenes, aus dem er mich entführt hatte. Zu meiner Überraschung war es etliche Meilen lang, und es lagen dort soviele tote Elefanten, daß nur Gott der Mächtige und Erhabene sie hätte zählen können. Bei den meisten waren die Leiber bereits verwest und nur noch die Knochen übrig. Ohne Unterlaß suchte er nun die Stoßzähne, sammelte sie, winkte einem anderen Elefanten, der dann zu ihm kam, und lud soviele auf, wie nur möglich war. Dies betrieb er, bis er keinen Stoßzahn mehr dort liegen gelassen, sondern sie alle gesammelt und die Elefanten damit beladen hatte. Dann setzte er mich rittlings auf seinen Rücken und machte sich mit mir auf den Weg in das besiedelte Gebiet, während ihm die übrigen Elefanten folgten. Als in der Ferne die Dörfer auftauchten, gab er den Elefanten ein Zeichen, worauf sie ihre Lasten bis auf den letzten Rest abwarfen. Dann hob er mich mit seinem Rüssel behutsam herunter und ließ mich bei den Stoßzähnen zurück, die zu einem Riesenhaufen geworden waren. Da saß ich nun bei ihnen voller Staunen über meine Rettung. Der Leitbulle aber machte sich auf den Rückweg in die Steppe, und die anderen Elefanten kehrten mit ihm um, während ich es immer noch nicht glauben konnte, daß ich heil davongekommen war und daß der Elefant wirklich so überaus klug und gescheit war, wie ich es selbst erfahren hatte. Nachdem die Elefanten meinen Blicken entschwunden waren, begab ich mich in das nächste Dorf und dang viele Leute, die tagelang mit mir auszogen und die Zähne aufluden. Damals war ich ohne Unterlaß mit dem Verkauf beschäftigt, so daß ich mit der Elefantenjagd eine solche Menge Geld verdiente, daß ich reich und wohlhabend wurde.

97. Gelöbnistreue

Ibrāhīm al-Chauwās erzählt:
Als ich einmal mit einer Anzahl von Mystikern eine Seereise unternahm, erlitten wir Schiffbruch. Einige von uns konnten sich auf Schiffsplanken retten, und so wurden wir an einer mir unbekannten Stelle an Land getrieben. Nachdem wir dort einige Tage verbracht hatten, ohne etwas zu finden, wovon wir uns hätten ernähren können, sahen wir unser Ende voraus. Da sprachen wir zu einander: »Kommt, wir wollen uns Gott gegenüber verpflichten, ihm zuliebe auf irgendetwas zu verzichten. Vielleicht wird er sich dann unser erbarmen und uns aus dieser Not erretten.« Nun erklärte einer: »Ich werde nie wieder das Fasten brechen.« Ein anderer: »Ich werde täglich soundsoviel Gebetsübungen mit Verbeugungen verrichten.« Wieder ein anderer: »Ich werde auf alle Vergnügungen verzichten.« Schließlich hatten alle von uns etwas erklärt. Weil ich noch schwieg, sagten sie zu mir: »Erkläre auch du etwas.« Mir aber kam nichts anderes auf die Zunge als das Versprechen: »Ich werde niemals Elefantenfleisch essen.« Da sagten sie: »Wie kannst du in einer Lage wie der unseren auch noch scherzen?« Ich erwiderte: »Bei Gott, ich habe nicht die Absicht zu scherzen, aber seitdem ihr mit euren

Erklärungen begonnen habt und auch ich meiner Seele etwas vorschlagen möchte, worauf ich Gott dem Mächtigen und Erhabenen zuliebe verzichten soll, will meine Seele sich mir nicht fügen, und mir kommt nichts anderes in den Sinn als das, was ich gesagt habe. Es muß schon seinen Grund haben, daß Gott dies über meine Zunge hat kommen lassen und es meinem Herzen eingegeben hat.«

Eine Weile darauf meinte einer von uns: »Warum durchstreifen wir eigentlich nicht einzeln dieses Gelände, um irgendwelche Nahrung zu suchen? Wenn dann einer etwas findet, könnte er die übrigen verständigen. Treffpunkt wäre dieser Baum.« So gingen wir getrennte Wege, und einer von uns kehrte mit einem kleinen Elefantenjungen zurück. Nachdem wir einander unterrichtet und uns zusammengefunden hatten, ergriffen meine Freunde das Tier, gaben sich sachverständig damit ab und brieten es. Dann ließen sie sich zum Essen nieder und riefen mich herbei. Ich erwiderte: »Ihr wißt, daß ich seit einer Weile Gott dem Mächtigen und Erhabenen zuliebe darauf verzichte, und ich bin nicht der Mann, der seinen Entschluß widerruft, wenn er auf etwas verzichtet hat. Vielleicht ist mir dies über die Zunge gekommen, weil mir in eurem Kreise der Tod bestimmt ist; denn ich habe seit Tagen nichts gegessen, und auf eine andere Speise kann ich nicht mehr hoffen. Allein Gott soll nicht erleben, daß ich ihm mein Wort breche, selbst wenn ich sterben müßte.« Und ich sonderte mich von meinen Gefährten ab, indes sie aßen.

Als die Nacht hereinbrach, trennten wir uns, und jeder nahm den Platz ein, an dem er auch sonst übernachtete. Ich selbst suchte den Stamm eines Baumes auf, bei dem ich die Nacht zu verbringen pflegte. Es dauerte nur einen Augenblick, da näherte sich brüllend ein gewaltiger Elefant. Die Steppe wurde von seinem Gebrüll und seinem lauten Schreien scheinbar zermalmt, während er uns suchte. Da riefen einige von uns: »Unsere Todesstunde hat geschlagen! Stellet euch in Gottes Hand und sprechet: ›Ich bezeuge, daß es keinen Gott gibt außer Gott und daß Muhammad sein Diener und Gesandter ist.‹« Wir huben an, Gott um Verzeihung zu bitten und ihn zu preisen, und die Leute warfen sich auf ihr Gesicht nieder. Nun begann der Elefant, der

Reihe nach an jeden heranzugehen und ihn von oben bis unten zu beschnuppern. Wenn dann keine Stelle mehr an ihm war, die er nicht berochen hätte, hob er einen von seinen Füßen, setzte ihn auf den Mann und trat ihn auseinander. Sobald er merkte, daß er ihn umgebracht hatte, ging er zum nächsten und verfuhr mit ihm wie mit dem vorigen, bis ich schließlich als einziger übrigblieb, während ich aufrecht sitzend das Geschehen beobachtete, Gott um Verzeihung bat und ihn pries. Jetzt kam der Elefant auf mich zu. Als er sich mir näherte, warf ich mich auf den Rücken, und nun beroch er mich, wie er es mit meinen Freunden getan hatte. Dann beroch er mich wiederum, ja er tat es zwei oder drei Mal, obwohl er dies bei keinem anderen getan hatte, während ich vor Angst schier den Geist aufgab. Dann schlang er seinen Rüssel um mich und hob mich in die Luft. Ich glaubte, er wolle mich auf eine andere Weise töten, und so bat ich Gott mit lauter Stimme um Sündenvergebung. Nicht eher nahm der Elefant seinen Rüssel von mir, als bis er mich auf seinen Rücken gesetzt hatte, wo ich nun aufrecht saß und mich nach Kräften zu schützen suchte.

Danach ging der Elefant fort, bald mäßigen Schrittes, bald in rasendem Galopp, während ich Gott dem Mächtigen und Erhabenen dafür dankte, daß der Elefant mich noch eine Weile verschont hatte. Bald gewann ich neue Lebenshoffnung, bald machte ich mich darauf gefaßt, daß er sich auf mich stürzen werde, um mich zu töten, so daß ich Gott aufs neue um Sündenvergebung bat. Dabei hielt ich wacker aus und schluckte gar manche bittere Schmerzen herunter, die mir die schnelle Gangart des Elefanten verursachte. Dies hörte nicht auf, bis der Morgen graute und sein Licht erstrahlte. Jetzt wand er auf einmal seinen Rüssel um mich. Ich sagte mir, daß nun meine Todesstunde geschlagen habe, und sprach deshalb viele Male die Bitte um Sündenvergebung aus. Er aber hob mich zu meiner Überraschung von seinem Rücken herunter, ließ mich auf der Erde sitzen und ging den Weg zurück, den er gekommen war, obwohl ich es nicht glauben konnte. Als er meinen Blicken entschwunden war und ich nichts mehr von ihm hörte, warf ich mich vor Gott nieder, die Stirn auf den Boden gesenkt, und hob meinen Kopf nicht eher auf, als bis ich die Sonne verspürte. Da sah ich, daß ich mich auf einer breiten Straße befand. Nachdem ich sie etwa zwei Meilen weit gewandert war, gelangte ich zu einer großen Stadt. Als ich sie betrat, wunderten sich die Leute über mich und fragten mich, welche Bewandtnis es mit mir habe. Ich erzählte ihnen mein Erlebnis. Da behaupteten sie, der Elefant habe in dieser Nacht eine Strecke von mehreren Tagen zurückgelegt, und sie fanden meine Errettung unerhört. Ich blieb bei ihnen, bis ich mich von den erlittenen Widerwärtigkeiten erholt und körperlich gekräftigt hatte. Dann reiste ich mit den Kaufleuten zu einer Stadt an der Meeresküste, schiffte mich ein, und Gott nahm mich in seine Hut, bis ich in meine Heimat zurückkehrte.

Rätsel

98. *Worträtsel*

1.

Oft hat's Gesichter viel und gibt nichts preis.
Doch hat's nur zwei, verrät es, was es weiß.
Die Runen tun dir die Gedanken kund.
Dein Aug erlauscht sie, schaust du Stund um Stund.

Das geschlossene und das aufgeschlagene Buch

2.

Sein Leib ist dünn, doch wenn die Pfründe gut,
Ist groß sein Reichtum wie des Meeres Flut.
Im Auf und Ab es einer Schlange gleicht,
Die über Hügel weißen Sandes schleicht.
Mit heilem Kopf tut's keinen Schritt voran,
Verfehlt den Weg, weil's so nicht schauen kann,
Doch wenn die Klinge ihm den Schädel teilt,
Es ohne Scheu und unverdrossen eilt.
Kühn in des Jünglings Hand ist seine Hand,
Schafft Wohlstand ihm, der einst nur Not gekannt.

Das Schreibrohr

3.

Es schreitet nicht, und dennoch sitzt's nicht still.
Hat weder Kopf noch Hand, die greifen will.
Ist nicht lebendig, ist nicht tot. Der Augenschein
Erweist es als ein Wesen in Kanzlei'n.
Kein Schlangengift hat seines Geifers Macht.
Schleicht still einher durch Finsternis und Nacht.
Stumm trennt es Herzen, doch wen's trifft, der spricht.

Schont selbst der Kehlen unter Kronen nicht.
Wohl ist sein Äußres von geringem Schein,
Doch Tinte dringt bis in Gelenke ein.

Das Schreibrohr

4.
Sag, welche Mutter buhlt mit ihren Jungen?
Und dennoch ziemt sich's nicht, sie zu bestrafen!
Sie gleichen, wenn sie in den Schoß gedrungen,
Den Vipern, die in ihren Höhlen schlafen.

Tintenfaß mit Rohrfedern

5.
Geliebte hoher Herrn, doch stets voll Sorgen,
Du sie ihr Leben lang nicht lächeln siehst.
Aus Furcht vor des Geschickes bösem Morgen
Sie blutge Tränen auf die Briefe gießt.

Die Streusandbüchse

6.
Es glänzt. Der Leib ist rund, von echter Art.
Im Kopf jedoch ward Fremdes ihm gepaart.
Um mittendrin zu wohnen, wird's erstrebt.
Ein Mädchen, wenn's auch ohne Schleier lebt.
Als Ebenbild hat sie vier Schwesterlein.
Groß sind die andern, sie jedoch ist klein.

Der Siegelring

7.
Wie mancher sind die Lider feucht gleich mir und trüb der Sinn!
Verbannt aus ihrer Sippe, siecht sie in der Ferne hin.
Zehn Männer sind ihr angetraut, wenngleich dies nicht erlaubt.
Doch daß dies Sünde bei ihr sei und strafbar, keiner glaubt.
Greift sie ein Mensch mit fester Hand, ertönt von ihr ein Schrei'n,
Das jedes Herze rühren muß, und wäre es aus Stein.

Die Rohrflöte

8.
Wer ist die blasse, schmerzerfüllte Maid,
Der Jugendfrische dennoch Anmut leiht?
Sie ist geschminkt, obgleich sie fingerlos,
Entjungfert, doch des Frauenschleiers bloß.
Mit heller Stimme, küßt du ihren Mund,
Tut sie dir Märchen süß und rührend kund.
Fein klingt es, wenn sie lobt, von Liebe weint,
Wenn sie auch nicht Su'ād und Rabāb meint.

Die Rohrflöte

9.
Ein Reittier gibt's. Sein Reiter geht zu Fuß,
Und dennoch trägt's ihn, wie er's selber trägt.
Beschmutzt es an der Haustür bleiben muß.
Nach Speis und Trank es nie Verlangen hegt.

Der Überschuh

10.
Wie oft liegt's ohne Schuld verschlossen!
Trägt in der Haft ein zinnern Kleid.
Entlassen, springt's dir hoch zum Munde
Und küßt dich, froh, daß du's befreit.

Bier in zinnerner Kanne

11.
Gar manche gibt's, die ständig eilt.
Nie siehst du, daß sie müd verweilt.
Im Laufe frißt sie ohne Ruh.
Nichts trinkend, frißt sie immerzu.
Legt nicht fünf Ellen Weg's zurück,
Ja nicht einmal das kleinste Stück.

Die Mühle

12.

Ob ohne Mund und Bauch, sie dennoch zehrt.
Von Bäumen und von Tieren sie sich nährt.
Gibst du ihr Speise, steht sie auf und lebt.
Doch reichst du Wasser, sie im Tod entschwebt.

Die Öllampe

13.

Ein Drillingswort: Es schadet oder nützt.
Brauchst Mond und Sonne nicht, wenn du's besitzt.
Was vorn bei ihm, was hinten, weißt du nicht.
Es kann nicht hören, hat auch kein Gesicht.
Die Lanze scheut vor seiner Zunge Macht.
Im Kampfe es des scharfen Schwertes lacht.
Es stirbt, wenn man ihm fleißig Wasser bringt.
Auf seiner Bahn es Baum und Strauch verschlingt.
Jetzt sag mir, Leser, was dies Sprüchlein meint.
Wenn nicht, dann laß und reich es deinem Freund.

Das Feuer

14.

Ist oft zu Haus im Ödrevier.
Doch ist's kein Kraut, kein wildes Tier,
Kein Wurm, nichts aus der Geisterwelt,
Nicht Hütte, auch kein hären Zelt.
Ist ohne Leben, unbeleibt,
Und nimmer dir's ein Mensch beschreibt.
Doch irgendwie es sprechen kann,
So daß du's hörest dann und wann.

Das Echo

15.

Oft trägt's mich dahin,
Wenn im Sattel ich bin,
Von keinem gesehn.
Ist zum Reiten gar schön.

Weiß nicht, ob die Nacht
Ich im Himmel verbracht.

Der Schlaf

16.

Sag allen, die da klug, gescheit, gelehrt,
Die weise und durch Sachverstand bewährt:
»Verkündet mir, ob euch ein Ding bekannt:
Vom Vogel ist's, hier und in fremdem Land.
Gibt's einst und jetzt, wo's grünt, und auch, wo's heiß.
Man jagt's nicht auf der Jagd, sucht's doch mit Fleiß.
Bisweilen wird es fein gekocht verzehrt,
Das andre Mal gebraten auf dem Herd.
Sein Leib ist nicht aus Fleisch und Blut gebaut.
Ihr Sehnen nicht noch Knochen bei ihm schaut.
Hat keinen Fuß und hat auch keine Hand.
Von einem Kopf und Schwanz ist nichts bekannt.
Es ist nicht tot und nicht lebendig, nein.
Nun kündet mir. Das muß ein Wunder sein!«

Das Ei

17.

Possierlich Ding! Kopf muß in Aufruhr sein:
Zwei Finger hebt er gleichsam über drei'n.
Der Zeigefinger und der kleine stehn;
Die drei jedoch sind friedlich anzusehn.
Possierlich Ding! Fliegt ohne Schwingenpaar.
Bald stellt's als Mann, bald stellt's als Frau sich dar.

Der Hase

18.

Sag an, wie heißt dies Schwesternpaar?
Wie Raben gleicht es sich aufs Haar.
In einer Haut bis an ihr End.
Verbunden nicht und nicht getrennt.
Ein jede Tränen viel verströmt.

Doch alle ihr zum Tranke nehmt.
Ein Brauch entzieht sie unserm Blick.
Ein Schleier hält vom Griff zurück.

Die Brüste

19.
Der Liebsten Name kündet
Mir deutlich Leid und Qual;
Denn wenn ein Viertel schwindet,
So bleibt »Es war einmal«.

Ghazāl

99. *Das Vermächtnis des Nizār*

Als Nizār dem Tode nahe war, versammelte er seine Söhne Mudar, Ijād, Rabī'a und Anmār und sprach: »Liebe Söhne, dieses rote Rundzelt« – es war aus Leder – »ist für Mudar. Dieses schwarze Pferd und das schwarze Zelt sind für Rabī'a. Diese Sklavin« – sie war grauhaarig – »ist für Ijād. Dieser Säckel mit zehntausend Dirhems und der Sitzplatz sind für Anmār, damit er sich darauf niederläßt. Im übrigen gehet zu al-Af'ā al-Dschurhumī, der in Nadschrān wohnt, falls ihr Schwierigkeiten beim Teilen habt.« Nachher gerieten sie wirklich in Streitigkeiten über seine Hinterlassenschaft, und so machten sie sich auf den Weg zu al-Af'ā al-Dschurhumī.

Während sie dahinritten, entdeckte Mudar plötzlich eine Spur von Grünfutter, das abgeweidet worden war, und sprach: »Das Kamel, das dieses abgeweidet hat, ist einäugig.« Rabī'a sagte: »Es neigt sich im Lauf nach einer Seite.« Ijād sagte: »Ihm ist der Schwanz abgeschnitten.« Anmār sagte: »Es ist unstet.« Nachdem sie ein kleines Stück weitergereist waren, stießen sie plötzlich auf einen Mann, der sein Kamel suchte. Als er sich bei ihnen nach dem Tier erkundigte, fragte Mudar: »Ist es einäugig?« was jener bestätigte. Rabī'a fragte: »Neigt es sich im Lauf nach einer Seite?« und der Mann sagte ja. Ijād fragte: »Ist ihm der Schwanz abgeschnitten?« Auch dies bestätigte er. Anmār fragte: »Ist es unstet?« – »Ja«, antwortete der Mann, »ihr habt, bei Gott, eben mein Kamel beschrieben. So zeigt mir den Weg zu ihm.« Sie wandten ein: »Wir haben es wahrhaftig nicht gesehen.« Er erklärte jedoch: »Dies ist bestimmt eine Lüge.« Und er hing sich an sie, indem er jammerte: »Wie kann ich euch glauben, wo ihr mir doch mein Kamel genau beschreibt?« So setzten sie ihren Weg fort und kamen schließlich nach Nadschrān.

Als sie dort abstiegen, verkündete der Besitzer des Kamels: »Diese hier haben sich mein Kamel angeeignet. Sie haben es mir beschrieben, hinterher aber behauptet, sie hätten es nicht gesehen.« Da trugen sie ihren Streit al-Af'ā vor, der damals der Richter der Araber war. Dieser fragte: »Wie kommt es, daß ihr das Kamel beschrieben, es aber dennoch nicht gesehen habt?« Mudar antwortete: »Ich habe festgestellt, daß es eine Seite abgeweidet, die andere aber unberührt gelassen hat. Da habe ich gewußt, daß es einäugig ist.« Rabī'a antwortete: »Ich habe festgestellt, daß einer seiner Vorderfüße eine feste, der andere aber nur eine flüchtige Spur hinterläßt. So habe ich erkannt, daß es sich im Lauf nach einer Seite neigt, weil durch den Überdruck des Trittes die eine Spur nur flüchtig ist.« Ijād antwortete: »Ich habe an der festen Gestalt seines Mists gesehen, daß ihm der Schwanz abgeschnitten ist; denn wenn es einen Schwanz hätte, würde es den Mist mit ihm in Stücke schlagen.« Anmār antwortete: »Ich habe erkannt, daß es unstet ist, weil es an einem Ort mit dichtem Pflanzenwuchs geweidet hat, dann aber zu einem anderen übergegangen ist, wo die Pflanzen magerer und schlechter sind. Da habe ich gewußt, daß es unstet ist.« Jetzt erklärte al-Af'ā dem Mann: »Sie besitzen dein Kamel nicht. Gehe es suchen.« Danach fragte er sie: »Wer seid ihr eigentlich?« Nachdem sie es ihm berichtet hatten, hieß er sie willkommen. Nun erzählten sie ihm, was sie zu ihm hergeführt hatte. Da sprach er: »Braucht ihr mich wirklich, wo ich doch sehe, wie gescheit ihr seid?«

Nachdem er sie bei sich hatte einkehren lassen, schlachtete er für sie eine Ziege und brachte ihnen Wein. Al-Af'ā selbst setzte sich so, daß er von ihnen nicht gesehen werden, selbst aber ihre Unterhaltung mitanhören konnte. Danach sagte Rabī'a: »Noch nie habe ich köstlicheres Fleisch als heute gegessen. Schade nur, daß seine Ziege mit Hundemilch genährt worden ist.« Mudar sagte: »Noch nie habe ich köstlicheren Wein als heute getrunken. Schade nur, daß der Rebstock auf einem Grab gewachsen ist.« Ijād sagte: »Noch nie habe ich einen edleren Mann gesehen als diesen heute. Schade nur, daß er nicht von dem Vater abstammt, den er als den seinen angibt.« Anmār aber sagte: »Nie habe ich Worte gehört, die für unser Anliegen nützlicher wären, als diese heute.« Als al-Afʿā hörte, was sie sprachen, sagte er: »Diese Kerle sind wahrhaftig Teufel!« Dann ließ er seinen Verwalter kommen und fragte ihn: »Was ist dies für ein Wein, und wie verhält es sich mit ihm?« Jener antwortete: »Er stammt von einem Rebstock, der auf dem Grab deines Vaters gewachsen ist.« Den Hirten fragte er: »Was ist mit dieser Ziege?« Er antwortete: »Es ist ein Zicklein, das ich bei einer Hündin habe trinken lassen, weil das Muttertier gestorben war und in der Herde keine andere Ziege Junge hatte.« Dann suchte al-Afʿā seine Mutter auf und bat sie: »Sage mir die Wahrheit. Wer ist mein Vater?« Da erzählte sie ihm, sie sei mit einem reichen Fürsten verheiratet gewesen, dieser habe aber kein Kind bekommen. »So fürchtete ich«, sprach sie, »er könnte ohne Nachkommen sterben, so daß uns die Herrschaft verloren ginge. Ich gab mich deshalb einem Vetter von ihm hin, der bei ihm zu Gast war, und danach brachte ich dich zur Welt.«

Nachdem al-Afʿā zu den Brüdern zurückgekehrt war, erzählten sie ihm ihr Erlebnis und legten ihm den letzten Willen ihres Vaters auseinander. Da entschied er: »Was dem roten Rundzelt an Gold gleicht, gehört Mudar.« Also ging dieser mit den Dinaren und den roten Kamelen ab, was dem Mudar-Stamm den Beinamen »der Rote« eintrug. Wer das schwarze Pferd und das schwarze Zelt bekommen hatte, dem wurden nun alle schwarzen Dinge zugesprochen. So erhielt Rabīʿa die schwarzen Pferde, weshalb man von seinem Stamm als von »Rabīʿa mit dem Pferd« spricht. Was der grauhaarigen Sklavin glich, erhielt Ijād. So fielen ihm die schwarz-weißen Tiere von den kleinen und kurzbeinigen Schafen zu, und seinen Stamm nannte man »den Grauhaarigen«. Dem Anmār schließlich sprach er die Dirhems und den Grundbesitz zu. Mit dieser Verteilung schieden sie von ihm.

100. Die Brautsuche des Schann

Es war einmal ein schlauer und kluger Beduine namens Schann. Er leistete einen Eid, er werde die Länder durchstreifen, bis er eine Frau seinesgleichen finde, diese wolle er heiraten. Während er irgendwann auf Fahrt war, begegnete ihm unterwegs ein Mann. Sie setzten die Reise zusammen fort, und nun fragte Schann seinen Begleiter: »Willst du mich oder soll ich dich tragen?« Jener antwortete: »Ich reite, und auch du reitest. Wie willst du mich oder wie soll ich dich tragen?« Indem sie weiterzogen, kamen sie zu einem Saatfeld, das eben erntereif geworden war. Da fragte Schann: »Meinst du, daß dieses Saatfeld bereits aufgegessen ist oder nicht?« Der Mann erwiderte: »Ich habe noch nie einen größeren Einfaltspinsel als dich gesehen. Eine erntereife Pflanzung! Und da fragst du, ob sie bereits aufgegessen sei oder nicht!« Schann aber schwieg. So reisten sie weiter, bis sie in ein Dorf kamen und ihnen ein Leichenzug begegnete. Jetzt fragte Schann: »Meinst du, daß der Mensch dort auf der Bahre tot oder lebendig ist?« Der Mann hielt ihm entgegen: »Du siehst einen Leichenzug und stellst die Frage, ob die Leiche tot oder lebendig sei!« Schann gab ihm keine Antwort und wollte sich von ihm trennen. Er aber lehnte es ab, ihn zu verlassen, reiste vielmehr mit ihm weiter, bis sie die Wohnung des Mannes erreichten. Nun hatte der Mann eine Tochter des Namens Tabaka. Nachdem der Vater bei ihr eingetreten war, erkundigte sie sich, wen er als Gast mitgebracht habe. Da sprach er: »Ich habe noch nie einen größeren Einfaltspinsel als ihn gesehen.« Und er erzählte ihr, was er mit ihm erlebt hatte. »Liebes Väterchen«, gab sie ihm zur Antwort, »dieser Mann ist kein Einfaltspinsel. ›Willst du mich oder soll ich dich tragen?‹ bedeutet: ›Willst du mich oder soll ich dich unterhalten?‹ – ›Meinst du, daß dieses Saatfeld bereits aufgegessen ist oder nicht?‹ bedeutet: ›Haben seine Eigentümer die Frucht auf dem Halm verkauft und den Erlös bereits verzehrt oder nicht?‹ Bei dem Leichenzug schließlich hat er fragen wollen: ›Hat er Nachkommen hinterlassen, bei denen die Erinnerung an ihn lebendig ist, oder nicht?‹« Danach ging der Mann hinaus, setzte sich zu Schann und plauderte mit ihm. Dabei fragte er ihn: »Möchtest du, daß ich dir erkläre, wonach du unterwegs gefragt hast?« Jener sagte Ja, und nun erklärte er es ihm. Schann wandte jedoch ein: »Dies sagst du nicht aus dir selbst. Verrate mir, von wem dies stammt.« – »Von einer Tochter von mir«, gab er zur Antwort. Da hielt Schann um ihre Hand an. Der Mann gab sie ihm zur Frau, und Schann nahm sie mit zu seinen Angehörigen. Als diese das Mädchen sahen, sprachen sie: »Schann paßt zu Tabaka.«So ist dies ein geflügeltes Wort geworden, wenn man sagen will, daß zwei zueinander passen.

101. Die Warnung des Gefangenen

Es lebte einmal ein Mann als Gefangener beim Stamme der Bakr ibn Wā'il. Als sie beschlossen, einen Raubzug gegen den Stamm des Gefangenen zu unternehmen, bat er sie, einen Boten zu seinen Leuten schicken zu dürfen. Sie antworteten: »Nur in unserem Beisein darfst du ihn ausschicken, damit du sie nicht etwa warnst und auf der Hut sein heißt.« Dann brachten sie einen schwarzen Sklaven zu ihm. Diesen fragte er: »Wirst du begreifen, was ich dir sage?« – »Ja, ich bin klug«, antwortete er. Nun füllte der Gefangene beide Hände mit Sand und fragte: »Wieviel Sandkörner sind dies?« Der Sklave antwortete: »Ich weiß es nicht. Jedenfalls sind es viele.« Weiter fragte er: »Was ist zahlreicher, die Sterne oder die Lichter?« Er erwiderte: »Beide sind zahlreich.« Jetzt zeigte er mit der Hand auf die Sonne und fragte: »Was ist das?« – »Die Sonne«, erwiderte er, und jener bestätigte: »Ich sehe, daß du wirklich klug bist.« Danach befahl er ihm: »Grüße meine Leute und sage ihnen, sie sollten den Soundso« – dies war ein in ihren Händen befindlicher Gefangener aus dem Stamm der Bakr ibn Wā'il – »gut behandeln, seine Leute behandelten nämlich auch mich gut. Sage ihnen weiter, daß die Disteln bereits sprießen und die Frauen klagen. Sie sollen meine rote Kamelin lassen, denn sie haben sie lange genug geritten, und mein fuchsiges Kamel besteigen zum Zeichen dafür, daß ich Dattelbrei mit euch gegessen habe. Im übrigen befraget meinen Bruder al-Hārith über diese meine Nachricht.«

Als der Sklave ihnen diese Botschaft überbrachte, sagten sie: »Al-A'war ist wahnsinnig geworden. Bei Gott, wir kennen weder eine rote Kamelin noch ein fuchsiges Kamel von ihm.« Dann riefen sie seinen Bruder al-Hārith herbei und erzählten ihm die Geschichte. Dieser sprach: »Er hat euch mit seinen Worten warnen wollen. Mit dem Sand, den er in die Hand genommen hat, will er euch sagen, daß unzählig viele über euch kommen werden, mit der Sonne, auf die er gezeigt hat, daß dies klarer ist als die Sonne. ›Die Disteln sprießen bereits‹ bedeutet, daß die Männer bereits die Panzer angezogen und die Waffen angelegt haben. ›Die Frauen klagen bereits‹ bedeutet, daß sie begonnen haben, wegen des Kriegszuges zu klagen. ›Lasset meine rote Kamelin‹ bedeutet: ›Verlasset die Wüste.‹ Mit dem fuchsigen Kamel, das ihr besteigen sollt, meint er das Gebirge. ›Ich habe mit euch Dattelbrei gegessen‹ besagt, daß ein Gemisch von Menschen beschlossen hat, euch zu überfallen, weil Dattelbrei ein Gemisch aus Datteln, Butter und Quark ist.« Da gehorchten sie seinem Befehl. Sie erkannten den geheimen Sinn der Rede und handelten danach. So wurden sie gerettet.

Allerlei Kurzweil

102. *Eine bescheidene Dämonin*

Ein Jüngling sagte einmal zu einer Leibeigenen oder Freundin von sich: »Es gibt auf Erden keinen hübscheren oder schöneren Mann als mich.« Allmählich glaubte das Mädchen daran, und als er nun wirklich in ihren Augen der Schönste war, klopfte eines Tages an ihre Tür ein Mann, der ihren Freund besuchen wollte. Sie nahm ihn durch den Türspalt in Augenschein und gewahrte einen jungen Mann, wie es hübscher und schöner, vornehmer und vollkommener keinen gab. Als ihr Freund nach Hause kam, sagte sie zu ihm: »Hast du mir nicht erklärt, du seiest das hübscheste und schönste von Gottes Geschöpfen?« – »Freilich, das bin ich auch«, antwortete er. Da sprach sie: »Heute hat dich der und der besuchen wollen. Ich habe ihn durch den Türspalt gesehen und festgestellt, daß er hübscher und schöner ist als du.« Jener erwiderte: »Bei meinem Leben, er ist wahrhaftig hübsch und schön, doch er wird von einer Dämonin heimgesucht, die ihn allmonatlich zweimal zu Boden streckt.« Damit wollte er ihn in ihren Augen herabsetzen. Sie aber gab ihm zur Antwort: »Streckt sie ihn im Monat wirklich nur zweimal zu Boden? Bei Gott, wenn ich eine Dämonin wäre, würde ich ihn täglich zweitausendmal zu Boden strecken.«

103. *Die Nase*

Īsā ibn Marwān, der Kanzleibeamte des Abū Marwān ʿAbd al-Malik ibn abī Hamza, war groß im Flirten und Liebäugeln. Ja er trank deshalb Wein, legte Wert auf eleganten Schnitt seiner Kleider, betätigte sich als Sänger und konnte Liebesgeschichten sowie andere Geschichten erzählen, wie die Frauen sie sich wünschen und deren Stoff Verständnis bei ihnen findet. Dabei war er unter Gottes Geschöpfen das mit der häßlichsten Nase, ja er war noch häßlicher als ein Mensch mit einer hochgestülpten, einer platten oder einer verstümmelten Nase. Ich weiß nun nicht, ob er mit einem witzigen Mädchen befreundet oder mit ihr verheiratet war. Jedenfalls als er mit ihr in einem Zimmer allein war und sie dazu verleiten wollte, ihm zu gewähren, was der Mann von der Frau will, wies sie ihn ab. Darauf machte er ihr Geschenke und Versprechungen, gebärdete sich bei ihr wie ein Verliebter und suchte sie mit allen Mitteln zu der Seinen zu machen. Als sie ihn dennoch nicht erhörte, fragte er sie schließlich: »Verrate mir, was dich eigentlich davon abhält.« Sie antwortete: »Die Häßlichkeit deiner Nase sowie die Tatsache, daß ich sie zu dem Zeitpunkt, wo du mich brauchst, genau vor meinen Augen habe. Wenn du deine Nase im Nacken hättest, würde es mir weniger ausmachen.« – »Liebes Kind«, wandte er ein, »was dir an meiner Nase nicht gefällt, hat sie nicht von Natur aus, sondern es stammt von einem Hieb, der mir im Kampf für Gott versetzt worden ist.« Da sprach sie unter herzhaftem Lachen: »Mir ist es gleichgültig, ob er dir im Kampf für Gott oder im Kampf für den Teufel versetzt worden ist. Mir kommt es nur auf die Häßlichkeit der Nase an. Die Belohnung für den Hieb mußt du dir bei Gott und nicht bei mir abholen.«

104. Torheit

Zwei Toren, so wird erzählt, gingen einmal gemeinsam des Weges einher. Da sagte einer zum anderen: »Wohlan, wir wollen uns Wünsche an Gott ausdenken; denn Unterhaltung verkürzt den Weg.« Da sprach der eine: »Ich wünsche mir Kleinviehherden, deren Milch, Fleisch und Wolle ich nützen kann.« Der andere sprach: »Und ich wünsche mir Wolfsrudel, die ich auf dein Kleinvieh hetze, bis sie nichts mehr davon übriggelassen haben.« – »Wehe dir«, erwiderte der erste, »nennst du das Erfüllung der Freundespflicht und Wahrung der Kameradschaft?« Und sie schrien und stritten miteinander. Ja so heftig wurde ihr Streit, daß sie einander am Hals packten. Dann kamen sie aber überein, den ersten, der ihnen begegnen werde, zum Schiedsrichter zwischen sich zu machen. Nach einer Weile begegnete ihnen ein alter Mann mit einem Esel, der zwei Schläuche Honig trug. Diesem erzählten sie ihr Erlebnis. Da lud der Alte die beiden Schläuche ab, öffnete sie, so daß der Honig auf die Erde floß, und sprach sodann: »Gott möge mein Blut wie diesen Honig vergießen, wenn ihr nicht beide Toren seid!«

105. Mughiras Weineinkauf

Al-Mughīra ibn Schu'ba erzählt:
Daß ich klug und schlau bin, haben die Araber zum ersten Mal erfahren, als ich einmal mit einigen Leuten meines Stammes nach Hīra ritt. Damals sagten meine Begleiter zu mir: »Wir haben großen Durst auf Wein, besitzen aber nur einen unechten Dirhem.« Ich antwortete: »Gebt ihn mir nur her und bringt mir zwei Weinschläuche.« – »Genügt dir für einen unechten Dirhem nicht *ein* Schlauch?« fragten sie. Ich erklärte ihnen jedoch: »Gebt mir, was ich verlangt habe. Dann kann euch keiner einen Vorwurf machen.« So gehorchten sie, machten sich dabei aber über mich lustig. Nachdem ich nun in einen der beiden Schläuche ein wenig Wasser gegossen hatte, ging ich zu einem Weinhändler und sprach zu ihm: »Miß mir soviel zu, wie in diesen Schlauch hineingeht.« Jener füllte ihn, worauf ich den unechten Dirhem herausholte und ihn dem Weinhändler überreichte. Er aber fuhr mich an: »Was soll das, du Elender? Bist du verrückt?« – »Wieso?« fragte ich, und er fuhr fort: »Dieser Schlauch Wein kostet zwanzig gute Dirhems, das hier ist aber ein unechter!« Ich erwiderte: »Ich bin nur ein Beduine, und wie du siehst, war ich der Meinung, er sei echt. Ist er es wirklich, so ist die Sache in Ordnung; wenn nicht, dann nimm deinen Wein zurück.« Darauf füllte er sich wieder soviel von mir ab, wie er mir zugemessen hatte, wodurch in meinem Schlauch die gleiche Menge Wein zurückblieb, die er vorher an Wasser enthalten hatte. Ich aber leerte diesen Schlauch in den anderen, nahm ihn auf den Rücken und ging.

Nachdem ich in den ersten Schlauch wieder etwas Wasser gegossen hatte, ging ich zu einem anderen Weinhändler und sprach: »Ich hätte gern soviel Wein, wie dieser Schlauch faßt. Sieh dir den Wein an, den ich hier habe, und wenn du einen gleich guten hast, so gib ihn mir«, worauf er ihn anschaute. Damit wollte ich bloß jedem Argwohn bei ihm vorbeugen, wenn ich ihm den Wein zurückgeben würde. Als er den Wein sah, sagte er: »Ich habe einen besseren.« – »Dann gib ihn«, sagte ich. Nachdem er ihn mir herausgeholt hatte, füllte ich ihn in den Schlauch ein, in dem sich das Wasser befand, worauf ich ihm den unechten Dirhem überreichte und er mir dasselbe wie jener Berufsgenosse von sich erklärte. Ich sagte: »Dann nimm deinen Wein zurück.« So nahm er denn die gleiche Menge wieder an sich, die er mir vorher zugemessen hatte. Dabei war er in dem Glauben, ich hätte ihn mit dem Wein zusammengegossen, den ich ihm zuvor gezeigt hatte. Ich aber ging wieder von dannen und tat den Wein zu dem vorigen hinzu.

So verfuhr ich der Reihe nach mit sämtlichen Weinhändlern von Hīra, bis ich meinen ersten Schlauch ganz und den zweiten teilweise gefüllt hatte. Dann kehrte ich zu meinen Freunden zurück, legte die beiden Schläuche vor ihnen nieder und gab ihnen ihren Dirhem zurück. Da fragten sie: »Oh, was hast du Bösewicht getan?« Als ich ihnen alles erzählte, fingen sie an zu staunen, und seitdem geht die Kunde von meiner Schlauheit um bei den Arabern bis auf den heutigen Tag.

106. Fadl und Fudail

Abdallāh ibn Mansūr erzählt:

Als ich eines Tages bei al-Fadl ibn Jahjā im Empfangsraum saß, kam der Türhüter zu ihm und sprach: »An der Pforte steht ein Mann, der schon mehrmals um Einlaß gebeten und behauptet hat, für ihn müsse es ohne weiteres möglich sein, mit dir in Verbindung zu treten.« – »Laß ihn ein«, befahl al-Fadl. Da trat ein Mann herein mit hübschem Gesicht, aber schäbigem Äußeren und grüßte höflich. Al-Fadl bedeutete ihm Platz zu nehmen, und er ließ sich nieder. Als der Hausherr erkannte, daß er unbefangen und keineswegs zu verlegen war, um zu sprechen, fragte er ihn: »Was wünschst du?« Er antwortete: »Die Schäbigkeit meines Äußeren und mein Mangel an Macht sprechen eine deutliche Sprache.« – »Gewiß«, sagte al-Fadl, »aber was soll dir ermöglichen, mit mir in Verbindung zu treten?« Da sprach er: »Ich bin zur gleichen Stunde geboren wie du, wohne in deiner Nachbarschaft und trage einen Namen, der von deinem abgeleitet ist.« Al-Fadl erwiderte: »Die Nachbarschaft – nun gut, es ist möglich, daß es sich damit verhält, wie du sagst, und auch die Namen mögen zu einander passen. Aber was weißt du schon von unserer Geburt?« Er sprach: »Ich weiß von meiner Mutter: Sie hatte mich eben zur Welt gebracht, da hieß es: ›Heute Nacht ist Jahjā ibn Chālid ein Sohn geboren worden, und man hat ihm den Namen al-Fadl gegeben.‹ Daraufhin hat mich meine Mutter Fudail genannt, weil sie deinen Namen so hochschätzte, daß sie ihn auch mir geben wollte, doch hat sie die Verkleinerungsform gewählt, weil mein Rang ja tief unter deinem steht.« Da lachte al-Fadl und fragte: »Wieviel Lenze zählst du denn?« – »Fünfunddreißig«, gab er zur Antwort, und jener räumte ein: »Du hast recht. So alt bin auch ich. Was hat deine Mutter später getan?« – »Sie ist gestorben. Gott habe sie selig!« antwortete er, und al-Fadl fragte weiter: »Was hat dich denn früher daran gehindert, die Verbindung mit mir aufzunehmen?« – »Ich hatte Hemmungen, dich aufzusuchen, da ich zu gewöhnlich und auch zu jung war, um Fürsten gegenüberzutreten«, erklärte er. Nun befahl al-Fadl: »Gib ihm für jedes Jahr seines bisherigen Lebens tausend Dirhems, Sklave, und dazu von meinen Gewändern und Reittieren, was für ihn angebracht ist.« Als er danach aus dem Hause trat, drängten sich wahrhaftig seine Freunde und nächsten Verwandten um ihn.

107. Juristenschicksal

Abū Jūsuf lebte in der Zeit, als er noch Schüler Abū Hanīfas war, in großer Armut. Die ständige Verbundenheit mit dem Meister hielt ihn davon ab, sich um seinen Lebensunterhalt zu bemühen. So fand er bei seiner Heimkehr stets bittere Not zu Hause vor. Tag für Tag mußte sich seine Mutter aufs neue den Kopf darüber zerbrechen, was sie ihm wohl auf den Tisch setzen könnte. Als ihr dies schließlich zu lange währte, ging er eines Tages wieder in sein Kolleg. Den ganzen Tag blieb er dort. Erst am Abend kehrte er heim und verlangte etwas zu essen. Da brachte ihm seine Mutter eine zugedeckte Schüssel. Als er den Deckel hob, enthielt sie zu seiner Überraschung – Bücher. »Was soll dies?« fragte er, und sie gab ihm zur Antwort: »Womit du den ganzen Tag beschäftigt bist, davon sollst du auch am Abend essen.« Da weinte er und hungerte die ganze Nacht. Am nächsten Tag versäumte er das Kolleg und dachte sich aus, was sie essen könnten. Als er wieder zu Abū Hanīfa kam, fragte ihn dieser, warum er ausgeblieben sei, und Abū Jūsuf sagte ihm die Wahrheit. Da sprach Abū Hanīfa: »Kennst du mich denn nicht? Ich hätte dir doch geholfen. Im übrigen brauchst du dir keine Sorgen zu machen; denn wenn dein Leben lange genug währt, wirst du von deiner Jurisprudenz bestimmt noch Mandelspeise mit geschälten Pistazien essen.«

Abū Jūsuf erzählt selbst: »Als ich später in den Dienst von Hārūn ar-Raschīd trat und mich seiner besonderen Gunst erfreute, wurde dem Kalifen eines Tages Mandelspeise mit geschälten Pistazien aufgetischt. Da lud er mich zu der Mahlzeit ein. Beim Essen mußte ich an Abū Hanīfa denken, und unter Tränen pries ich Gott den Erhabenen. Da fragte mich ar-Raschīd nach dem Grund, und ich erzählte ihm mein Erlebnis.«

108. Kanzelnöte

Als 'Uthmān ibn 'Affān in seiner ersten Freitagspredigt steckenblieb, sagte er: »Liebe Leute, jedes Reiten fällt zuerst schwer. Wenn ich leben bleibe, werdet ihr Predigten zu hören bekommen, die in Ordnung sind, und Gott wird mir, so er will, leicht machen, was mir heute schwer fällt.«

Als Jazīd ibn abī Sufjān, von Abū Bakr zum Statthalter Syriens ernannt, dorthin kam und vor dem Volk die Freitagspredigt hielt, blieb er stecken. Er begann deshalb noch einmal mit dem Lobpreis Gottes, blieb aber wieder stecken. Darauf sprach er den Lobpreis Gottes zum dritten Mal. Als er auch jetzt nicht weiter konnte, sagte er: »Liebe Syrer, vielleicht macht mir Gott später leicht, was mir heute schwer fällt, und verwandelt mein Stottern in flüssige Rede. Jedenfalls habt ihr einen Imam, der handelt, nötiger als einen, der redet.« Sprach's und stieg von der Kanzel herunter.

Thābit Kutna bestieg in Sidschistān die Kanzel und sprach: »Preis sei Gott!« – Weiter kam er nicht. So stieg er wieder herab, indem er sprach:

»Werd ich als Freitagsredner nicht geehrt,
So doch als Schlachtenführer mit dem Schwert.«

Da sagten die Leute zu ihm: »Wenn du dies auf der Kanzel verkündet hättest, so wärest du als der glänzendste Redner erfunden worden.«

Abu' l-'Anbas stieg einmal in at-Tā'if auf eine Kanzel. Nachdem er den üblichen Lobpreis Gottes gesprochen hatte, verkündete er: »Im übrigen –«, und damit blieb er stecken. Nun fragte er die Leute: »Wißt ihr, was ich euch sagen möchte?« Als sie es verneinten, erklärte er: »Was könnte euch unter diesen Umständen nützen, was ich euch sagen möchte?« Mit diesen Worten kam er von der Kanzel herunter. Am nächsten Freitag bestieg er sie wieder und sprach: »Im übrigen –«, und wieder blieb er stekken. Wieder fragte er sie: »Wißt ihr, was ich euch sagen möchte?« Als sie dieses Mal seine Frage bejahten, erklärte er: »Dann habt ihr es nicht nötig, daß ich euch erst noch sage, was ihr bereits wißt«, und stieg wieder von der Kanzel herab. Auch am dritten Freitag sagte er: »Im übrigen –« und konnte wieder nicht weiter. Auch jetzt fragte er: »Wißt ihr, was ich euch sagen möchte?« Dieses Mal antworteten sie: »Einige von uns wissen es, andere nicht.« Da sprach er: »Dann sollen diejenigen von euch, die es wissen, es denen mitteilen, die es nicht wissen.« Mit diesen Worten verließ er die Kanzel.

109. Falsche Propheten

In Basra behauptete einmal ein Mann, er sei ein Prophet. Als er daraufhin in Fesseln zu Sulaimān ibn ʿAlī gebracht wurde, fragte ihn dieser: »Bist du wirklich ein Prophet mit einem Sendungsauftrag?« – »Zur Zeit bin ich jedenfalls ein gefesselter Prophet«, gab er zur Antwort. Sulaimān fragte weiter: »Oh, wer hat dich denn ausgesandt?« Er erwiderte: »Wagst du, Armseliger, den Propheten eine solche Frage zu stellen? Wäre ich nicht gefesselt, bei Gott, ich würde Gabriel befehlen, den Erdboden über euch gleichzumachen.« Jener fragte: »Findet die Bitte eines Gefesselten keine Erhörung?« Er sprach: »In der Tat, die Propheten sind etwas Besonderes. Wenn man sie fesselt, kann ihr Gebet nicht zum Himmel emporsteigen.« Da lachte Sulaimān und erklärte ihm: »Ich werde dich also freilassen, und du erteilst Gabriel deinen Befehl! Gehorcht er dir, so glauben wir an dich und trauen dir.« Jener aber sprach: »Gott hat doch die Wahrheit gesagt, als er verkündete (Koran 10, 88): ›Dann werden sie nicht glauben, bis sie die bittere Strafe vor Augen haben.‹« Da lachte Sulaimān und erkundigte sich nach ihm. Als ihm dann von Augenzeugen berichtet wurde, daß er irrsinnig sei, ließ er ihn laufen.

In der Zeit des Kalifen al-Mahdī behauptete einmal ein Mann, er sei ein Prophet. Als er dem Kalifen vorgeführt wurde, fragte ihn dieser: »Bist du wirklich ein Prophet?« Jener bejahte es. Nun fragte al-Mahdī: »Wann bist du ausgesandt worden?« – »Was geht dich der Zeitpunkt an?« gab er ihm zur Antwort. Weiter fragte er: »An welchem Ort ist dir das Prophetenamt übertragen worden?« Jetzt erklärte er: »Seitdem ist, bei Gott, soviel auf mich eingestürmt, daß ich es nicht mehr weiß. Im übrigen ist dies keine Frage, wie man sie einem Propheten stellt. Entscheidest du dich dafür, mir alles zu glauben, was ich dir sage, so handle nach meinen Worten. Bist du aber entschlossen, mich zu einem Lügner zu stempeln, so laß mich gehen.« Da sagte al-Mahdī: »Dies ist nicht statthaft, weil es zur Zersetzung des Glaubens führen würde.« Jener erwiderte: »Ei, wie seltsam! Du ereiferst dich wegen der Zersetzung deines Glaubens, während ich mich wegen der Zersetzung meines Prophetentums nicht ereifere. Du hast, bei Gott, nur durch Ma'n ibn Zā'ida, al-Hasan ibn Kuhtuba und dergleichen Befehlshaber von dir Gewalt über mich gewonnen.« Nun stand zur Rechten Mahdīs der Richter Scharīk. Der Kalif fragte ihn: »Was sagst du zu diesem Propheten, Scharīk?« Da fuhr der Prophet dazwischen: »Jetzt berätst du mit diesem über meine Sache und unterläßt es, mich um Rat zu fragen!« – »So sage, was du meinst«, befahl der Kalif. Er sprach: »Ich will mich in meinem Streit mit dir an das halten, was die Propheten vor mir verkündet haben.« Nachdem sich der Kalif hiermit einverstanden erklärt hatte, fragte er: »Hältst du mich für einen Ungläubigen oder einen Gläubigen?« – »Für einen Ungläubigen«, antwortete der Kalif, und jener erwiderte: »Gott sagt (Koran 33, 48): ›Gehorche nicht den Ungläubigen und Heuchlern und verzichte darauf, ihnen mit Bösem zu vergelten.‹ Gehorche mir also nicht und tu mir kein Leid an. Laß mich vielmehr zu den Schwachen und Elenden gehen; denn sie sind die Gefolgsleute der Propheten. Ich aber will die Fürsten und Machthaber in Ruhe lassen, sind sie doch das Brennholz der Hölle.« Da lachte al-Mahdī und schenkte ihm die Freiheit.

Thumāma ibn Aschras erzählt:

Als ich mich einmal im Gefängnis befand, wurde mir ein Mann vorgeführt, der sich durch seine Erscheinung, sein Äußeres und seinen Anblick auszeichnete. Ich fragte ihn: »Wer bist du, mein Lieber, und was hast du verbrochen?« Dabei hielt ich einen Becher in der Hand, den ich mir hatte kommen lassen, um ihn zu trinken. Er antwortete: »Diese Dummköpfe haben mich hierher geschleppt, weil ich ihnen von meinem Herrn die Wahrheit gebracht habe. Ich bin nämlich ein Prophet mit einem Sendungsauftrag.« Ich fragte: »Hast du einen Beweis dafür, mein Lieber?« – »Ja«, gab er mir zur Antwort, »ich habe den denkbar stärksten Beweis: Gebt mir eine Frau; dann werde ich sie für euch schwängern, und sie wird ein Kind zur Welt bringen, das meine Wahrhaftigkeit bezeugt.« Da überreichte ich ihm den Becher mit den Worten: »Trinke. Gott segne dich!«

Ein Mann aus Kufa erzählt:

Als ich einmal in Kufa in meiner Wohnung saß, kam unerwartet einer meiner Freunde zu mir und sprach: »In Kufa ist ein Mann aufgetaucht, der behauptet, ein Prophet zu sein. Laß uns zu ihm gehen, um mit ihm zu reden und zu erkunden, was er zu sagen hat.« So brach ich mit ihm auf. An der Tür seines Hauses angekommen, klopften wir an und baten eintreten zu dürfen. Er ließ uns hoch und heilig versprechen, seine Jünger zu werden, wenn wir bei unserem Besuch, dem Gespräch mit ihm und der Befragung erkennten, daß er die Wahrheit spreche. Im anderen Fall sollten wir über ihn schweigen und ihm keine Schwierigkeiten bereiten. Als wir nun bei ihm eintraten, gewahrten wir einen Mann gesetzten Alters aus Chorasan. Er war der häßlichste Mensch, den ich je auf Erden gesehen habe, und hatte vorn eine Glatze. Mein Freund, der selbst nur ein Auge hatte, sagte zu mir: »Laß mich ihn befragen.« – »Ja, bitte«, antwortete ich, und er fragte ihn: »Was bist du, mein Lieber?« – »Ein Prophet«, gab er zur Antwort. Weiter fragte er: »Wie willst du das beweisen?« Da sprach er: »Du hast das rechte Auge verloren. Reiße dir auch das linke aus, so daß du ganz blind wirst. Dann wird dir Gott auf meine Bitte hin das Augenlicht zurückgeben.« – »Der Mann verlangt eigentlich nichts Unbilliges von dir«, sagte ich zu meinem Freund, worauf er meinte: »Dann reiße du dir doch beide Augen auf einmal aus.« Und wir gingen lachend unserer Wege.

110. Ein Maklergeschäft mit Gott

Es kam einmal ein Mann aus Chorasan, nachdem er alles, was er dort besaß, verkauft hatte, nach Basra, in der Absicht, sich dort niederzulassen. Er brachte zehntausend Dirhems mit. In Basra eingetroffen, wollte er mit seiner Frau zunächst noch nach Mekka pilgern und erkundigte sich deshalb, bei wem er wohl die zehntausend Dirhems hinterlegen könnte. Man verwies ihn auf Abū Muhammad Habīb. So kam er zu ihm und sprach: »Ich gehe mit meiner Frau auf die Wallfahrt. Für diese zehntausend Dirhems möchte ich mir in Basra ein Anwesen kaufen. Wenn du ein geeignetes Anwesen findest und es dir keine Schwierigkeit macht, es mit diesem Geld für uns zu kaufen, so tue es.«

Nachdem der Mann seine Reise nach Mekka angetreten hatte, brach eine Hungersnot in Basra aus. Nun zog Habīb seine Freunde darüber zu Rat, ob er nicht für die zehntausend Dirhems Mehl kaufen und es als Almosen verwenden solle. Sie hielten ihm entgegen: »Er hat sie nur zu dem Zweck hinterlegt, daß du ein Anwesen dafür kaufst!« Er erklärte jedoch: »Ich werde sie für Almosen verwenden und ihm dafür beim lieben Gott ein Anwesen im Paradies kaufen. Ist der Mann damit einverstanden, so ist die Angelegenheit in Ordnung. Andernfalls werde ich ihm seine Dirhems zurückerstatten.« So kaufte er Mehl, buk es und verteilte das Brot als Almosen.

Als der Chorasaner aus Mekka zurückkehrte, kam er zu Habīb und sprach: »Ich bin der Eigentümer der zehntausend Dirhems, Abū Muhammad. Ich weiß nun nicht, ob du uns für sie ein Anwesen gekauft hast oder ob du sie mir zurückgeben willst, daß ich mir selbst eines dafür kaufe.« Habīb antwortete: »Ich habe dir ein Anwesen mit Schlössern, Bäumen, Früchten und Wasserläufen gekauft.« Da ging der Chorasaner zu seiner Frau und sprach: »Abū Muhammad Habīb hat uns offensichtlich ein Anwesen gekauft. Es scheint irgendeinem mächtigen und reichen König gehört zu haben.« Nachdem er zwei oder drei Tage in Basra zugebracht hatte, kam er zu Habīb und fragte: »Wie steht es nun mit dem Anwesen, Abū Muhammad?« Er antwortete: »Ich habe dir beim lieben Gott ein Anwesen im Paradies gekauft nebst den zugehörigen Schlössern, Wasserläufen und Mädchen.« Der Mann ging wieder zu seiner Frau und sprach zu ihr: »Das Anwesen, das Habīb für uns gekauft hat, hat er dem lieben Gott abgekauft, und es liegt im Paradies.« – »Ich hoffe, Mann«, erwiderte die Frau, »daß Gott dafür gesorgt hat, daß Habībs Kauf im Einklang mit der Frist steht, die uns Gott in dieser Welt bestimmt hat. Gehe noch einmal zu ihm. Er soll uns den Kauf des Anwesens schriftlich bestätigen.« So kam er zu Habīb und sprach zu ihm: »Was du für uns gekauft hast, Abū Muhammad, nehmen wir an. Gib uns eine Bescheinigung über den Kauf.« Habīb erklärte sich einverstanden und ließ jemand kommen, der die Bescheinigung für ihn schreiben sollte. Dieser schrieb: »Im Namen Gottes des Barmherzigen, des Allerbarmers. Bescheinigung über den Kauf, den Abu Muhammad beim lieben Gott für den und den Chorasaner getätigt hat. Er hat für ihn beim lieben Gott ein Anwesen im Paradies nebst den zugehörigen Schlössern, Wasserläufen, Bäumen, Mädchen und Dienerinnen zum Preise von zehntausend Dirhems gekauft. Der liebe Gott übernimmt die Verpflichtung, dieses Anwesen dem genannten Chorasaner zu übereignen, und befreit Habīb von seiner Haftung.« Der Chorasaner nahm den Schein, ging damit zu seiner Frau und übergab ihn ihr.

Nachdem der Chorasaner etwa vierzig Tage in Basra verbracht hatte, wurde er sterbenskrank. Als letzten Willen erklärte er seiner Frau: »Wenn ihr mich wascht und in die Leichentücher hüllt, so übergib du den Leuten diesen Schein, damit sie ihn zwischen meine Leichentücher stecken.« Nachdem sie dies getan hatten und der Mann aus Chorasan begraben war, fand man auf seinem Grabe ein beschriebenes Pergament, auf dem schwarz auf weiß die Worte standen: »Aufhebung der Haftpflicht des Abū Muhammad Habīb für das Anwesen, das er zum Preise von zehntausend Dirhems für den und den Chorasaner gekauft hat. Der liebe Gott hat nämlich dem Chorasaner übereignet, was Habīb zu seinen Gunsten ausgemacht hat, und stellt fest, daß Habībs Haftpflicht für das Anwesen hiermit erloschen ist.« Als man Habīb den Schein brachte, las und küßte er ihn unter Tränen. Dann ging er zu seinen Freunden und sprach: »Dies ist die Aufhebung meiner Haftpflicht durch den lieben Gott.«

111. Die Kalifen in närrisch-frommer Sicht

In der Zeit Mahdīs lebte einmal ein frommer Mann, der klug, gelehrt und gottesfürchtig war. Um Gelegenheit zu finden, die Menschen zur Tugend anzuleiten und sie vor dem Laster zu warnen, stellte er sich blöde und ritt in jeder Woche an zwei Tagen, nämlich montags und donnerstags, auf einem Rohr umher. Wenn er an diesen beiden Tagen seinen Ritt unternahm, hatte kein Lehrer mehr Gewalt über seine Schüler, und mit Gehorsam war nicht mehr zu rechnen. So zog der Fromme, umringt von Männern, Frauen und Knaben, hinaus, bestieg einen Hügel und verkündete in höchster Lautstärke: »Wie haben die Propheten und Gottgesandten gehandelt? Ist ihr Platz nicht auf der höchsten Stelle im siebenten Himmel?« Und die Leute antworteten: »Ja.« Dann befahl er: »Nun bringet Abū Bakr as-Siddīk her«, worauf sie einen Knaben herausgriffen und ihn sich vor den Frommen setzen ließen. Dieser sprach dann weiter: »Möge dir Gott, Abū Bakr, an Stelle deiner Untertanen mit Gutem vergelten. Denn du hast Recht und Gerechtigkeit geübt, hast die Nachfolge Muhammads – Gott schenke ihm Segen und Heil – angetreten und dieses Amt gut verwaltet. Du hast das Band des Glaubens nach Lockerung und Zwietracht neu geknüpft und in Glaubensfragen den Wunsch nach sicherstem Halt und größter Vertrauenswürdigkeit gehegt. Führet ihn auf die höchste Stelle im siebenten Himmel.« Dann erklärte er: »Bringet ʻUmar her«, worauf sie einen anderen Knaben vor ihn setzten. Zu diesem sprach er: »Möge dir Gott, Abū Hafs, an Stelle der islamischen Welt mit Gutem vergelten. Denn du hast die Eroberungen durchgeführt und die Beute gemehrt. Du bist den Weg der Tugendhaften gewandelt, hast deinen Untertanen Gerechtigkeit widerfahren lassen und alles gleichmäßig verteilt. Führet ihn auf die höchste Stelle im siebenten Himmel Abū Bakr gegenüber.« Weiter sprach er: »Bringet ʻUthmān her«, worauf sie wieder einen Knaben brachten und ihn vor ihn setzten. Zu diesem sagte er: »Du hast in jenen sechs Jahren gemischt gehandelt, aber Gott der Erhabene sagt (Koran 9, 102): ›Sie haben gutes und anderes, böses Tun miteinander vermischt. Vielleicht verzeiht Gott ihnen.‹ Vielleicht findet Gott in der Tat einen Anlaß zur Gnade«, und er fügte hinzu: »Führet ihn zu den beiden anderen auf die höchste Stelle im siebenten Himmel.« Weiter sprach er: »Bringet ʻAlī ibn abī Tālib her.« Nachdem sie wieder einen Knaben sich vor ihn hatten setzen lassen, sagte er: »Möge dir Gott, Abu'l-Hasan, an Stelle der islamischen Gemeinde mit Gutem vergelten. Denn du bist der Bevollmächtigte und Sachwalter des Propheten gewesen, hast das Recht ausgebreitet, der Welt entsagt und dich von der Beute ferngehalten, so daß du bei ihrer Verteilung keine Schramme von einem Zahn oder einem Fingernagel davongetragen hast. Du bist der Vater der gesegneten Sprößlinge und der Gatte der lauteren, reinen Frau gewesen. Führet ihn auf die höchste Stelle im Paradies.«

Danach sprach er: »Jetzt bringet Mu'āwija her.« Nachdem man wieder einen Jungen vor ihn gesetzt hatte, warf er ihm vor: »Du bist der Mörder des 'Ammār ibn Jāsir, des doppelten Märtyrers Chuzaima ibn Thābit und des Hudschr ibn al-Adbar al-Kindī mit seinem durch lauter Frömmigkeit entstelltem Gesicht. Du bist es, der das Kalifat zu einem weltlichen Königtum gemacht, sich ganz allein die Beute zugeschanzt, nach Willkür geherrscht und die Übeltäter zu seinen Helfern gemacht hat. Du bist der erste, der das heilige Brauchtum des Propheten – Gott segne ihn und schenke ihm Heil – angetastet, seine Satzungen gebrochen und Gewalttat geübt hat. Schaffet ihn fort und stellt ihn zu den Übeltätern.« Dann sprach er: »Bringet mir Jazīd her.« Den Knaben, den sie jetzt vor ihm Platz nehmen ließen, herrschte er an: »Du Elender bist es, der die in der Harra Gefallenen gemordet, Medina drei Tage zur Plünderung freigegeben und den heiligen Bezirk des Propheten – Gott segne ihn und schenke ihm Heil – entweiht hat. Du hast den Ketzern Schutz gewährt, hast dich gemäß dem Wort des Propheten mit Fluch beladen und gehandelt nach dem Vers aus der Heidenzeit:

›Ach, hätt mein Ahn bei Badr erlebt,
Wie Chazradsch vor dem Speerwurf bebt!‹

Du hast Husain gemordet und die weiblichen Nachfahren des Propheten als Gefangene auf dem Rücksitz der Kamele weggeführt. Schaffet ihn fort auf den untersten Höllengrund.« So hörte er nicht auf, einen Herrscher nach dem anderen anzuführen, bis er zu 'Umar ibn 'Abd al-'Azīz kam. Jetzt sagte er: »Bringet mir 'Umar her.« Nachdem man wieder einen Knaben gebracht und vor ihn hingesetzt hatte, sprach er: »Möge dir Gott mit Gutem vergelten, lieber 'Umar. Denn du hast die Gerechtigkeit vom Tode zu neuem Leben erweckt, hast harte Herzen weich gemacht, und durch dich hat die Säule des Glaubens nach Uneinigkeit und Zwietracht wieder festen Grund gewonnen. Führet ihn fort und reihet ihn in die Schar der unbedingt Wahrhaftigen.« Dann nannte er auch noch die späteren Kalifen, bis das Herrscherhaus der Abbasiden an der Reihe war. Weil er nun schwieg, sagte man zu ihm: »Hier ist der Kalif Abu'l-'Abbās.« Jetzt erklärte er: »Wir sind nun bis zu den Haschimiden gekommen. Ihr braucht mit ihnen allen nicht viel Federlesens zu machen, sondern schleudert sie allesamt kurzerhand in die Hölle.«

112. Die Geschichte von Būrān, wie sie sich wirklich zugetragen hat und wie Būrān Ma'mūns Frau wurde

Ishāk ibn Ibrāhīm al-Mausilī erzählt:
Ich befand mich eines Tages bei al-Ma'mūn, als er gerade unbeschwert und heiteren Gemütes war. Plötzlich sagte er zu mir: »Heute ist einmal ein sorgenfreier und glücklicher Tag, Ishāk.« Ich antwortete: »Gott schenke dem Kalifen Glück im Leben, und er lasse ihn allezeit froh und heiter sein.« Darauf befahl er: »Wachet an der Tür, Diener, daß niemand zu uns hereinkommt, und bringet den Wein.« Dann nahm er mich bei der Hand und führte mich in andere Gemächer. Dort waren zu meiner Überraschung Speisetafeln aufgebaut, und alles war fein hergerichtet, wie es der Stunde entsprach. Ja es sah so aus, als habe er dies eigens veranlaßt. So aßen wir denn, trieben Kurzweil und tranken. Von allen Seiten näherten sich die Musikantinnen, sangen und spielten mancherlei, und wir verbrachten die Zeit in dieser Weise, bis es Abend wurde. Als die Sonne unterging, sagte der Kalif zu mir: »Die schönsten Tage für einen jungen Mann sind doch die lustigen, Ishāk.« – »Bei Gott, so ist es, Fürst der Gläubigen«, antwortete ich, und er fuhr fort: »Ich habe mir etwas ausgedacht. Ob du wohl Lust dazu hast?« Ich erwiderte: »Könnte ich, hoher Herr, wohl anderer Meinung sein als der Fürst der Gläubigen, dem Gott langes Leben schenken möge?« So schlug er vor: »Vielleicht finden wir uns gleich in aller Frühe zum Morgentrunk ein. Ich habe mir nämlich vorgenommen, jetzt in den Harem zu gehen. Du bleibst hier und gehst erst gar nicht fort. Ich komme ja bald zu dir zurück.« – »Ich höre und gehorche, Fürst

der Gläubigen«, gab ich zur Antwort. Dann erhob er sich und ging in die Frauengemächer. Ich aber sollte nichts mehr von ihm hören, bis die Nacht beinahe vergangen war.

Nun gehörte al-Ma'mūn zu den Geschöpfen Gottes, die in ungewöhnlichem Maße nach Frauen verlangen und die eine besondere Neigung und Leidenschaft für sie haben. Anderseits war ich überzeugt, daß der Wein ihn inzwischen überwältigt und er unter dem Einfluß der Frauen mich, den mir erteilten Befehl und das Versprechen baldiger Rückkehr vergessen hätte. Ich sagte mir deshalb: »Er, dem Gott Ruhm schenken möge, hat nun sein Vergnügen, während ich hier in ganz anderer Lage bin. Dabei fühle ich mich noch recht kräftig und habe zu Hause ein neugekauftes Mädchen.« Ja meine Seele verlangte ungestüm danach, ihr die Jungfernschaft zu nehmen. Als ich so an sie dachte, schickte ich mich an, von dannen zu eilen. Die Diener fragten mich: »Was hast du vor, und wohin willst du?« – »Ich will fortgehen«, antwortete ich, worauf sie fragten: »Wenn der Kalif dich nun sucht?« Ich erwiderte: »Die Freude und das Vergnügen, das er eben genießt, hat ihn, dessen Glück Gott dauern lassen möge, vergessen lassen, nach mir zu fragen. Im übrigen ist der Zeitpunkt unserer Verabredung bereits überschritten, und es besteht kein Grund für mich, noch länger hier sitzen zu bleiben.« Weil ich im Schlosse Ma'mūns die Befehlsgewalt innehatte und mein Wort galt, so daß keiner sich einem Wink von mir zu widersetzen wagte, ging ich schnell hinaus zum Schloßtor. Dort traf ich die Palastknechte und die Wache. Sie sprachen: »Deine Diener, Herr, sind wieder gegangen. Sie hatten ein Reittier für dich gebracht. Nachdem sie aber erfahren haben, daß du im Schlosse übernachten würdest, sind sie umgekehrt.« Ich erklärte: »Das schadet nichts. Dann gehe ich eben ohne Begleitung zu Fuß nach Hause.« Sie schlugen vor: »Wir bringen dir eines von den Reittieren der Wache.« – »Das ist nicht nötig«, entgegnete ich, worauf sie meinten: »Wir können ja mit einer Fackel vor dir hergehen.« – »Nein, auch dies will ich nicht«, gab ich ihnen zur Antwort und trat allein den Heimweg an.

Als ich nun in irgendeine Straße kam, machte sich die Flüssigkeitsmenge in meinem Leib bemerkbar. Ich bog daher in eine

Gasse ein, um zu verhindern, daß jemand aus dem Volk im Vorbeigehen mich auf der Straße mein Geschäft erledigen sähe. Als ich mich nach der Verrichtung wieder erhob, um mir an einer Mauer die Hände abzuwischen, sah ich auf einmal aus einem der Anwesen etwas bis auf die Gasse herunterhängen. Da konnte ich nicht an mich halten, mir schnell die Hände abzuwischen. Danach ging ich an den Gegenstand heran, um zu erfahren, was es sei. Zu meiner Überraschung bemerkte ich, daß ein großer, vierhenkeliger Korb dort hing. Er war mit Brokat gefüttert, und es waren vier seidene Stricke an ihm befestigt. Nachdem ich ihn betrachtet und festgestellt hatte, was er war, sagte ich mir: »Das hat, bei Gott, einen Grund. Ja es hat irgendeine Bedeutung.« Ich blieb zunächst stehen, um mir die Sache zu überlegen und sie wohl zu bedenken. Nach einiger Zeit sagte ich mir: »Fürwahr, ich werde die Kühnheit begehen, mich hineinzusetzen, welche Bewandtnis es auch mit ihm hat.« Danach wickelte ich mir mein Obergewand um den Kopf und setzte mich mitten in den Korb hinein. Als nun die hinter der Mauer befindlichen Leute merkten, daß der Korb beschwert worden war, zogen sie ihn an, bis sie ihn auf die Mauerkrone gehoben hatten. Da gewahrte ich auf einmal vier Mädchen, die mich mit den Worten empfingen. »Sei uns als Gast herzlich willkommen! Bist du ein alter Freund oder jemand, den wir noch nicht kennen?« – »Nein, ein bisher Unbekannter«, gab ich zur Antwort, worauf sie zu einer der ihren sagten: »Gehe du ihm mit der Kerze voran, Mädchen.« Nachdem diese schnell eine Schale mit einer Kerze geholt hatte, ging sie vor mir her, bis ich in ein gepflegtes Haus trat, das so schön, hübsch und fein aussah, daß ich wie von Sinnen war. Nun führte sie mich zu behaglich ausgestatteten Sitzplätzen und zu erhöhten Lagern, auf denen Polster verschiedener Art übereinander gestapelt waren, derengleichen ich nur im Schlosse eines Königs oder eines Kalifen gesehen habe. Eine Weile, nachdem ich mich auf dem ersten von diesen Sitzplätzen niedergelassen hatte, machte sich plötzlich ein Schreien und Lärmen bemerkbar, und es wurden an einer Seite Vorhänge weggezogen. Da sah ich zu meiner Überraschung Mädchen um die Wette herbeieilen, von denen einige Kerzen, andere Räucherpfannen trugen, in denen Aloeholz und ein Gemisch von Aloe, Ambra und Moschus brannten. Unter den Mädchen fiel mir eine besonders auf, die einem Bildwerk aus Elfenbein glich. Wiegenden Ganges schritt sie in ihrer Mitte, als wäre sie der aufgehende Vollmond, eine Gestalt, die biegsamer Zweige spottet, kokett und mit bewußt zur Schau gestelltem Liebreiz. Bei ihrem Anblick verlor ich die Gewalt über mich und sprang auf. Da sprach sie: »Sei uns als Besucher willkommen, wenn du bisher auch nicht unser ständiger Gast gewesen bist!« Als ich mich wieder setzte, wies sie mir einen Platz an, der ehrenvoller als mein voriger war.

Danach fragte sie mich: »Bei Gott, wie bist du zu mir hergekommen? Ich weiß von nichts. Wie ist dies geschehen?« Ich antwortete: »Als ich bei einem meiner Freunde aufbrach, glaubte ich, ich hätte Zeit genug. Weil die Zeit aber nicht für meinen Heimweg reichte, bekam ich Beschwerden wegen der Flüssigkeitsmenge, die ich zu mir genommen hatte. Nachdem ich den Weg hierher eingeschlagen hatte und dann in diese Gasse eingebogen war, sah ich einen Korb herunterhängen. Da verleitete mich der Wein dazu, mich hineinzusetzen. Wenn dies ein Fehler gewesen ist, so ist dies dem Wein zuzuschreiben, war es aber richtig, dann hat Gott es mir eingegeben.« Sie erwiderte: »Dir wird kein Leid widerfahren, so Gott will, und ich hoffe, daß du dich am Ende über dein Abenteuer freuen wirst. Was ist dein Beruf?« Ich erklärte: »Ich bin Tuchhändler«, und auf die Frage, wo ich geboren sei, sagte ich: »In Bagdad.« Weiter fragte sie: »Welchem Stamm gehörst du an?« Ich redete mich damit heraus, ich wisse nicht, zu welchem Stamm ich gehörte. Nun sprach sie: »Gott erhalte dich am Leben und lasse uns deiner Nähe teilhaftig sein! Sind dir irgendwelche Verse gegenwärtig, die du vortragen könntest?« – »Einige wenige«, meinte ich, worauf sie bat: »So trage uns etwas von dem vor, was du auswendig kannst.« Ich wandte ein: »Verehrte Herrin, wenn man eben eingetreten ist, ist man verlegen. Ich bin daher befangen. Aber du könntest ja zuerst etwas vortragen. Dies wird den Austausch in Gang bringen.« – »Da hast du wirklich recht«, gestand sie. »Kennst du etwa das Gedicht des Soundso auswendig, in dem er folgendes sagt?« Sprach's und trug mir von einer Menge alter und neuer Dichter eine Anzahl ihrer schönsten Verse und trefflichsten Aussprüche vor, während ich, ihr lauschend, darüber nachdachte, was bewundernswerter an ihr sei, die genaue Kenntnis, die gute Aussprache, die große Bildung, die vorzügliche Kenntnis seltener Wörter oder die Beherrschung des Satzgefüges und die Vertrautheit mit den Versmaßen. Danach sagte sie: »Ich hoffe, daß du deine Befangenheit, deine Hemmungen und deine Scheu nun ein wenig abgelegt hast.« – »So Gott will, ist dies geschehen«, antwortete ich, und sie bat mich: »Wenn es dir recht ist, dann trage uns etwas von dem vor, was du auswendig kannst.« So hub ich an, ihr Verse einer Menge von Dichtern aufzusagen. Sie fand das Vorgetragene schön und begann, als ob sie mich prüfen wollte, nach Einzelheiten der Gedichte zu fragen, während ich ihr sagte, was ich jeweils darüber wußte. Dabei hörte sie mir zu und lobte, was ich vorbrachte. Nachdem ich schließlich genug vorgetragen hatte, sprach sie: »Bei Gott, du hast nicht versagt. Ich hatte nicht erwartet, bei dir auf eine solche Kenntnis der Dichtung zu stoßen, und ich habe noch nie bei einem Kaufmann oder Krämer einen solchen Vorrat an Versen erlebt. Doch wie steht es mit deiner Kenntnis von Geschichten und denkwürdigen Ereignissen?« – »Auch davon habe ich einiges gelernt«, gab ich zur Antwort.

Danach befahl sie: »Bringe uns, Mädchen, was du aufzutischen hast.« Nachdem diese sich einen Augenblick entfernt hatte, setzte sie uns eine feine Tafel vor, auf der sie besonders erlesene Speisen zusammengestellt hatte. Meine Gastgeberin sagte: »Zu zweien schmeckt's besser. So greife zu.« Sie selbst machte den Anfang; dann aber begann sie, allerlei Entschuldigungen vorzubringen, während sie mich trotzdem ständig zum Essen ermunterte und mir zureichte. Meine Empfindungen waren aber zwiespältig, sah ich doch, wie geistreich und klug sie war, welch reizende Verschämtheit und wieviel Züge feinen Wesens sie besaß. Schließlich wurde die Tafel aufgehoben. Nachdem die Weingefäße gebracht worden waren, setzte man mir einen Teller, eine Kanne, einen Becher und ein Waschbecken vor und das gleiche auch ihr, während in der Mitte des Sitzplatzes in schönster Herrichtung und prächtigster Aufmachung verschiedene Duftkräuter und erlesene Früchte standen, wie ich sie vereint noch nie bei irgend jemand gesehen habe, es sei denn bei einem Kronprinzen oder einem Fürsten. Ich zögerte zu trinken, damit sie den Anfang machte. Sie fragte deshalb: »Warum unterläßt du es zu trinken?« – »Weil ich auf dich warte, verehrte Herrin«, gab ich zur Antwort. So schenkte sie denn einen Becher ein, trank und schenkte dann einen weiteren ein, den ich trank.

Danach sprach sie: »Jetzt scheint's mir an der Zeit, sich zu unterhalten; denn es macht Spaß, Geschichten zu erzählen und von denkwürdigen Ereignissen zu berichten.« – »Ja, jetzt ist wirklich eine gute Gelegenheit«, stimmte ich zu. So hub ich an und sprach: »Ich habe vernommen, daß einmal das und das gewesen ist« und »Es war einmal ein König namens Soundso, der das und das erlebt hat«, bis ich ihr eine Anzahl schöner Geschichten erzählt hatte, Königsgeschichten und solche, wie sie nur bei Königen oder Kalifen erzählt werden. Sie freute sich sehr darüber und sagte dann: »Bei Gott, du hast mir schöne Geschichten erzählt, und ich bin aufs höchste darüber verwundert, daß ein Kaufmann solche Geschichten kennt, sind es doch Königsgeschichten und solche, wie sie nur bei Königen oder Kalifen erzählt werden.« – »Verehrte Herrin«, antwortete ich, »ich habe einmal einen Nachbarn gehabt, der Tischgenosse irgendeines Königs war. Er wußte viel und hatte ein großes Gedächtnis. Es kam manchmal vor, daß er den regelmäßigen Gang zum Schlosse seines Freundes unterließ, weil er ihn durch irgendeine Abhaltung vergaß oder irgendein Geschäft ihn daran hinderte. Ich ging dann zu ihm hin, lud ihn ein und nahm ihn mit mir nach Hause. Er hat mir dann manchmal solche Geschichten erzählt. Schließlich wurde ich einer seiner engsten Freunde und ein unzertrennlicher Gefährte von ihm. Was du von mir gehört hast, verdanke ich ihm, und ich habe es von ihm gelernt.« Sie sprach: »Ja so muß es sein. Bei meinem Leben, du weißt einiges und hast dir alles gut gemerkt. Dies ist aber nur möglich auf Grund einer guten Veranlagung und eines edlen Wesens.« Danach begannen wir wieder zu trinken und uns zu unterhalten, wobei ich mit dem Erzählen den Anfang machte. Wenn ich eine Geschichte beendet hatte, fing sie mit einer anderen, noch schöneren an, bis wir den größten Teil der Nacht damit verbracht hatten. Indessen wurden das

Duftgemisch, das Aloeholz und das übrige feine Rauchwerk an unserem Sitzplatz immer wieder ergänzt und aufs neue angezündet. Ja es war alles so schön für mich, daß al-Ma'mūn, wenn er es sich nur vorgestellt und gedacht hätte, vor Freude und Wonne außer sich geraten wäre.

Schließlich sagte sie zu mir: »Du Soundso« – ich hatte mir aber für sie einen anderen Namen und Beinamen zugelegt –, »bei Gott, ich sehe, daß du untadelig bist und dich unter den Männern auszeichnest. Dein Gesicht ist hübsch, deine Gestalt schön und deine Bildung hervorragend. Nur eines fehlt dir; sonst würdest du alle übertreffen, allen überlegen sein.« Ich fragte: »Was ist das, Herrin? Möge Gott dich vor Übeln bewahren!« Sie erwiderte: »Ja, wenn du irgendein Musikinstrument spielen oder einige Lieder singen könntest!« Ich erklärte ihr: »Bei Gott, ich bin früher ein großer Musikliebhaber gewesen. Lange habe ich mich ihr gewidmet und sie mit Eifer betrieben. Ich habe es aber in ihr zu nichts gebracht und mußte feststellen, daß ich nicht zu denen gehöre, die eine gewisse musikalische Fertigkeit erreichen. Nachdem ich mir lange Mühe gegeben hatte – je mehr ich mich aber anstrengte, desto weniger erreichte ich –, habe ich die Musik aufgegeben und sie nicht mehr ausgeübt. Ich bin darüber in tiefster Seele traurig und bekümmert. Ja, ich habe eine besondere Neigung und Liebe zur Musik, und es wäre mir nicht unangenehm, bei diesem Beisammensein gute Musik zu hören; denn dann wäre die Nacht für mich vollkommen und mein Wohlbefinden echt.« Sie sprach: »Du scheinst mir damit einen versteckten Wink geben zu wollen.« – »Bei Gott, nein«, entgegnete ich, »das ist kein versteckter Wink, sondern eine klare Bitte; denn du hast nun einmal mit Hulderweisen angefangen, und mich dünkt, daß man dich um Vollendung dessen bitten darf, was du begonnen hast.« Jetzt befahl sie: »Eine Laute, Mädchen!« Nachdem das Mädchen sie gebracht hatte, nahm sie die Laute in die Hand. Sie hatte sie kaum angeschlagen, da wähnte ich, das Haus hätte sich mit mir und allen anderen Bewohnern in Bewegung gesetzt. Sie aber hub an, mit einer Stimme zu singen, wie ich sie keinem zugetraut hätte, und begleitete ihren Gesang mit treffenden Gebärden und wohlklingendem Saitenspiel. Da rief ich aus: »Fürwahr, Gott hat dich mit vollendeten Gaben ausgezeichnet. Er hat dich mit bewundernswerter Reife und viel Verstand, mit löblichen Wesenszügen und edlen Handlungen begnadet.« Jetzt fragte sie mich: »Weißt du, von wem dieses Lied stammt und wer seine Weise ersonnen hat?« Als ich es verneinte, sagte sie: »Die Weise ist von dem und dem. Die Verse aber sind von dem und dem, und er hat sie aus folgendem Anlaß gedichtet.« Ich versicherte: »Die Verse sind wahrhaftig noch schöner als die Weise.« So war es nun bei jedem Lied, das sie sang. Währenddessen tranken wir beide.

Als dann der Morgen graute, oder noch vorher kam eine alte Frau, die eine Amme von ihr zu sein schien, und sprach: »Mein liebes Mädchen, es ist Zeit. Wenn du willst, stehe auf.« Als sie ihre Worte vernahm, erhob sie sich und fragte mich: »Bist du bereit aufzubrechen?« Nachdem ich es bejaht hatte, sagte sie: »Dann gehe wohlbehalten deiner Wege und verrate keinem, was du erlebt hast; denn Zusammenkünfte sind vertraulich.« – »Verehrte Frau«, erwiderte ich, »brauche ich eine solche Mahnung?« Nun verabschiedeten wir uns voneinander, und sie befahl: »Gehe ihm voraus, Mädchen.« Dann wurde ich zu einer Tür an der Seite des Hauses geleitet, und nachdem sie für mich geöffnet worden war, trat ich durch sie auf eine enge Gasse hinaus und eilte nach Hause. Dort sprach ich das Frühgebet und legte mich nieder.

Just in dem Augenblick erwachte ich, als die Boten des Kalifen meine Haustür erreichten. Ich stand auf – man hatte bereits ein Reittier für mich gesattelt –, ritt zum Schlosse und begab mich zum Kalifen. Als ich vor al-Ma'mūn stand, sagte er zu mir: »Ich habe mein Wort gebrochen, Ishāk, und mich von dir abhalten lassen.« – »Hoher Herr«, gab ich ihm zur Antwort, »nichts ist mir lieber, und nichts erfreut mein Herz mehr, als wenn Freude beim Fürsten der Gläubigen Einkehr hält. Wenn dann seine Freude vollkommen und sein Leben glücklich ist, dann ist auch mein Leben glücklich und meine Freude mit der seinen eins.« Danach fragte er: »Wie ist es dir inzwischen ergangen?« – »Hoher Herr«, erwiderte ich, »ich hatte mir aus lauter Sehnsucht ein Mädchen gekauft, war ich doch leidenschaftlich in sie verliebt. Als sich nun der Fürst der Gläubigen, dem Gott ein langes Leben schenken wolle, von mir abhalten ließ und ich allein bleiben mußte, obwohl ich noch kräftig genug gewesen wäre, zog es mich mit Gewalt zu ihr hin. So eilte ich von dannen. Ich bestellte mir mein Mädchen und dazu Wein, schenkte ihr ein und zechte mit ihr, bis ich betrunken war, so daß ich meine Absicht nicht mehr ausführen konnte und bis zum Morgen schlief.« Der Kalif sagte: »Wie oft erlebt man doch, daß es den Leuten so ergeht! Möchtest du denn, daß wir die Zeit wieder wie gestern verbringen?« – »O Fürst der Gläubigen«, antwortete ich, »kann es einen Menschen geben, der das nicht wollte?« Er sagte nur noch: »Wenn du also willst.« Dann erhoben wir uns und gingen in das Gemach, in dem wir am vorhergehenden Tag gesessen hatten, und verbrachten die Zeit in der gleichen Weise, ja noch schöner. Als es dann wieder so weit war, sprang er auf und sagte: »Gehe nicht fort, Ishāk; denn ich komme wieder zu dir. Ich will nur einen kleinen Morgenschlaf halten.« Kaum war er meinen Blicken entschwunden, da wurde ich unruhig, und als ich über mein Abenteuer nachdachte, erschien es mir als etwas, worauf keiner, selbst nicht um den Preis des Glückes, verzichten würde, es sei denn ein Tor. Ich schickte mich deshalb an zu gehen. »Um Gottes willen«, jammerten die Diener, »er hat uns gestern getadelt, weil wir dich haben gehen lassen, hat uns für dich verantwortlich gemacht und gesagt: ›Warum habt ihr ihn fortgelassen?‹ Wir sind überzeugt, daß du uns ins Unglück stürzen willst.« Ich erwiderte: »Bei Gott, keiner von euch wird jemals durch mich eine Unannehmlichkeit erleben. Ich muß jedoch schnell etwas besorgen und werde mich bestimmt weder zurückhalten lassen noch auch unnötig aufhalten. Wenn der Fürst der Gläubigen, dem Gott ein langes Leben schenken wolle, in den Harem geht, verspätet er sich. Ich aber bin wieder bei euch, bevor er den Harem verläßt – so Gott will.« Mit diesen Worten ging ich von dannen.

In der Gasse angekommen, fand ich plötzlich den Korb wie beim vorigen Mal. Ich setzte mich hinein, wurde hochgezogen und gelangte an den mir bekannten Ort. Nur eine kleine Weile dauerte es, da erschien sie und rief aus: »Unser Gast?« – »Ja wirklich«, antwortete ich, und sie fuhr fort: »Bist du schon wieder da?« – »Gewiß, ich bin ja überzeugt, daß ich lästig gefallen bin!« spottete ich, und sie verwies es mir mit den Worten: »Prahlhans läßt dich grüßen!« Ich gestand: »Das war ein Fehler von mir. Vergib.« – »Ich verzeihe dir, doch tu es nicht wieder«, antwortete sie, worauf ich erklärte: »So Gott will.« Danach ließen wir uns nieder und begannen, uns wie beim vorigen Mal Geschichten zu erzählen und Verse vorzutragen. Es wurde Wein aufgetischt, und wir verbrachten die Stunden wie damals, ja noch schöner. Obwohl sie aufgeschlossen und im Grunde vergnügt war, sagte sie doch immer wieder zu mir: »Ach, wenn du es jetzt wie früher machtest und irgend etwas von jener Kunst sehr fein zum besten gäbest, so würdest du dich bestimmt als ein vollendeter und unübertrefflicher Musiker erweisen.« Ich wandte ein: »Ich habe mich, bei Gott, sehr um meine musikalische Ausbildung bemüht und eifrig daran gearbeitet, habe es aber zu nichts in ihr gebracht und keinen Erfolg erzielt.« Nach einer Weile bat ich: »Verehrte Herrin, müßten wir doch heute nicht auf das verzichten, was du uns gestern von deiner Kunst geboten hast! Müßten wir doch nicht darauf verzichten!« So begann sie zu singen. Jedesmal, wenn sie eine schöne und feine, herrliche und wunderbare Weise beendet hatte, fragte sie: »Weißt du, junger Mann, von wem diese Weise ist?« Wenn ich es dann verneinte, sagte sie: »Von Ishāk.« Ich fragte dann: »Verehrte Herrin, ist denn Ishāk ein solcher Künstler?« Und sie antwortete: »Bravo! Ishāk ist schlechthin der Urquell dieser Kunst. Er hat herrliche Weisen und unübertreffliche Lieder ersonnen.« Ich erklärte: »Gott sei gepriesen, weil er diesem Ishāk eine Begabung verliehen hat, wie sie keinem anderen zuteil geworden ist!« Und sie meinte schließlich: »Wenn du dieses Lied erst von ihm selber hörtest, so wärest du des Lobes voll über ihn und aufs höchste für ihn begeistert.« Als es dann wieder an der Zeit war und die Alte kam, erhob ich mich und sagte ihr Lebewohl. Wieder eilte das Mädchen vor mir her und öffnete die Tür. Ich trat durch sie ins Freie und ging schnell nach Hause. Nachdem ich die religiöse Waschung vorgenommen hatte, sprach ich das Frühgebet. Dann legte ich mich nieder und schlief.

Als ich erwachte, erschienen plötzlich die Boten des Kalifen, um mich zu holen. Ich erhob mich – ein Reittier war wieder für mich gesattelt – und ritt zum Schloß. Kaum stand ich vor al-Ma'mūn, da sprach er: »Ishāk, du hast mir wohl unbedingt mit gleichem vergelten und mich behandeln wollen, wie ich dich behandelt habe!« – »O Fürst der Gläubigen«, widersprach ich, »darauf bin ich bestimmt nicht ausgegangen, und es hat wirklich nicht in meiner Absicht gelegen. Ich hatte vielmehr angenommen, der Fürst der Gläubigen habe mich bei seinem Vergnügen vergessen und nicht mehr an mich gedacht. Da aber ist der Satan zu mir getreten, hat mich an mein Vorhaben mit dem Mädchen erinnert, und so bin ich nach Hause geeilt.« Der Kalif fragte: »Und was war dann?« – »Na, ich habe mein Verlangen befriedigt«, gab ich zur Antwort. »Die Sache ist jetzt erledigt«, worauf er meinte: »Da nun deine Sehnsucht nach dem Mädchen gestillt ist, wiegen sich unsere beiden Liebesabenteuer gegeneinander auf. Ich als der erste bin allerdings der Schuldigere.« Ich widersprach jedoch: »Nein, ich bin der Tadelnswertere und Schuldigere, o Fürst der Gläubigen, und es ist an dir, mir zu verzeihen.« Da sagte er: »Du sollst kein böses Wort von mir hören. Hast du Lust, die Zeit mit mir noch einmal wie vorher zu verbringen?« Als ich es bejahte, schlug er vor: »Dann wollen wir gehen.« So erhoben wir uns. In dem Gemach angelangt, in dem wir die vorigen Male gesessen hatten, begannen wir wieder, uns bis zu der gleichen Stunde wie damals zu vergnügen und zu trinken. Danach fragte er: »Was hast du vor, Ishāk?« – »Ich habe nichts vor, o Fürst der Gläubigen«, antwortete ich, worauf er erklärte: »Dann erteile ich dir den strengen Befehl, hier sitzen zu bleiben, bis ich zu gemeinsamem Frühtrunk wieder erscheine. Ich habe mir nämlich vorgenommen, einen Frühtrunk zu veranstalten, obwohl du mir seit zwei Tagen dieses Vergnügen verdorben hast.« Ich sagte noch: »Heute nacht wird's bestimmt in Ordnung gehen, so Gott will.« Danach wurden die Vorhänge zurückgezogen, und er ging in den Harem hinein.

Kaum war er meinen Blicken entschwunden, da ergriff mich eine Unruhe, und ich konnte nicht mehr stillsitzen. Teuflische Einflüsterungen kreisten mir im Kopf, und ich begann darüber nachzudenken, wie ich mit ihr beisammen gewesen und wie schön es bei ihr war, wie ich mit ihr geplaudert und sie betrachtet hatte und ob ich nicht ungehorsam wider al-Ma'mūn sein sollte. Ich stellte mir zwar auch vor, wie mich deshalb sein Zorn und Grimm treffen würden, doch alles Schwierige erschien mir leicht, wenn ich an sie dachte. So sprang ich denn hurtig auf. Jetzt aber lief die ganze Schloßwache bei mir zusammen und fragte: »Wohin willst du?« – »Um Gottes willen!« erwiderte ich. »Ich habe doch etwas zu erledigen. Ich bin nämlich von einigen meiner Familienangehörigen abhängig und muß sie über etwas unterrichten.« Sie erklärten jedoch: »Es ist völlig ausgeschlossen, daß wir dich gehen lassen.« Ich aber hörte nicht auf, dem einen freundlich zuzureden, den anderen zu bitten und den dritten auf den Kopf zu küssen. Einem weiteren schenkte ich meinen Siegelring und wieder einem anderen mein Obergewand, bis sie mich schließlich gehen ließen.

Nachdem ich ihrer Schar entronnen war, ohne es selbst glauben zu können, rannte ich ohne Unterlaß und schier entblößt, bis ich den Korb erreichte. Ich setzte mich hinein, ließ mich auf die Mauerkrone hinaufziehen und gelangte an den bekannten Ort. Meine Freundin trat mir in allem ebenso wie bei den vorigen Malen entgegen. Als sie mich sah, rief sie aus: »Unser Gast!« – »Um Gottes willen! Sei still«, bat ich. Sie fuhr jedoch fort: »Du hast wohl bei uns deinen dauernden Wohnsitz eingerichtet?« – »Verehrte Herrin«, erwiderte ich, »das Recht auf Gastfreundschaft währt drei Tage. Wenn ich dann noch einmal komme, will ich vogelfrei für dich sein.« Sie räumte mir ein: »Da hast du in der Tat etwas Unwiderlegliches vorgebracht.« Dann ließen wir uns nieder und begannen zu trinken und Verse vorzutragen, zu plaudern, Geschichten zu erzählen und zu singen, bis ich schließlich merkte, daß die Zeit des Aufbruchs nahegerückt war. Als ich nun meine Lage bedachte, erkannte ich, daß al-Ma'mūn das Geschehene nicht ruhig hinnehmen werde und ich mich vor seinem Zorn nur dadurch retten könne, daß ich ihm meine Geschichte mit allen Einzelheiten erzählte und ihm mein Erlebnis freimütig offenbarte. Dabei wurde mir klar, daß er nach meinem Bericht von mir verlangen werde, den Ort kennenzulernen und mit mir dorthin zu gehen, zumal da er ein großer Frauenfreund und ein leidenschaftlicher Schürzenjäger war. Ich fragte sie deshalb: »Erlaubst du mir, einen Gedanken zu äußern?« – »Erzähle, was dir eingefallen ist«, befahl sie, und ich sprach: »Ich sehe, verehrte Herrin, daß du ein Mensch bist, der sich für Gesang begeistert und an ihm sowie an feiner Bildung große Freude hat. Ich habe einen Vetter mit hübscherem Gesicht und schönerem Wuchs als ich. Er verfügt auch über eine feinere Bildung und reichere Kenntnisse. Ich selbst bin nur einer von seinen Schülern und ein einzelnes Ergebnis seiner Wohltaten. Er kennt und beherrscht auch die Weisen des Ishāk besser als irgendein anderer.« Da rief sie aus: »Er ist also ein Schmarotzer und stellt unverschämte Forderungen! Es war dir nicht genug, drei Tage lang hierherkommen zu dürfen, so daß du jetzt noch einen anderen mitbringen mußt.« – »Verehrte Herrin«, sagte ich kleinlaut, »ich habe es doch nur vorgebracht, damit du darüber entscheidest. Wenn du es erlaubst und wünschst, so mag es geschehen. Andernfalls sollst du dich nicht genötigt fühlen.« Sie entschied: »Wenn dieser Vetter von dir wirklich so ist, wie du ihn schilderst, so habe ich nichts dagegen, ihn kennenzulernen und zu sehen.« Ich antwortete: »Er verdient, bei Gott, noch größeres Lob, als ich ihm gespendet habe.« – »So bringe ihn, wenn du willst«, sagte sie, worauf ich ihn für die nächste Nacht ankündigte und sie ihr Einverständnis gab. Danach wurde es Zeit zum Gehen. So stand ich denn auf und machte mich auf den Heimweg.

Ich hatte mein Haus eben erreicht, als es das Ziel eines Überfalls wurde, kamen doch die Boten des Kalifen und die Wachtmänner plötzlich zu meiner Haustür angesprengt. Nachdem sie mich erblickt hatten, wurde ich so, wie ich war, fortgeschleppt und ins Schloß gebracht. Da saß nun al-Ma'mūn inmitten des Schlosses auf dem Thron, zu meinem Entsetzen zornerfüllt und grimmig. »Ishāk«, fuhr er mich an, »willst du mir den Gehorsam aufkündigen?« – »Bei Gott, nein, o Fürst der Gläubigen«, versicherte ich, und er fuhr fort: »Was ist denn mit dir geschehen, und warum muß ich feststellen, daß du meine Gebote übertrittst und mir bereits mehrere Male zuwidergehandelt hast? Sage mir wahrheitsgemäß, wie es mit dir steht.« – »Fürst der Gläubigen«, antwortete ich, »ich habe etwas erlebt, was ich dir nur ohne Zeugen berichten kann.« Jetzt gab er den Leuten, die vor ihm standen, einen Wink, worauf sie sich entfernten. Als wir allein waren, erzählte ich: »Ich habe das und das erlebt. Ich habe das und das gemacht, getan, gesehen.« Nachdem ich meinen Bericht beendet hatte, fragte er: »Weißt du eigentlich, was du da sagst, Ishāk?« – »Ja freilich weiß ich es«, gab ich zur Antwort. Er aber fragte weiter: »Ach, wie könnte auch ich erleben, was du soeben erlebt hast?« – »Dies ist unmöglich«, versicherte ich. Allein er widersprach: »Du mußt mir unbedingt den Gefallen tun, mir Eingang bei ihr zu verschaffen; denn dies ist ein Fall, in dem keinem vernünftigen Manne Selbstbeherrschung zumutbar ist. Jetzt sagte ich: »Ja ich habe wirklich über mein Erlebnis und über das Wagnis meines Ungehorsams wider dich nachgedacht. Dabei habe ich erkannt, daß mich nur ein aufrichtiges Bekenntnis und die freimütige Offenbarung des Geschehenen retten könnte. Weil mir aber auch klar wurde, daß du mit größter Hartnäckigkeit jene Forderung an mich richten würdest, habe ich dies bereits bei ihr erwähnt, habe ihr das und das gesagt und dich ihr im voraus in der und der Weise geschildert.« Er antwortete: »Das hast du wahrhaftig gut gemacht. Andernfalls hätte ich dich aber auch sehr hart bestraft.« Ich sagte noch: »Gott sei gelobt, der mich vor Unheil bewahrt hat!« Danach erhoben wir uns, gingen in unser Gemach und begannen aufs neue, uns zu vergnügen und zu trinken. Dabei sagte er immer wieder: »Erzähle mir von ihr, Ishāk. Beschreibe sie mir und schildere mir alle Einzelheiten von ihr.« So unterhielten wir uns den ganzen Tag tatsächlich nur über sie, und weil al-Ma'mūn schon ganz verliebt in sie war, ich ihm ihr Bild auch so eingehend geschildert hatte, konnte er es nicht mehr erwarten, bis der Tag schließlich zu Ende ging. Nachdem ein Teil der Nacht vergangen war, fragte er Stunde um Stunde: »Ist es noch nicht so weit?« Und ich gab ihm immer wieder die Antworten: »Nur noch kurze Zeit« und »Gleich.« So aufgeregt war er.

Nachdem endlich der richtige Zeitpunkt gekommen war, verließen wir in Begleitung eines Dieners das Schloß durch irgendeine von seinen Türen. Wir ritten beide auf einem Esel. Nicht weit von ihrem Hause stiegen wir ab und befahlen dem Diener: »Gehe und finde dich bei Morgengrauen mit den beiden Eseln wieder hier ein.« Während wir nun verkleidet naher herangingen, sagte ich zu ihm: »Du mußt mich in ihrer Gegenwart ehrfurchtsvoll und liebenswürdig behandeln und mußt auf Kalifenstolz und Herrscherwürde verzichten. Benimm dich vielmehr so, als wärest du ein Begleiter von mir.« – »Ja«, antwortete er, »glaubst du denn, ich sei ein vollendeter Tor und du hättest es nötig, mich zu ermahnen?« Dann aber fragte er: »Ach, Ishāk, wenn sie nun zu mir sagt: ›Singe‹, was soll ich dann tun?« Ich erwiderte: »Ich werde dir diese Sorge schon abnehmen; denn ich werde sie daran hindern und sie durch Liebenswürdigkeit und freundliche Einwirkung davon abhalten.« Als wir nun in die Gasse kamen, sahen wir zu unserer Überraschung zwei Körbe, die an acht Stricken hingen. Der Kalif setzte sich in den einen, ich in den anderen. Dann zogen uns die Mädchen hinauf. Als wir oben waren, eilten sie vor uns her und geleiteten uns zu dem Sitzplatz. Al-Ma'mūn begann, die Teppiche, das Haus und seine Aufmachung zu betrachten, und fand alles in höchstem Maße staunenswert. Ich selbst setzte mich auf meinen gewohnten Platz, während al-Ma'mūn einen weniger ehrenvollen als den meinen einnahm.

Danach erschien sie und grüßte uns. Jetzt konnte der Kalif sich nicht beherrschen, sondern starrte sie an und war verblüfft von ihrer Schönheit. Sie sprach: »Gott schenke unserem Gast ein langes, glückliches Leben! Fürwahr, du hast deinen Vetter unbillig behandelt. Warum hast du ihm keinen ehrenvolleren Platz angewiesen?« – »Dieses Recht steht nur dir zu, verehrte Herrin«, erwiderte ich, worauf sie ihn bat: »Rücke näher heran, lieber Gast. Während jener schon zur Familie gehört, bist du ein Neuling. Jeder Neuling hat aber ein Recht darauf, sich wohl zu fühlen.« So stand al-Ma'mūn auf und ließ sich auf dem erhöhten Teil des Sitzplatzes nieder. Nun wandte sie sich ihm zu, indem sie ihm erzählte, ihm Verse vortrug und mit ihm scherzte. Als er selbst das gleiche mit ihr begann, verschlug seine Überlegenheit ihr die Stimme und machte sie mundtot. Sie drehte sich deshalb zu mir um und sprach: »Du hast dein Versprechen erfüllt und hast die Wahrheit gesagt. Dir gebührt Dank für deine Tat.« Dann wurde der Wein gebracht, und wir begannen zu trinken, wobei sie ihm und er ihr ständig zugewandt blieb und sie sich über ihn in gleicher Weise freute wie er über sie. Auf einmal drehte sie sich wieder zu mir um und fragte: »Ist dieser Vetter von dir ebenfalls ein Kaufmann?« – »Ja, verehrte Herrin«, antwortete ich, »wir verstehen nichts anderes als handeln.« Sie meinte: »Ihr seid aber zwei ungewöhnliche Männer in diesem Stand.« Es dauerte nicht lange, da sagte sie: »Deine Zeit ist zu Ende.« – »Bei meinem Leben«, klagte ich, »es muß wohl sein, aber nicht ohne daß er etwas von deiner Sangeskunst hören darf.« – »Dies will ich noch gewähren«, sprach sie, nahm die Laute und sang ein Lied. Aus Anlaß dieses Liedes tranken wir nun ein Maß Wein. Danach sang sie ein weiteres, das sich al-Ma'mūn besonders gern von mir vorsingen ließ, und wegen dieses Liedes tranken wir noch ein Maß. Als al-Ma'mūn schließlich nach dem Genuß von drei Maß froh und heiter, unbeschwert und vergnügt geworden war, rief er selbstbewußt: »Ishāk!« Fürwahr, dabei habe ich ihn den Blick auf mich heften sehen wie ein Löwe auf seine Beute. Ich stand daher auf und winselte: »Verfüge über mich, Fürst der Gläubigen«, und er befahl: »Singe du mir dieses Lied vor.« Als sie nun sah, wie ich die Laute ergriff und mich vor ihn stellte, um ihm das Lied zu singen, da wußte sie, daß er der Kalif und ich Ishāk war.

Jetzt erhob sie sich, sagte »Hier!« und wies auf einen dort angebrachten Vorhang. Ich trat sogleich dahinter. Nachdem ich mein Lied beendet und der Kalif ein weiteres Maß getrunken hatte, sagte er zu mir: »Ach, Ishāk, schau doch einmal nach, was dies für ein Haus ist und wem es gehört.« Als ich hinausging, traf ich jene Alte und fragte sie: »Wer ist der Besitzer dieses Hauses, und wer ist euer Herr?« – »Al-Hasan ibn Sahl«, gab sie mir zur Antwort, und auf die weitere Frage, in welchem Verhältnis das Mädchen zu ihm stehe, erklärte sie: »Sie ist seine Tochter Būrān.« Ich kehrte um und teilte dies dem Kalifen mit, worauf er befahl: »Schaffe mir sofort al-Hasan her.« Darauf sagte ich zu der Alten: »Gehe al-Hasan holen und verkünde ihm, der Fürst der Gläubigen verlange ihn zu sehen.« Nachdem sie sich für eine kleine Weile entfernt hatte, kam sie zurück. Er aber folgte ihr auf dem Fuß und trat vor den Kalifen hin. Dieser fragte ihn: »Hast du eine Tochter?« – »Ja, Fürst der Gläubigen«, gab er zur Antwort. Jener fuhr fort: »Hast du sie schon verheiratet?« Als er es verneinte, fragte er weiter: »Und wie heißt sie?« – »Būrān«, sagte er. Da sprach al-Ma'mūn: »Dann halte ich bei dir um ihre Hand an.« Al-Hasan erwiderte: »Sie ist deine Magd, Fürst der Gläubigen, und du kannst über sie verfügen.« Nun erklärte der Kalif: »So nehme ich sie hiermit zur Frau gegen bare dreißigtausend Dinare, die ich noch heute morgen schicken werde. Wenn du das Geld erhalten hast, dann führe sie mir heute abend zu.« – »Ja, Fürst der Gläubigen«, antwortete al-Hasan. Dann erhob sich der Kalif, al-Hasan riß uns die Tür auf, und wir gingen hinaus. Im Schlosse angekommen, sagte der Kalif zu mir: »Keiner darf erfahren, was du hier erlebt hast, Ishāk; denn Zusammenkünfte sind vertraulich.« Ich erwiderte: »Bedarf meinesgleichen einer solchen Mahnung, Fürst der Gläubigen?« Am frühen Morgen ließ er dann al-Hasan das Geld bringen, und Būrān wurde dem Kalifen noch am gleichen Tage als Braut zugeführt.

In der Folge war Būrān Ma'mūns Lieblingsfrau, und er zog sie seinem ganzen Harem vor. Ich aber behielt dieses Erlebnis bei mir, bis al-Ma'mūn starb. Kein Mensch hat je eine solch gedrängte Fülle von Freude erlebt wie ich in jenen vier Tagen, als ich vom Zusammensein mit dem Kalifen an seinem Amtssitz zum Beisammensein mit ihr eilen konnte. Bei Gott, nie habe ich einen Mann gesehen, ob König, Kalif oder Untertan, der sich mit al-Ma'mūn vergleichen ließe, nie auch eine Frau erlebt, die Būrān an Klugheit und Verstand, Anmut und Gestalt ähnlich wäre. Ihre Kenntnisse und ihre Bildung waren derart, daß ich glaube, daß es auf Erden noch keine Frau gegeben hat, der es gelungen ist, so tief in die Wissenschaft einzudringen.

Dies war die Geschichte von Būrān, wie sie sich wirklich zugetragen hat und wie Būrān Ma'mūns Frau wurde.

NACHWORT

Mit dem arabischen Märchen im weiteren Sinne des Wortes verbinden wir seit unserer Kindheit die Vorstellung einer in behaglicher Breite erzählten und mit den Mitteln schrankenloser und unerschöpflicher Phantasie ausgestatteten Handlung. Der Schauplatz ist eine der großen Städte des islamischen Mittelalters, der Kalifenpalast oder ein Schloß in irgendeinem fernen Königreich. Böse und gute Geister, Könige, Wesire, immer wieder Frauen, »schöner als der Mond in der Nacht seiner Fülle«, dazu der Mann aus dem Volke beleben malerisch eine Bühne, deren Licht und Farbenpracht alles Unreine verschlucken. Es mag heiter, lustig, ja grotesk oder ernst, ungerecht und grausam zugehen – am Ende erfüllen sich alle Schicksale, wie es das Schreibrohr der göttlichen Allmacht im Anbeginn aufgezeichnet hat, und auch in der größten Todesnot bleibt der Trost: »Wir sind Gottes, und zu ihm kehren wir zurück.«

Dies sind die Märchen der arabischen Volksliteratur, wie wir sie auch im ersten Bande kennengelernt haben. Sie sind Volksliteratur weniger in dem Sinne, daß sie aus dem Volk erwachsen sind, als vielmehr, daß sie, wenn auch nicht nur, so doch besonders im Volk Anklang fanden. Außer kleineren, doch oft keineswegs unbegabten Geistern verbirgt sich hinter ihnen auch eine Schar namhafter und dennoch namenloser Dichter, denen die Anonymität als literarischer Ehrenschild diente.

Neben dieser volkstümlichen Literatur stand eine andere, weniger der Unterhaltung als der Belehrung dienende, die das literarische Tageslicht nicht zu scheuen brauchte, von den Arabern *Adab*, d. h. Literatur der feinen Bildung, genannt. Hier wird nicht in jener schrankenlosen Phantasie geschwelgt, die den Erzähler oft Stunde um Stunde ein phantastisches Abenteuer an das andere reihen läßt. Man berichtet nicht von irgendwelchen schattenhaften Menschen, sondern von historischen Persönlichkeiten, mögen es bestimmte Kalifen, Wesire, Gelehrte, Dichter, oder mag es ein einzelner, in seiner Individualität erkenbarer und möglichst mit seinem echten Namen genannter Mann aus dem Volk sein.

Die Sprache ist gepflegter, die Erzählung gestraffter. Der Stoff kann wahr oder wenigstens im Kern wahr, er kann aber auch frei erfunden sein; entscheidend bleibt jedenfalls die Kunst der Wiedergabe, die einfallsreiches Aufputzen und endloses Weiterspinnen wie im Volksmärchen nicht gestattet. Alles ist wirklichkeitsnäher, und wenn das Erzählte auch nicht Wirklichkeit ist, so sollte es doch als Wirklichkeit wenigstens denkbar sein. Daher kommt es, daß sich die Erzähler oder Sammler mitunter mehr oder weniger zweifelnd über die Möglichkeit des Berichteten äußern, wenn sie dies nicht schon durch die Schlußformel ausdrücken: »Aber Gott weiß alles am besten.«

Ließ die Adab-Literatur bereits auf diese Weise der Phantasie einen Türspalt offen, so hat sie ihn noch dadurch erweitert, daß sie sogar ganze Gattungen zuließ, in denen die Erfindung schlechterdings nicht übersehen werden konnte. Fabeln und andere gleichnishafte Dichtungen brauchten um ihres Lehrzweckes willen nicht um Anerkennung zu ringen. Von hier war kein weiter Weg zur Legende, und wie man an das religiöse Wunder geglaubt hat, so hat man auch weithin in der Geisterwelt eine Realität gesehen, der allerdings bestimmte Grenzen gesetzt waren. Im übrigen war der Muslim des Mittelalters ungeachtet aller kritischen Bemühungen mit einem gläubigeren Ohr begabt als der moderne Mensch, so daß wir zu dem tröstlichen Schluß kommen, daß auch die Adab-Literatur im weitesten Sinne trotz der Verpönung des Phantastischen eine Fülle von Erzeugnissen wenn auch gebändigter Einbildungskraft enthält.

Neben einigen enzyklopädischen, religiösen, historischen, geographischen und sogar naturwissenschaftlichen Werken ist es diese Adab-Literatur, die den Stoff für den zweiten Band unserer Märchen geliefert hat. Soweit er nicht der Adab-Literatur selbst angehört, ist er doch durchaus von ihrer Art. Nicht zu allen Quellen, aus denen er gern geschöpft hätte, hat der Übersetzer den Weg gefunden, wiewohl ihm nach der Durchsicht von vielen Tausenden arabischer Druckseiten das Gebotene kennzeichnend und ausreichend erscheint. Unter den ergiebigeren Quellen ist eine der ältesten das »Buch der Lieder«, in dem Abu'l-Faradsch al-Isfahānī († 967) altarabische Lieder und mancherlei Nachrichten über den Anlaß ihrer Entstehung und ihre Dichter zusammengetragen hat. Sein Schüler Tanūchī († 994) schrieb uns neben »Edel erfundene Taten der Edlen« das Buch »Auf Leid folgt Freud«. Was er darin an wirklichen oder erdichteten notvollen Erlebnissen mit glücklichem Ausgang erzählt, hat er vor allem bei seinen richterlichen Amtsgenossen und bei Kanzleisekretären gesammelt. Zu unseren ältesten allgemeinen Anthologien mit einer Mischung von Prosa und Poesie gehört die »Juwelenkette« des spanisch-arabischen Literaten Ibn ʻAbd Rabbihī († 940), die spätere Schreiber nicht mit Unrecht als die »einzigartige« gekennzeichnet haben. Viele Jahrhunderte nachher schenkte uns der Ägypter Ibschīhī († 1446) ein ähnliches Buch, das er »Interessantes aus allen Gebieten des Feinen« nannte, eine vortreffliche Ergänzung zu der Sammlung Ibn ʻAbd Rabbihīs. Aus dem bunten Reigen der übrigen Werke seien nur das an folkloristischem Material reiche »Leben der Tiere« des Theologen und Rechtsgelehrten Damīrī († 1405) und schließlich Jāfiʻīs († 1367) »Gärten der Duftkräuter« genannt, in denen uns Leben und Wunder der Frommen mit ihrem Wohlgeruch umfangen sollen.

Wie sich der Schauplatz unseres Erzählgutes von den Säulen des Herkules bis zu den Grenzen Chinas dehnt, so groß ist auch die Altersspanne der benutzten Quellen, die vom 9. Jahrhundert bis zum Ende des Mittelalters, ja noch darüber hinaus reicht. Anders ist es freilich, wenn wir nach dem Alter nicht der Quellen, sondern des Erzählgutes selber fragen. Die Wurzeln des von den Arabern aus fremden Kulturkreisen übernommenen Stoffes verlieren sich zum Teil noch über die letzten vorislamischen Jahrhunderte hinaus im Dunkel der Geschichte. In keinem Fall aber dürften die Stoffe die vorliegenden Fassungen vor dem 7. – 8. Jahrhundert gefunden haben. Der früheste eigentlich arabische Stoff stammt aus dem 6. Jahrhundert. Etwas breiter fließt unser Strom im 7. und beginnenden 8. Jahrhundert, um in der klassischen Zeit der arabischen Literatur, d. h. etwa von der Mitte des 8. bis zum Ende des 10. Jahrhunderts, zur vollen Stärke anzuschwellen und dann sehr schnell zu versickern. Das Alter der Quellen ist nämlich nicht für das Alter der Stoffe und ebensowenig das ihrer verschiedenen Fassungen maßgebend. Beliebte Stoffe sind immer wieder aufs neue überliefert worden, manchmal in der gleichen Fassung, noch häufiger aber in einer anderen, wobei wir feststellen, daß nicht immer die älteste Fassung die schönste ist. Schließlich haben auch die Araber, diese großen Erzähler, noch zulernen können. So kommt es, daß uns der späte Ibschīhī nicht minder wertvoll als der frühe Ibn ʻAbd Rabbihī ist.

Nach dem, was wir oben über den Unterschied zwischen dem

arabischen Volksmärchen und der Adab-Literatur gesagt haben, muß sich der Inhalt dieses Bandes von dem des vorigen wesentlich unterscheiden. Märchen im Sinne der eingangs beschriebenen enthält er nicht; dafür nähert sich aber manches Stück nach Gehalt und Erzählweise beträchtlich den Märchen anderer Völker, und einzelne Stücke könnten ebensogut in der Sammlung der Brüder Grimm stehen. Dennoch tritt hier das eigentliche Märchen stark hinter verwandten Literaturgattungen zurück. Sage, Legende und Anekdote herrschen vor, allerdings mit Stoffen, die wir zum Teil anderswo im Märchen finden. Da das Schrifttum der Araber sich nicht ohne Gewalt in unsere abendländischen Literaturgattungen hineinzwängen läßt, ist die Einteilung nicht nach ihnen, sondern nach anderen Gesetzmäßigkeiten erfolgt, obwohl auch auf diese Weise Überschneidungen nicht ganz vermieden werden konnten. Der Abrundung durch zwei kleine Abschnitte Rätsel und Schwänke möge das Beispiel der Brüder Grimm als Rechtfertigung dienen.

Weiter zurück als alles, was die Araber von sich selbst zu erzählen wußten, reicht das, was sie nach der Eroberung Ägyptens und Irans von den Völkern dieser Länder gehört und dann mehr oder weniger auf ihre Weise erzählt haben. In dem Kapitel *Aus grauer Vorzeit* führen wir den Leser deshalb zunächst in das alte Wunder- und Zauberland Ägypten (Nr. 1–6). Verhältnismäßig jung sind hier unsere Quellen, uralt aber die Stoffe. Mythos, Märchen, Sage und Geschichte mischen sich hier in wildem Wirbel. Wirr wie die Geschichte sind die Namen, unsicher in der Überlieferung und bisweilen griechisch, wo sie noch altägyptisch sein müßten. Wie beim ägyptischen Josef finden Träume ihre Deuter und erweisen sich als schicksalsträchtig. Die Zauberei dient hier in erster Linie der magischen Abwehr. Einen anderen Sinn konnte eine spätere Zeit in den rätselhaften Denkmälern nicht mehr finden. Manches wird aus altägyptischer, mehr noch aus koptischer Überlieferung stammen. Da die Heiden solchen verwerflichen Zauber gekannt haben, hat sich den muslimischen Geschichtsschreibern nicht alles als erfunden dargestellt. Wir spüren die Verwandtschaft mit dem Märchen von al-Mahlīja, al-Mauhūb und der Gazelle Weißfuß (Arabische Märchen I 237–307 und 331 f.) und dem uns von R. Paret erschlossenen Volksroman von Saif ibn Dhī Jazan, der allerdings erst zu Beginn der Neuzeit seine endgültige Gestalt gefunden hat. – Sehr viel reichhaltiger ist das Erzählungsgut, das die Araber von den iranischen Neubürgern des Kalifenreiches übernommen haben. Von ihren Märchen im engeren Sinne haben wir bereits im ersten Bande einige Kostproben gegeben, denen wir hier (Nr. 7–13) sieben Sagen folgen lassen. Der Stoff behandelt berühmte Herrscher der Sasanidendynastie (226–651). Er geht letztlich auf mittelpersische Quellen zurück und findet sich in anderer Form teilweise auch im neupersischen Nationalepos, dem »Königsbuch« des Firdausī. – In der eigenartigen Sage von der Königstochter von Cadiz (Nr. 15) knüpft sich wie in den ägyptischen Geschichten auch an die Herkulessäule der Gedanke der magischen Abwehr. Im einzelnen ist hier eine beachtliche Ähnlichkeit mit dem Götzenbild, das uns in dem Märchen vom Zauberberg (Arabische Märchen I 217–220) begegnet ist. – Ein einzigartiges Zeugnis national-arabischen Geistes besitzen wir in der Sage von der Zwiesprache zwischen dem persischen Großkönig und seinem arabischen Vasall aus dem Irak (Nr. 18). Hier hat ein kluger Mann das Selbstverständnis der alten Araber in Worte gekleidet. Die Großtaten älterer Kulturen ringsum gelten ihm nichts im Vergleich mit dem freien, tapferen, wenn auch dürftigen Leben der Wüstenrecken, ihrer Stammestreue und Großmut, dem Adel der arabischen Sprache und Dichtung und mit ihren vielen anderen Vorzügen. Selbst den Mangel an staatenbildender Kraft weiß er als eine Tugend zu deuten und prahlt, wie nur ein alter Wüstenrecke prahlen kann. Trotz der maßlosen, sich bis zur Umkehr der Verhältnisse steigernden Übertreibung ist dies nicht nur eine im Kern zutreffende Kulturschau, sondern vor allem das stolzeste Denkmal, das ein Araber dem Wesen seines Volkes in der Literatur gesetzt hat. – Der Ring dieses Kapitels schließt sich, indem wir noch einmal nach Ägypten zurückkehren: Mit der Sage von dem Erlebnis des späteren Eroberers in Alexandria (Nr. 19) stehen wir bereits auf der Schwelle zur islamischen Zeit.

Den neuen Glauben mit dem Schwert auszubreiten, den *Heiligen Krieg*, hat Muhammad seiner Gemeinde als Pflicht auferlegt. Wie man einst die Kämpfe und Raubzüge in der Wüste besungen hatte, so erzählte man sich nun von den Taten und Leiden »auf dem Wege Allahs«. Eine eigentümliche Mischung von Dichtung und Wahrheit dieser Art bildet die Rahmenerzählung von einem Erlebnis in byzantinischer Kriegsgefangenschaft (Nr. 21), teils scheinbar sachlicher Erlebnisbericht, teils Reiseabenteuer, der apologetischen und nationalistischen Tendenz gemäß in einer

Polemik wider das Christentum endend. – Wer im Glaubenskampf fiel, war Märtyrer, und das sichere Paradies hielt für ihn besondere Freuden bereit. Da sie nach Muhammads Verkündigung recht sinnlicher Art waren, bildeten sie einen Ansporn für einfach empfindende Menschen. Ein rührendes Zeugnis solch schlichten Glaubens und Sehnens ist der eschatologische Traum des Sa'īd (Nr. 22), während in dem Mittagsgebet (Nr. 24) die religiöse Mahnung wesentlich herber klingt, beides phantasievolle Erlebnisse, geeignet, uns in das Reich der Legende hinüberzuführen.

In diesem großen Reich der *Wunder der Gnade* hat sich manches aus jüdisch-christlichem Glaubensleben angesiedelt. Dazu gehören vor allem die Prophetengeschichten, Legenden von Adam über Jesus bis zu Muhammad, dem »Siegel der Propheten«. Da sie für sich allein einen Band füllen würden, ist hier auf sie verzichtet worden. Dem Vielen dieser und anderer Art, was der südarabische Jude Ka'b al-Ahbār, d. h. Ka'b der Rabbiner, nach dem Übertritt zum Islam (638) seinen neuen Glaubensgenossen überliefert hat, ist von ehemals jüdischen Muslimen immer wieder Neues hinzugefügt worden. Einige Proben solcher Legenden enthalten Nr. 27–31. Die rein islamischen Legenden erzählen von der Errettung aus allerlei Notlagen, bis zur Errettung vom Tod, manchmal als Lohn für eine gute Tat, oder sie schildern uns Gnadengaben der Heiligen und wunderbare Bekehrungen. Vieles davon fällt unter den islamischen Begriff der *karāma*, jener wunderbaren Gnade, die Gott seinen Heiligen erweist. In der Not erschallen geheimnisvoll rettende Stimmen, oder in weißen, duftenden Gewändern kommen Männer als Engel zu Hilfe. Der Heilige schreitet über das Meer und hat übernatürliche Heilkraft. Gott deckt seinen Tisch, schickt ihm Wasser für die religiöse Waschung und stellt selbst gefährliche Tiere, wie Löwen, Bären, Schlangen, Skorpione und Krebse, in seinen Dienst. Vor dem Heiligen demütigen sich die Geister. Er hat die Kraft der Überwindung von Raum und Zeit, weiß, wann seine Todesstunde schlägt, und kann sogar im Besitz der Kenntnis von Gottes geheimem Namen sein. Dies alles dient ebenso wie die Träume in den Bekehrungsgeschichten der Verherrlichung von Gottes Allmacht und Güte.

Wo es dem Muslim nicht gegeben ist, Gottes Walten klaren Auges im Wunder zu schauen, da erlebt er es doch im Glauben, wenn *geheime Schicksalsmächte* in das Leben eingreifen. Einmal bewirken sie die verdiente Strafe, das andere Mal erretten sie, wenn auch nicht durch Wunder, so doch in erstaunlicher Weise aus Gefahr oder ständiger Not. Sie können durch einen Traum zur Wende führen oder einer Weissagung Erfüllung bringen. Hier bot sich ein weites Feld für die Erzählung eines unvorhergesehenen Ereignisses in der Form einer vollen Anekdote, deren Held naturgemäß oft eine historische Person ist. Ein Musterbeispiel dieser Art ist die vom Segen des guten Rates (Nr. 57), deren Kern in der Chronik Tabarīs nur wenige Zeilen einnimmt, während dem Erzähler der Geschichte von dem letzten Omaijaden (Nr. 58) ein Kabinettstück arabischer Charakterzeichnung gelungen ist. Man muß sich den blutrünstigen Haß vorstellen, mit dem die Abbasiden nach der Besteigung des Kalifenthrones ihre omaijadischen Vorgänger verfolgt haben, um diese Schilderung in ihren Gegensätzen recht zu verstehen. Der Bote des allgewaltigen Kalifen zittert vor dem letzten Angehörigen der entmachteten und ausgerotteten Dynastie, während dieser, angeblich immer noch wohlhabend, seine königliche Haltung im Angesicht des sicheren Todes auch nicht einen Augenblick verliert. Adel der Seele und der Erziehung, ein reines Gewissen und ein unerschütterliches Gottvertrauen lassen ihn furchtlos die bitterste Reise antreten. Ob auch in Fesseln, er bleibt der wahrhaft Große und zwingt den mit allen Vollmachten ausgestatteten Kalifenboten in die Rolle eines Knirpses, als welcher – ein feiner Kunstgriff – er sich uns selber schildert. Daß sich der Kalif solch wahrer Hoheit beugt, versteht sich fast von selbst. – Unter den Berichten von Schicksalswenden anderer Art verdient vor allem das Erlebnis auf der Fraueninsel (Nr. 61) besondere Erwähnung. Die dramatische Schilderung des Sturmes und auch das Abenteuer als solches erinnern uns lebhaft an Sindbads Reisen. Beide Erzähler haben aus ziemlich gleichalterigen Quellen geschöpft, in denen solches Seemannsgarn gesponnen wurde.

Nicht minder abenteuerlich ist vieles, was uns von *Zauber und Geistern* berichtet wird. Nachdem wir am Anfang von der Zaubermacht der alten Ägypter gehört haben, wundern wir uns nicht darüber, daß ihr Spuk bis weit in die islamische Zeit fortgewirkt hat. Die Brücke zurück in die graue Vorzeit schlägt der Bericht über die Grabung des ʿAbd al-ʿAzīz (Nr. 70). Hier lebt die Erinnerung fort an zahllose, darunter auch amtliche Versuche, vermeintliche Schätze zu heben. Angst und Mißschläge erzeugten in der Phantasie jene magisch abwehrenden Geräte und Bildwerke, die uns bereits in den Geschichten von den vier Schatzorten (Arabische Märchen I 33–68) erschreckt haben. Wie viele an die ägyptische Zauberkraft geglaubt haben, zeigt die Versicherung eines so ernsten Gelehrten wie Makrīzī am Ende seiner Erzählung von den Talismanen der Fische (Nr. 71). Anderer Art ist die altarabische Verzauberung von Waffen und Menschen (Nr. 72 f.). Ihr Ernst steht in starkem Gegensatz zu der heiter-lehrhaften Burleske, in die das alte Märchen vom Eselsmenschen (Nr. 74) gekleidet ist. Ort, Erzählweise und literarischer Rahmen verraten in unserer Quelle die indisch-iranische Entlehnung. – Mit den Geistern sind die Araber seit eh und je vertraut gewesen, und selbst in der Lehre des Islam haben sie einen festen Platz gewonnen. Ursprünglich bildeten sie nur die Verkörperung der Schrecken, die die Wüste den Menschen einflößt. Dann aber wandelten sie sich auch manchmal zu niederen Gottheiten. Sie gliedern sich in mehrere Gruppen und können heidnisch und jüdisch, böse und gut sein. Dem Reisenden begegnen sie in der Wüste in vielfältigster Gestalt. Ihrem ursprünglichen Wesen gemäß sind sie ihm meistens feindlich, manchmal aber auch dankbare Helfer. Sie paaren sich mit dem Menschen im Guten und öfter noch im Bösen. Mit Gottes Hilfe kann der Mensch ihrer Herr werden. Muhammads Verkündigung gilt auch ihnen, und nun scheiden sie sich in Ungläubige und in die Gläubigen, denen das Paradies zuteil wird. Später bringt sie die Volksliteratur, wohl unter iranischem Einfluß, mit dem Menschen in ein innigeres Verhältnis, ohne ihre Unheimlichkeit zu mindern. Ihre Zahl ist nun gewachsen, und was sie in der Wüste noch nicht gekonnt haben – jetzt brausen sie nachts in großen Heeren am Menschen vorbei (Nr. 82 und Arabische Märchen I 262 f.). Dies ist im großen und ganzen der Hintergrund unserer Geistergeschichten (Nr. 75–84), aus denen der Bericht über die Heinzelmännchen vom Nil (Nr. 77) wohl eher nordafrikanischen als arabischen Ursprungs ist.

Wenn von Beziehungen zwischen *Tier und Mensch* bei den Arabern gesprochen wird, so denkt man unwillkürlich zunächst an das Pferd und das Kamel, die die treuesten Gesellen des alten Arabers gewesen sind. Ihr Fehlen in der Gruppe unserer Geschichten ist durch den Charakter der verwendeten Literatur und durch die Beschränkung auf das Märchenhafte und Phantastische bedingt. Auch was von anderen Tiergattungen hier erzählt wird, ist im allgemeinen weniger Märchen als ins Phantastische gesteigertes Erlebnis, wenn wir von dem schlichten Aberglauben absehen, mit dem von der Urzeit an der Rabe (Nr. 85 f.) umgeben worden ist. Man nennt ihn in der Rolle, in der er hier auftritt, schlechthin den »Trennungsraben«. Wo er sich niederläßt, ist es um die Gemeinschaft von Menschen geschehen, ob er die Liebenden trennt oder als Bote des Todes erscheint. In der alten Dichtung ist er zu einem literarischen Topos geworden. Volkstümlich ausgeschmückt haben wir sein Wirken in dem Märchen von der verzauberten Gazelle kennengelernt (Arabische Märchen I 265). – Der den Menschen errettende Riesenvogel (Nr. 87) erinnert uns wieder an Sindbads Reisen, während die Enttäuschte Schlange (Nr. 89) fast wie ein Märchen der Brüder Grimm anmutet. In der folgenden Geschichte von der Schlange (Nr. 90) ist uns eine alte, gut erzählte Legende erhalten. – Als solche will auch das mit »Gelöbnistreue« überschriebene Abenteuer (Nr. 97) aufgefaßt sein. – Auf das Reich der Fabel haben wir in diesem Band verzichtet, weil es schier grenzenlos ist.

Die Kunst des *Rätsels* reicht bei den Arabern bis in die vorislamische Zeit zurück. Scharfsinnsproben und verhüllende Redeweisen, wie wir sie in Nr. 99–101 bringen, sind nicht selten. Von der reichen Metaphorik der Dichtung war es kein weiter Weg zum Rätsel. K. Rauch hat kürzlich wieder auf die Rätselfülle der Makamenliteratur hingewiesen (Rätsel aus aller Welt. Düsseldorf–Köln 1965 S. 8 f.) Logogriphen und Scharaden gibt es in der Adab-Literatur in Menge. Wir konnten hier außer einer Scharade nur einfache Worträtsel wiedergeben, weil sich die komplizierteren Gebilde der Übersetzung mit Reim und Metrum entziehen und einer ausführlichen Erläuterung bedurft hätten. Im übrigen ist bemerkenswert, daß bereits das altarabische Rätsel die uns geläufige Aufforderung an den Hörer zum Raten kannte.

In der Schlußgruppe *Allerlei Kurzweil* sind nur wenige Stücke zusammengestellt, die als Ergänzung zu der Sammlung altarabischen Humors betrachtet werden können, die wir unter dem Titel »Von Kalifen, Spaßmachern und klugen Haremsdamen« im gleichen Verlag herausgegeben haben. – Daß wir Habībs Maklergeschäft mit Gott (Nr. 110) unter die Schwänke eingereiht haben, möge uns der einfältig fromme Erzähler verzeihen! – Die letzte Humoreske (Nr. 112) ist in gewisser Weise kennzeichnend für den Unterschied zwischen der Volks- und der Adab-Literatur. Sie findet sich nämlich auch in 1001 Nacht, doch ist sie dort verkürzt und vereinfacht und verzichtet zum Schaden des Gesamtgefüges auf die Einleitung. Die feine Schilderung des Verhältnisses der beiden Männer zu einander, in dem sich Autorität und Vertraulichkeit mischen, ihre Auseinandersetzungen, die erotische Spannung beider, die Bedrängnisse Ishāks, sein anfänglicher Hang zu dem neugekauften Mädchen, dies alles fehlt in 1001 Nacht ganz oder ist sehr zusammengeschrumpft. Damit fehlt in 1001 Nacht eines der wesentlichsten Elemente: die leise Heiterkeit und der versöhnliche Humor.

ANHANG

Quellenangaben und Erläuterungen zu den einzelnen Märchen

Der Übersetzung liegt die jeweils an erster Stelle genannte Quelle zu Grunde. Dies ist aus verschiedenen Gründen nicht unbedingt die älteste. Die Aufzählung weiterer Quellen erfolgt ohne Bemühung um Vollständigkeit.

1 Makrīzī I 213, Nuwairī XV 14–16. – Amsūs: Nach der Sage die Residenzstadt der vorsintflutlichen Könige Ägyptens und durch die Sintflut völlig zerstört. – Misrām: Einer der sagenhaften Urkönige Ägyptens. – Zum Motiv des Schutzes einer Stadt durch einen magischen Gegenstand s. Chauvin V 30, 222. VIII 191. Kazwīnī berichtet (I 199) von einer Meereskirche in Spanien, auf deren Kuppel ein Rabe stand, dessen Aufgabe es war, den Besuch von Muslimen durch Krächzen anzukündigen, u. z. in der Weise, daß die Zahl seiner Schreie der der Ankömmlinge entsprach, worauf den Priestern die Pflicht oblag, die Muslime zu bewirten. Über den Schutz von Cadiz durch das Standbild eines vermeintlichen Berbers s. S. 59 ff. Weitere Zauberwerke, die die Ankunft von Fremden melden, s. R. Paret, Sīrat Saif ibn Dhī Jazan (Hannover 1924) 8, 10, 74 Nr. 23.

2 Nuwairī XV 17 f., Makrīzī I 214.

3 Makrīzī I 180–182, Nuwairī XV 22 f., 26 f. Makrīzī gibt als Quelle Ibrāhīm ibn Wasīf Schāh (vor 1209) an, womit dessen Dschawāhir al-buhūr gemeint sind (Brockelmann I 409, Suppl. I 574). – Amsūs s. Nr. 1. – Die bunte Pyramide ist die des Chefren. – Über die Pyramiden in der Auffassung der Araber s. EI I 278 f. Vgl. auch Chauvin VI 91 f.

4 Nuwairī XV 107–112, Makrīzī I 234–236. – In der Erzählung, wie Nuwairī und Makrīzī sie wiedergeben, sind mehrere Überlieferungen zusammengefaßt. Die Geschichte von der Zerstörung der Stadt durch die Meertiere und ihrer Vertreibung findet sich ausführlicher und auf Alexander den Großen bezogen, aber ohne Erwähnung der Nixe, bei Mas'ūdī II 425–428 und bei Makrīzī I 240 f. In anderer Form hat sie auch Eingang in das Märchen von 'Arūs al-'arā'is gefunden (Arabische Märchen I 158 f.), wo die Glaskästen allerdings in anderer Weise verwendet werden. Ibn Chaldūn (Muqaddima, Ed. E. Quatremère I 58 f.) polemisiert in rationalistischer Weise gegen Mas'ūdīs Erzählung von den Glaskästen. Das Tauchunternehmen ist bereits im antiken Alexanderroman nachweisbar. Vgl. A. Abel, Le Roman d'Alexandre (Bruxelles

1955) 26; die erste Tafel zeigt das Unternehmen in einer abendländischen Handschriftenminiatur des 14. Jahrhunderts. Zu dem Ringkampf mit der Nixe und ihrer Hilfe vgl. Ibn 'Abd al-Hakam 43. – Atrīb: Das antike Athribis in Unterägypten. – 'Amlīk: Nach arabischer Auffassung stammten die Pharaonen von den Amalekitern ab. – Statt Dschairūn ist vielleicht Dschabrūn zu lesen (vgl. Dhahabī, Muschtabih, Ed. de Jong, 194 und Paret a. a. O. 39, 98). – 'Āditen: Ein im Koran mehrfach erwähntes Sagenvolk, das zur Strafe für seinen Hochmut und die schlechte Behandlung des Propheten Hūd von Gott vernichtet wurde. Schaddād, der Sohn des Stammvaters 'Ād, dient Arabische Märchen I 46, 317 als Sinnbild irdischer Vergänglichkeit.

5 Makrīzī I 61 f. nach Ibn 'Abd al-Hakam 27 f., Mas'ūdī II 399 f., Nuwairī XV 138 f. – Dalūka: Ägyptische Königin zur Zeit Tadūras.

6 Makrīzī I 55 f., Nuwairī XV 84 f. – As-Suhā: Stern im Sternbild des Großen Bären. – Zum Geierkult im alten Ägypten vgl. H. Bonnet, Reallexikon der ägyptischen Religionsgeschichte (Berlin 1952) 210 f.

7 Ibschīhī I 42, Damīrī I 6, Ibn Hiddscha II 191–193. Vgl. Chauvin VII 120–123.

8 Ibn 'Abd Rabbihī III 4 f.

9 Ibschīhī I 87 f., Ibn Badrūn 25 f., Ibrāhīm ibn al-Ahdab 227–230, Tabari Ser. 1, II 823–825. Weitere Literatur s. Basset II 178 f. und H. Ritter, Das Meer der Seele (Leiden 1955) 511. – Ardaschīr I. (226 bis 241), Begründer der Sasanidendynastie. Nach ihm regierte sein Sohn Schā(h)pūr I. (241–272). – Der König vom Jordanland ist aus einer Verballhornung des Namens des letzten Arsakiden, Artaban (Ardawān) V., den Ardaschīr 224 besiegte und tötete, entstanden. – Zu der Selbstentmannung vgl. Nr. 31.

10 Mas'ūdī II 169–174, Ibn Badrūn 29–31, Turtūschī 229 (hier bezieht sich das Gespräch der Eulen auf den Abbasidenkalifen al-Ma'mūn (813 bis 833), Ar-Rāghib al-Isbahānī I 101 (hier auf einen anonymen Statthalter). Weitere Literatur s. Basset II 452 f. – Bahrām II. (276–293): Persischer König aus der Dynastie der Sasaniden. – Al-Madā'in: Das antike Ktesiphon, Residenz der persischen Könige.

11 Ibn Hiddscha I 166–176 nach Ibn Zafar 27–45, Ibn Badrūn 34 f., Tabarī Ser. 1, II 844 f., Tha'ālibī 521–528. – Schāpūr II. (310–379): Persischer König aus der Dynastie der Sasaniden. Zum Stoff s. EI IV 339.

12 Ibschīhī II 89, Damīrī I 252 f., Kazwīnī II 57. – Kisrā I. Anūscharwān (531–579): Persischer König aus der Dynastie der Sasaniden. – In ähnlicher Weise wird Mas'ūdī II 88–92 die Entdeckung der Weinrebe darauf zurückgeführt, daß ein alter syrischer König eine Vogelbrut auf seinem Schloß vor einer Schlange rettet und als Entgelt von dem Vogel drei Körner erhält, aus denen nach der Aussaat die ersten Reben erwachsen.

13 (Pseudo-)Dschāhiz 277–280. – Anūscharwān s. Nr. 12.

14 Tanūchī Faradsch II 359–361. – Blätter des Betelpfeffers, die mit Zu-

sätzen präpariert sind, werden seit jeher in Indien und Südasien zur Erfrischung gekaut.

15 Makkarī I 152–154, Jākūt IV 6 f., Ibn Challikān IV 407–409. – Die Sage umrankt die bekannte Herkulessäule. Zur Verworrenheit der historisch-archäologischen Vorstellungen gesellt sich die der geographischen. Der Erzähler widerspricht sich nämlich insofern, als die Wasserleitung zur Mühle zunächst vom spanischen Festland her über die Bucht von Cadiz zur Halbinsel führen soll, dann aber von Afrika her über die Straße von Gibraltar nach Spanien gebaut wird. In der verkürzten Fassung bei Jākūt findet sich dieser Widerspruch nicht. Vgl. R. Dozy, Recherches sur l'histoire et la littérature de l'Espagne[3] (Paris und Leiden 1881) II 311–314.

16 Ibn 'Abd Rabbihī VI 83 f., Ar-Rāghib al-Isbahānī II 123. – 'Amr ibn Hudschr aus dem südarabischen Stamm der Kinda war Ende des 5. Jahrhunderts Beherrscher der zentralarabischen Stämme. – Imra'lkais († 530–540), einer der bekanntesten vorislamischen Helden und Dichter, hat sich zeit seines Lebens ohne Erfolg um die Wiederaufrichtung der inzwischen vergangenen Herrschaft seiner Ahnen bemüht. Vgl. EI II 508 f., 1094 f., Brockelmann Suppl. I 48–50. Die Sage dient der Verherrlichung der Kinda und ihres berühmten Dichters.

17 Abu' l-Faradsch al-Isfahānī (Beirut) XIX 175–178, Ibschīhī I 179. Weitere Literatur s. Chauvin V 215, Basset II 295 f. – Al-Mundhir III. ibn Mā'-as-samā' (um 505–554): König aus der Dynastie der Lachmiden in Hīra (Irak). In anderen Quellen wird die Sage von seinem Sohn an-Nu' mān (um 580–602), dem letzten Lachmidenkönig in Hīra, erzählt. Vgl. Weisweiler 10–13.

18 Ibn 'Abd Rabbihī II 4–9. – Hier spricht der letzte Lachmidenkönig an-Nu'mān ibn al-Mundhir (um 580–602) mit dem Perserkönig Chusrau II. Parwīz (590–628), in dessen Gefängnis er später gestorben ist. – Die Bevölkerung des Reiches der Lachmiden bestand zum großen Teil aus Angehörigen der Stämmegruppe der Tanūch. – Die vorislamische Sitte, neugeborene Mädchen lebendig zu begraben, ist erst von Muhammad verboten worden. – Mekka ist mit seiner Kaaba bereits in vorislamischer Zeit das Ziel von Wallfahrten gewesen, die durch eine fehdefreie Zeit von drei Monaten ermöglicht wurden. – Dem letzten Abschnitt der Rede Nu 'māns liegen die folgenden von Nu 'mān zu Gunsten der Araber entstellten Ereignisse zu Grunde: Jemen stand in der zweiten Hälfte des 6. Jahrhunderts zunächst unter abessinischer Fremdherrschaft. Saif ibn Dhī Jazan, ein Nachkomme der himjaritischen Könige und der Held eines späteren Volksromans, wandte sich an den persischen König Chusrau I. Anūscharwān (531–579), den Großvater Chusraus II. Parwīz, mit der Bitte um Unterstützung und vertrieb mit seiner Hilfe um 570 die Abessinier aus Südarabien. Saif übernahm darauf die Herrschaft über den Jemen unter der Oberherrschaft des persischen Königs. Das Schloß des persischen Königs, von

dem hier die Rede ist, ist Ktesiphon = Madā'in. Vgl. C. Huart, Geschichte der Araber (Leipzig 1914–16) I 55, EI IV 76.

19 Makrīzī I 255–257 nach Ibn 'Abd al-Hakam 53–55. – 'Amr ibn al-'Ās († um 663): Zeitgenosse Muhammads und späterer Eroberer Ägyptens. Vgl. Arabische Märchen I 237. – 'Umar ibn al-Chattāb (634–644): Zweiter Kalif. – Dschābija: Südwestlich von Damaskus. Hier fand im Jahre 17 d. H. = 638 n. C. eine für die arabischen Eroberungen wichtige Besprechung 'Umars mit seinen Heerführern statt.

20 Ibn 'Abd Rabbihī I 125, Nuwairī VI 177, Ar-Rāghib al-Isbahānī I 148. – Hurmuzān: König von Susiana, wurde nach erfolgreicher Belagerung in Tustar von den Arabern gefangengenommen, dem Kalifen 'Umar (s. Nr. 19) vorgeführt und von diesem wegen seines Übertritts zum Islam begnadigt. – Rustam: Persischer Oberbefehlshaber, fiel in der entscheidenden Schlacht bei Kādisīja (635–637).

21 Tanūchī Faradsch I 145–153. – 'Abd al-Malik (685–705): Kalif aus der Dynastie der Omaijaden. – Mu'āwija I. ibn abī Sufjān (661–680): Kalif, Gründer der Omaijadendynastie. – Warkā' ibn Mauraka: Der Name ist in dieser Form nicht möglich, zumal da Warkā' ein echt arabischer Name ist. Graphisch wäre eine Verschreibung aus Phokas ibn Maurikios denkbar. Maurikios (582–602) war zwar der Vorgänger von Phokas (602–610) auf dem byzantinischen Kaiserthron, nicht jedoch, wie hier vorausgesetzt wird, sein Vater. Beider Regierungszeit liegt auch wesentlich früher als die Mu'āwijas I. – Die wechselnde Verlegung der Gefangenen zu den zwölf Heerführern steht in Beziehung zu der Einteilung des Byzantinischen Reiches in Militärbezirke (Themenverfassung). Vgl. G. Ostrogorsky, Geschichte des Byzantinischen Reiches[3] (München 1963) 80 ff. – Zigeuner: Der Text hat hier wie übrigens auch in der Ausgabe Kairo 1357 = 1938 das anscheinend sinnlose Buchstabengerüst *'lrchān*, das unter leichter Veränderung und Berücksichtigung der Assimilation vielleicht als *az-Zindschān* zu lesen ist und aus 'Αθιγγαν(οι), der byzantinischen Bezeichnung für Zigeuner, entstanden sein könnte. Tanūchī schrieb in der zweiten Hälfte des 10. Jahrhunderts, also zu einer Zeit, als es bereits Zigeuner im Byzantinischen Reich gab. Die Geschichte könnte hier in die klassische Zeit der Kämpfe der Araber gegen die Byzantiner zurückverlegt sein. Falls diese Vermutung richtig ist, wäre dies die erste Erwähnung der Zigeuner bei den Arabern. Vgl. W. Aichele und M. Block, Zigeunermärchen (Düsseldorf–Köln 1962) 343. – Die Mitbestattung des überlebenden Gatten ist vor allem aus Sindbads vierter Reise bekannt. In unserem Text mag sie eine Erinnerung an die indische Heimat der Zigeuner sein. Vgl. Chauvin VII 19 f., Bolte und Polívka I 128, A. Aarne und S. Thompson, The Types of the Folktale[2] (Helsinki 1961) Nr. 612.

22 Jāfi'ī 51–55.

23 Tanūchī Faradsch I 96 f. – Maslama († 737–741): Omaijadischer Prinz und Heerführer.

24 Ibn as-Sarrādsch 115–117.

25 Makkarī I 813. – Bakī ibn Machlad (817–889): Berühmter spanisch-arabischer Traditionsgelehrter und Koranexeget. Zeitweilig verketzert, stand er gegen Ende seines Lebens im Ruf der Heiligkeit.

26 Ibschīhī I 15, Ibn Kutaiba 144, Turtūschī 126 f.

27 Ibschīhī II 118, Kazwīnī II 151 f.

28 Ibschīhī II 80 f., Damīrī I 264.

29 Ibschīhī II 57.

30 Ibschīhī I 96 f., Ghazzālī Tibr 45 f.

31 Abū Nu'aim IV 352 f. – Zu der Selbstentmannung vgl. Nr. 9.

32 Ibschīhī I 9 f., Abū Nu'aim I 263.

33 Ibschīhī I 60 f. – Hātim al-Asamm († 851–852): Mystiker aus Balch.

34 Ibn al-Dschauzī Sifa IV 296 f., unmittelbar davor IV 296 eine andere Fassung, Jāfi'ī 3 f. – Dhu'n-Nūn († 860): Berühmter ägyptischer Mystiker.

35 Jāfi'ī 15–19. – As-Sarī as-Sakatī († um 870 in Bagdad), Ibrāhīm ibn Adham († 776–783) und Ma'rūf al-Karchī († 815–816): Berühmte Mystiker. Die beiden ersten können sich bei Lebzeiten kaum gesehen haben. – Beschreibung des Felsendomes in Jerusalem s. EI II 1166 bis 1169. – Die alljährlichen Wallfahrtsbräuche beginnen in Mekka in der ersten Hälfte des Monats Dhu'l-Hiddscha. Sie erstrecken sich auch auf den östlich von Mekka gelegenen Ort Minā.

36 Ibn as-Sarrādsch 128 f. – Sahl ibn 'Abdallāh at-Tustarī († um 896): Theologischer Schriftsteller und Mystiker.

37 Tanūchī Faradsch II 290. Andere Fassungen: Abū Nu'aim III 332 f., Chauvin V 138 f., Damīrī I 328, Jāfi'ī 249 f., Ibschīhī I 8 f.

38 Jāfi'ī 10–13. – Das Motiv von dem Frommen, der sich der Verführung durch eine Frau durch Sturz vom Dach entzieht und durch Eingriff eines Engels unversehrt bleibt, findet sich auch bei Ibn al-Dschauzī, Dhamm 251 f., wo die Frau die Tochter eines israelitischen Königs ist. Ibn al-Dschauzīs Quelle ist Ibn al-Marzubān († 921, Brockelmann I 130, Suppl. I 189 f.) Chauvin VI 187 f. ist der Mann ein Israelit und wird die Geschichte nach der Rückkehr des Mannes weiter ausgesponnen. – Das Motiv des himmlischen »Tischlein deck dich« findet sich ferner in der Bekehrungsgeschichte eines christlichen Mönches, dem in Anerkennung seines heimlichen Bekenntnisses zum Islam gleich zwei Tische gedeckt werden, von denen der eine für den muslimischen Mitbruder bestimmt ist, der den Anlaß zum Übertritt geboten und bereits vorher über die Gnade des »Tischlein deck dich« verfügt hat: Jāfi'ī 7 f., vgl. auch 55–58. Vgl. ferner Chauvin V 272, Bolte und Polívka I 360 f. – Die Frau will dem Frommen den Weg zum Waschraum zeigen, damit er dort die zum Gebet erforderliche Waschung vornehmen kann.

39 Damīrī II 156, wo als weitere Quellen das K. ad-Da'awāt des Abu'l-Kāsim at-Tabarānī († 971, Brockelmann Suppl. I 279) und das K. at-

Ta'rīch des Ibn an-Naddschār († 1245, Brockelmann I 442 f., Suppl. I 613) angegeben werden; Ghazzālī Ihjā' II 224. – 'Umar s. Nr. 19.

40 Ibschīhī I 10. – Abū Huraira († 676–678): Genosse Muhammads und sehr fruchtbarer Überlieferer seiner Worte und Taten.

41 Tanūchī Faradsch I 23 f.

42 Ibschīhī II 60 f. – Al-Hasan al-Basrī († 728): Der berühmteste und durch seine Nachwirkung bedeutendste Fromme aus dem ersten Jahrhundert der Hidschra.

43 Damīrī II 120, Jāfi'ī 101 f. – Dhu'n-Nūn s. Nr. 34.

44 Abū Nu'aim X 177 f., 320 f., Nabhānī I 270. – Abū Hamza Muhammad ibn Ibrāhīm † 902 oder 883.

45 Ibn Hiddscha I 140 f. – Dhu'n-Nūn s. Nr. 34.

46 Jāfi'ī 123–125. – 'Abd al-Wāhid ibn Zaid († 793–794): Bekannter Mystiker.

47 Ibschīhī I 132; Jāfi'ī 180–182, wo das Erlebnis Ibrāhīm al-Chauwās († 904) zugeschrieben wird. – Schimschāt: Eine Stadt am oberen Euphrat, die bereits zur Zeit Jākūts († 1229) zerstört war. – Die Tiere bringen die wohlriechenden Kräuter zur Herrichtung des Leichnams des Heiligen.

48 Mamīrī II 17 f., Abū Nu'aim X 308. – Chair († 934): Aus Samarra stammender Mystiker, der sich in Bagdad niederließ.

49 Ibschīhī I 133, Ibrāhīm ibn al-Ahdab 206.

50 Jāfi'ī 98–101. – Mu'āwija s. Nr. 21. Er war der große Gegner seines Vorgängers im Kalifat, 'Alī ibn abī Tālib (656–661), und seiner Sippe.

51 Damīrī I 217 f. Danach aus dem K. an-Nasā'ih des Ibn Zafar († 1169, Brockelmann I 431 f., Suppl. I 595 f.) – Nach Koran 61, 6 hat Jesus gesagt: »... indem ich frohe Botschaft bringe von einem Gesandten, der nach mir kommen und Ahmad heißen wird«, womit Muhammad gemeint sein soll.

52 Jāfi'ī 187–190. – Mālik ibn Dīnār († 740–748): Ein Frommer aus der Frühzeit des Islam. – Die mittelste Nacht des Scha'bān sollte besonders Bußgedanken gewidmet sein.

53 Ibschīhī I 133.

54 Ibschīhī I 10, Damīrī I 300, Ibn Challikān V 159, Ibrāhīm ibn al-Ahdab 244. Weitere Literatur s. Basset II 305 f.

55 Ibn 'Abd Rabbihī I 186 f. – Wāsit: Stadt im Irak.

56 Ibschīhī I 192 f., Abū Nu'aim II 228 f., Ibrāhīm ibn al-Ahdab 224 f. – Al-Mu'tasim (833–842): Kalif aus der Dynastie der Abbasiden.

57 Ibschīhī I 69 f., Ibn Hiddscha I 55 f. Vgl. Tabarī Ser. 3, I 329. – Al-Mansūr (754–775): Kalif aus der Dynastie der Abbasiden. Sein und seines Vorgängers Oheim, 'Abdallāh ibn 'Alī, war der beste Helfer der neuen Dynastie bei der Vernichtung der Omaijaden, strebte nachher aber selbst nach dem Kalifat. Nach mehrjähriger Gefangenschaft wurde er 764 von al-Mansūr hinterlistig umgebracht. 'Īsā ibn Mūsā († 783–784) war nicht Vetter, sondern Neffe der beiden ersten Abba-

sidenkalifen, und ʻAbdallāh ibn ʻAlī war nicht Bruder seines Vaters, sondern seines Großvaters. Vgl. E. de Zambaur, Manuel de généalogie et de chronologie (Hannover 1927) Tafel G. Der Kanzleibeamte hieß in Wirklichkeit Jūnus ibn Farwa (Tabarī a. a. O.).

58 Tanūchī Faradsch I 98–102, Ibn Hiddscha (Dhail) II 156–162, Ibschīhī I 61–63. – Hārūn ar-Raschīd (786–809): Kalif aus der Dynastie der Abbasiden. Falls der Geschichte ein historischer Kern zu Grunde liegt, dürfte sie sich jedoch nicht unter Hārūn ar-Raschīd, sondern in den ersten Jahren nach der Gründung der Abbasidendynastie (750) zugetragen haben. Dazu paßt, daß der Berichterstatter Manāra ein Freigelassener des Kalifen al-Mansūr (754–775) gewesen ist (Tabarī Ser. 3, I 455 f.).

59 Ibn ʻAbd Rabbihī VI 208–211, Nuwairī III 338–342, Tanūchī Mustadschād 42–49. Weitere Literatur s. Chauvin V 156 f., VI 54 f. – Al-Ma'mūn s. Nr. 10. – Ibrāhīm ibn al-Mahdī († 839): Feinsinniger Abbaside, der zeitweilig als Gegenkalif gegen al-Ma'mūn auftrat, danach in der Verborgenheit lebte. – Das erste Lied Ibrāhīms ist Ausdruck der Empfindung des altarabischen Wüstendichters bei der Betrachtung der verlassenen Zeltspuren seiner Geliebten, als literarischer Topos Anfang des *Kaside* genannten Gedichttyps. – In 1001 Nacht (s. Chauvin a. a. O.) ist die Rahmenerzählung später in die Geschichte des Barbiers übernommen und in die Zeit des Kalifen Al-Mustansirbillāh (1226–1242) verlegt, während die Haupterzählung selbständig geblieben ist.

60 Ibschīhī I 216–218, Ibrāhīm ibn al-Ahdab 232–236. Weitere Literatur s. Chauvin V 1. – Al-Ma'mūn s. Nr. 10. – Al-Anbār: Stadt am linken Euphratufer, etwa 68 km von Bagdad. – Im arabischen Text wird die erzählende Person mehrere Male gewechselt. Dies ist in der Übersetzung dieses Stückes ausnahmsweise ausgeglichen worden.

61 Rāmhurmuzī 19–29. – Über eine Fraueninsel *(Dschazīrat an-nisā')* in der Nähe von China berichtet auch Ibn al-Wardī 76. Nach ihm werden die Frauen vom Wind oder einer auf der Insel wachsenden Baumart schwanger und bringen immer nur Mädchen zur Welt. Auch der Goldreichtum der Insel wird hier erwähnt. Vgl. Thompson F 112.

62 Turtūschī 316–318, Ibschīhī II 66 f. – Der Theologe Abu'l-Walīd al-Bādschī († 1081, Brockelmann I 534, Suppl. I 743 f.) hat gemäß der Überliefererkette die Geschichte von dem am Anfang genannten Abu'l-Kāsim gehört. – Kufa: Südlich von Hilla im Irak. – Takrīt: Stadt am Tigris etwa in der Mitte zwischen Mosul und Bagdad.

63 Ibn ʻAbd Rabbihī V 379–381. – Al-Muhallab († um 702): Erfolgreicher Heerführer. – Nach der Überliefererkette dürfte die Geschichte in der ersten Hälfte des 8. Jahrhunderts in Basra entstanden sein.

64 Tanūchī Faradsch II 210–213.

65 Ibn ʻAbd Rabbihī IV 175–179, Kalkaschandī I 142–145. – Al-Muʻtasim s. Nr. 56. – Ar-Rakka: Stadt am linken Euphratufer im heutigen

Syrien. – Al-Ahwaz: Hauptstadt der früheren Landschaft Susiana, nordöstlich von Basra. – Nach den historischen Quellen (Tabarī Index; Chatīb Baghdādī, Ta'rīch Baghdād XII 203) ist 'Amr ibn Mas'ada nicht Wesir, sondern selbst Kanzleibeamter *(kātib)*, u. z. des Kalifen al-Ma'mūn (813–833), gewesen. Im Dienste des Kalifen al-Mu'tasim kann er nicht mehr gestanden haben, da er bereits 832 gestorben ist. – Über den habgierigen Ruchchadschī s. Jākūt II 770.

66 Turtūschī 315 f., Ibschīhī II 65 f. – 'Umar ibn Ahmad ibn Schāhīn † 955.

67 Abu'l-Faradsch al-Isfahāhnī (Beirut) XVII 102. – Hārūn ar-Raschīd s. Nr. 58.

68 Ibschīhī I 97 f., Ibrāhīm ibn al-Ahdab 199 f. – Al-Mu'tadid-billāh (892–902): Kalif aus der Dynastie der Abbasiden.

69 Ibschīhī II 106 f., Abū Nu'aim III 289, Damīrī II 143 f. Weitere Literatur s. Basset II 208 f.

70 Mas'ūdī II 414–417, Makrīzī I 64 f. – 'Abd al-'Azīz ibn Marwān († 704) war bereits von seinem Vater, Marwān I. (684–685), zum Statthalter von Ägypten ernannt worden und wurde von dessen Nachfolger, seinem Bruder 'Abd al-Malik (685–705), in diesem Amt bestätigt.

71 Makrīzī I 59 f. – Die Schakalkīl-Höhle befindet sich in der Nähe von Sijūt (G. Maspéro in: Recueil de travaux relatifs à la philologie et à l'archéologie égyptiennes et assyriennes, Année 13, 111).

72 Abu'l-Faradsch al-Isfahānī (Kairo) XIII 213 f. – Hādschiz ibn 'Auf al-Azdī: Vorislamischer Wüstenheld und Dichter.

73 Abu'l-Faradsch al-Isfahānī (Kairo) IX 55–58, Ibn Kutaiba 55 f., Nuwairī II 162 f. – Als die Kuraischiten sich nach Muhammads Berufung gegen ihn stellten, hielt sein Oheim Abū Tālib zu seinem Neffen. Der Überlieferung nach gingen die Kuraischiten deshalb mit 'Umāra ibn al-Walīd zu Abū Tālib und boten ihm diesen als »Sohn« an, wenn er sich der Tötung Muhammads nicht widersetze, was er jedoch ablehnte. – 'Amr ibn al-'Ās s. Nr. 19. – An-Nadschāschī (= Negus): König von Abessinien. – 'Umar ibn al-Chattāb s. Nr. 19. – 'Abdallāh ibn abī Rabī'a: Von 'Umar zum Statthalter des Jemen ernannt.

74 Ibn Zafar 78–80. – Sind: Landschaft am Unterlauf des Indus. – Vgl. Motiv-Index D 132, 1.

75 (Pseudo-)Dschāhiz 88–90.

76 Ibschīhī I 219 f., Ibrāhīm ibn al-Ahdab 238 f. – Der Erzähler des Abenteuers ist der vorislamische Dichter 'Abīd ibn al-Abras, der in der zweiten Hälfte des 6. Jahrhunderts gelebt hat (Brockelmann I 17 f., Suppl. I 54). In den beiden genannten Quellen ist die Geschichte anachronistischerweise durch eine kurze Rahmenerzählung in die Zeit Hārūn ar-Raschīds (786–809) verlegt, und wie aus einem gewöhnlichen Wüstenritt eine islamische Wallfahrt nach Mekka geworden ist, so wird auch 'Abīds Handlungsweise als Opfertat im Sinne der islamischen

Ethik hingestellt. Die Geschichte findet sich in einfacherer Form bereits bei Abu'l-Faradsch al-Isfahānī (Beirut) XIX 174 f. und Kazwīnī II 159 f. – Jahjā ibn Aktham († 857): Berühmter Rechtsgelehrter und einflußreicher Richter, ist er von al-Ma'mūn (813–833) zum Richter in Bagdad ernannt worden.

77 Makrīzī I 311 f. – Zu den geographischen Angaben s. EI III 992.

78 Abu'l-Faradsch al-Isfahānī (Kairo) IV 125–127, Damīrī II 154 f., Mas'ūdī I 139–142. – Umaija († 629–631): Dichter aus dem Stamme der Thakīf, dem Gedichte untergeschoben sind, die mancherlei Verwandtschaft mit koranischen Ideen aufweisen. Die vorliegende Legende spielt auf Umaijas scheinbare Vorläuferrolle im Verhältnis zu Muhammad an. Vgl. EI IV 1080 f., Brockelmann Suppl. I 55 f.

79 Damīrī II 246 f., entnommen dem K. Chair al-bischar bi-chair al-baschar des Ibn Zafar († 1169, Brockelmann I 431 f., Suppl. I 595 f.).

80 Ibn Kutaiba 492. – 'Ā'ischa: Lieblingsfrau Muhammads. – Muhammad siegte 624 über die Mekkaner in der Schlacht bei Badr.

81 Ibn Battūta IV 126–130. – Die Malediven sind eine Inselgruppe südwestlich von Indien. Die hier genannte Insel al-Mahal ist das Male-Atoll.

82 Damīrī I 194 f. – 'Abd al-Kādir al-Kīlānī (Dschīlī, Dschīlānī): Berühmter Mystiker und Gründer eines Derwischordens († 1167, Brockelmann I 560–563, Suppl. I 777–779). – Al-Karch: Stadtviertel von Bagdad.

83 Ibschīhī II 119, Kazwīnī II 161 f.

84 Ibschīhī II 113 f. – Hier wie auch Arabische Märchen I 205 gibt die Schlachtung eines Hahnes dem Geist Gewalt über ein Mädchen, während Chauvin V 14 durch die Schlachtung ein Mädchen von ihm erlöst wird.

85 Abu'l-Faradsch al-Isfahānī (Kairo) IV 132 f., Damīrī II 154, Nuwairī III 139 f. – Umaija ibn abi's-Salt s. Nr. 78. – Tā'if: Stadt südöstlich von Mekka. – Ghailān ibn Salama: Dichter aus der Zeit Muhammads (Abu'l-Faradsch al-Isfahānī Kairo XIII 200–208).

86 Tanūchī I 133. – Harūrīja-Sekte: Andere Bezeichnung für die Charidschiten, die frühesten Sektierer des Islams. – Al-Haddschādsch († 714): Berühmter Statthalter der Omaijaden im Irak, gefürchtet wegen seiner Tatkraft und Strenge.

87 Kazwīnī I 188–190. – Eine ähnliche Errettung durch einen Riesenvogel s. Rāmhurmuzī 12–14. Vgl. Chauvin VI 92 f., VII 10–13. – Über den hier erwähnten Strudel s. Mas'ūdī I 240.

88 Kazwīnī II 299 f. – Vgl. Weisweiler 106 f.

89 Mas'ūdī V 280 f., Damīrī I 254, Ar-Rāghib al-Isbahānī I 156. – Vgl. J. Hertel, Indische Märchen (Düsseldorf–Köln 1962) 304–306.

90 Abū Nu'aim VII 293 f., Damīrī I 253 Eine kürzere Fassung Abū Nu'aim VII 292. – Sufjān ibn 'Ujaina († 814): Berühmter Überlieferer.

91 Damīrī II 244. – Ar-Rādī-billāh (932–940) Kalif aus der Dynastie der Abbasiden.

92 Damīrī II 243 f., Ibn Hiddscha I 148 f. Von beiden entnommen dem K. al-Adhkijā' des Ibn al-Dschauzī.

93 Tanūchī Faradsch II 294 f. – Andere Geschichten, in denen das menschenähnliche Handeln von Affen ins Phantastische gesteigert ist, s. Rāmhurmuzī 66–85. Vgl. Chauvin V 178.

94 Kazwīnī II 196 f., Damīrī I 296.

95 Tanūchī Faradsch II 297 f. (Text verderbt), Kazwīnī II 189 f. – Das Erlebnis spielt nach den geographischen Angaben im unteren Irak.

96 Tanūchī Faradsch II 306 f.

97 Tanūchī Faradsch II 288 f., Abū Nu'aim X 160 f., Damīrī II 198, Ibn Battūta II 80 f. – Ibrāhīm ibn Ahmad al-Chauwās † 903–904. – Bei Abū Nu'aim und Damīrī wird das Erlebnis dem Abū 'Abdallāh (Muhammad ibn al-Mubārak) al-Kalānisī († 830–831), bei Ibn Battūta dem Muhammad ibn Muhammad ibn al-Chafīf († 982) zugeschrieben. Alle drei sind mehr oder weniger bekannte Mystiker.

98 *1.* Ibschīhī II 185. *2.3.* Ibn 'Abd Rabbihī VI 474. Die hohen Kanzleibeamten der verschiedenen Verwaltungszweige genossen großes Ansehen, weil sie ein sehr ertragreiches Amt innehatten und einflußreich waren. Das Werk ihrer Feder konnte dem Staatsbürger Unheil bringen. Die Spitze der Rohrfeder wird wie die der Stahlfeder gespaltet. *4.* Ibschīhī II 184. *5.* a. a. O. II 185. *6.* Ibn 'Abd Rabbihī VI 472. Angeblich vom Kalifen al-Ma'mūn (813–833) verfaßt. *7.8.* Ibschīhī II 185. Das aus dem Röhricht herausgeschnittene Flötenrohr weint nach seiner Heimat. Vgl. die Vorrede Dschalāl ad-Dīn Rūmīs zu seinem Mathnawī in der glänzenden Übersetzung H. Ritters in: Festschrift Georg Jacob (Leipzig 1932) 223–225. Die zehn Männer sind die Finger. Su'ād und Rabāb: Mädchennamen aus der alten Dichtung. *9–11.* a. a. O. II 184. *12.* Ahlwardt VII 356. *13.* Ibschīhī II 186. Drillingswort: Wort aus drei Buchstaben. *14.* Nuwairī III 169. *15.* a. a. O. III 165. *16.* Ibn 'Abd Rabbihī VI 473, 1001 Nacht (Ed. Macnaghten) II 530 f., E. Ruoff, Arabische Rätsel (Tübingen 1933) 49. Bei Ruoff auch einige andere, moderne Rätsel über gleiche Gegenstände wie hier. *17.* Ibn 'Abd Rabbihī VI 472. Der Hasenkopf wird mit der Faust verglichen, von der sich der Zeigefinger und der kleine Finger wie Aufrührer nach oben recken. *18.* Nuwairī III 168. *19.* Ibschīhī II 184. Der Name *Ghazāl* (Gazelle) besteht in der arabischen Schrift aus vier Buchstaben. Läßt man den ersten Buchstaben nebst dem zugehörigen Vokal fort, so bedeutet der Rest, d. h. *zāl(a)*, »Es hat aufgehört«.

99 Mufaddal 155–157, Damīrī I 29 f. (aus Ibn al-Dschauzīs Adhkijā'), Ibn Badrūn 71–73, Ibn Hiddscha I 141 f., Mas'ūdī III 228–236, Nuwairī III 7–9, Tabarī Ser. 1, III 1108–1110. Vgl. H. Stumme, Tunisische Märchen und Gedichte (Leipzig 1893) I 73–75, II 123–126. – Nizār ist der Stammvater der meisten nordarabischen Stämme. – Wie hier das Kamel so werden in Voltaires Zadig die Hündin der Königin und das Pferd des Königs auf Grund ihrer Spuren beschrieben. Zum Stoff

s. ferner Thompson J 1661 1.1 und F. von der Leyen, Die Welt der Märchen (Düsseldorf 1953–54) I 211.

100 Nuwairī III 56, Mufaddal 38 f.

101 Ibschīhī I 39 f., ergänzt und verbessert nach Ibn ʿAbd Rabbihī V 182–184; Nuwairī III 154 f., Ar-Rāghib al-Isbahānī I 87.

102 Dschāhiz VI 259 f.

103 Dschāhiz VI 263 f.

104 Ibschīhī I 15, Ibrāhīm ibn al-Ahdab 202.

105 Abu'l-Faradsch al-Isfahānī (Kairo) XVI 83 f. – Mughīra († 668–671): Wegen seiner Verschlagenheit berüchtigter Statthalter von Basra und Kufa.

106 Ibn ʿAbd Rabbihī I 270, Ibn Badrūn 245 f. – Al-Fadl ibn Jahjā († 808): Statthalter aus der berühmten Wesirfamilie der Barmakiden. Sein Vater war unter Hārūn ar-Raschīd (786–809) allmächtiger Wesir des Kalifenreiches.

107 Tanūchī Faradsch II 218. – Abū Jūsuf († 798): Berühmter Rechtsgelehrter und oberster Richter. – Abū Hanīfa († um 767): Gründer einer bedeutenden Rechtsschule.

108 Ibn ʿAbd Rabbihī IV 147 f. – ʿUthmān ibn ʿAffān (644–656): Dritter Kalif. – Jazīd ibn abī Sufjān († 639): Omaijadischer Prinz. – Abū Bakr (632–634): Erster Kalif. – Thābit Kutna: Statthalter und Dichter aus der zweiten Hälfte des 8. Jahrhunderts. Über seine Kanzelnot s. auch Abu'l-Faradsch al-Isfahānī (Kairo) XIV 263. – Sidschistān: Landschaft im Südwesten des heutigen Afghanistan. – At-Tā'if s. Nr. 85.

109 Ibn ʿAbd Rabbihī VI 143–147. Vgl. Chauvin V 101, Anm. 1 und Weisweiler 111–114. – Sulaimān ibn ʿAlī: 756–758 als Statthalter von Basra abgesetzt. – Al-Mahdī (775–785): Kalif aus der Dynastie der Abbasiden. – Thumāma ibn Aschras: Abbasidischer Hoftheologe (Ende des 8. und erste Hälfte des 9. Jahrhunderts).

110 Abū Nuʿaim VI 150–152, Nabhānī I 388. – Abū Muhammad Habīb al-Fārisī al-ʿAdschamī († 772): Frommer Wundertäter aus Basra.

111 Ibn ʿAbd Rabbihī VI 152–154. – Al-Mahdī s. Nr. 109. – Die Vorgeführten sind die Kalifen bis zum Anfang der Abbasidendynastie. – ʿAmmār, Chuzaima und Hudschr fanden als Anhänger des Kalifen ʿAlī im Kampf gegen den Omaijadenkalifen Muʿāwija den Tod. – Unter Jazīd I. wurden die aufrührerischen Einwohner Medinas in der Steinwüste (Harra) in der Nähe der Stadt geschlagen (683). Der Vers entstammt dem Gedicht eines zur Zeit seiner Entstehung noch nicht zum Islam bekehrten Dichters aus dem Stamme der Kuraisch. Er verhöhnt den Stamm der Chazradsch, mit dessen Hilfe Muhammad im Jahre 624 nach schwerem Kampf die Kuraischiten in der Schlacht bei Badr besiegte. Vgl. Dschāhiz V 564. Husain ist ein Sohn des Kalifen ʿAlī und Enkel Muhammads.

112 Ibn ʿAbd Rabbihī VI 456–470, Ibn Badrūn 272–277, Chauvin V 241 f. –

Ishāk al-Mausilī († 849): Berühmter Musiker in Bagdad. – Al-Ma'mūn s. Nr. 10. – Al-Hasan ibn Sahl († 850–851): Statthalter Ma'mūns. Die Heirat mit Būrān fand Ende 825 oder Anfang 826 statt. Būrāns Hauptname war Chadīdscha.

Quellenverzeichnis

Abu' l-Faradsch al-Isfahānī: Al-Aghānī. 1–21. – Beirut 1955–1957

Abu' l-Faradsch al-Isfahānī; Al-Aghānī. 1–16. – Kairo 1345–1381 = 1927–1961. 4: 2. Druck 1369 = 1950

Abū Nu'aim al-Isbahānī: Hiljat al-aulijā' wa-tabakāt al-asfijā'. 1–10 – Kairo 1351–1357 = 1932–1938

Ahlwardt, W.: Verzeichnis der arabischen Handschriften der Königlichen Bibliothek zu Berlin. 1–10. – Berlin 1887–1899

Damīrī: Hajāt al-hajawān. 1. 2. – Kairo 1309

Dschāhiz: Al-Hajawān. 1–7. – Kairo 1356–1366 = 1938–1947

(Pseudo–) Dschāhiz: Al-Mahāsin wa' l-addad. Ed. G. van Vloten. – Leiden 1898

Ghazzālī: Ihjā' 'ulūm ad-dīn. 1–4. – Kairo 1346

Ghazzālī: At-Tibr al masbūk fi nasīhat al-mulūk. – Kairo 1317

(Jāfi'ī): Muchtasar Raud ar-rajāhīn fī manākib as-sālihīn in Tha' labī: Al-'Arā'is. – Kairo 1315

Jākūt: Mu'dscham al-buldān. Ed. F. Wüstenfeld. 1–6. – Leipzig 1924

Ibn 'Abd al-Hakam: K. Futūh Misr wa-achbārihā. Ed. Ch. C. Torrey. – Leiden 1922 (1920)

Ibn 'Abd Rabbihī: Al-'Ikd al-farīd. 1–7. – Kairo 1940–1953. 1: 2. Druck. 1367 = 1948. 3: 2. Druck. 1372 = 1952

Ibn Badrūn: Scharh Kasīdat Ibn 'Abdūn. Ed. R. P. A. Dozy. – Leiden 1846

Ibn Battūta: Tuhfat an-nuzzār fī gharā' ib al-amsār wa-'adschā'ib al-asfār. Ed. C. Defrémery & B. R. Sanguinetti. 1–4. Index. – Paris 1855–1877. 1. 2: Tirage 2. 1874–1877. 3. 4. Index: (1. Aufl.) 1855–1859

Ibn Challikān: Wafajāt al-a'jān wa-anbā' az-zamān. 1–6. – Kairo 1948–1949

Ibn al-Dschauzī: Dhamm al-hawā. – Kairo 1381 = 1962

Ibn al-Dschauzī: Sifat as-safwa. 1–4. – Haidarabad 1355–1356

Ibn Hiddscha al-Hamawī: Thamarāt al-aurāk. 1. 2 (nebst Dhail). In Ibschīhī: Al-Mustatraf. 1. 2. – Kairo 1308

Ibn Kutaiba: 'Ujūn al-achbār. Ed. C. Brockelmann. 1–4. – Weimar und Straßburg 1898–1908

Ibn as-Sarrādsch: Masāri' al-'uschschāk. – Konstantinopel 1301

Ibn al-Wardī: Charīdat al-'adschā' ib wa-farīdat al-gharā' ib. – Kairo 1300

Ibn Zafar: Sulwān al-mutā' fī 'ūdwān al-atbā' – Tunis 1279

Ibrāhīm ibn al-Ahdab: Dhail Thamarāt al-aurāk in: Ibschīhī: Al-Mustatraf. 2. – Kairo 1308
Ibschīhī: Al-Mustatraf. 1. 2. – Kairo 1308
Kazwīnī: 'Adschā' ib al-machlūkāt wa' l-haiwānāt wa-gharā' ib al-maudschūdāt. (1. 2.) In Damīrī: Hajāt al-hajawān al-kubrā. 1. 2. – Kairo 1309
Makkarī: Nafh at-tīb min ghusn al-Andalus ar-ratīb. Ed. R. P. A. Dozy u. a. 1. 2. – Leiden 1855–1861
Makrīzī: Al-Mawā'iz wa'l-i'tibār bi-dhikr al-chitat wa'l-āthār. 1–4. – Kairo 1324–1326
Mufaddal ibn Salama: Al-Fāchir. Ed. C. A. Storey. – Leiden 1915
Nabhānī: Dschāmi' karāmāt al-aulijā'. 1. 2. – Kairo 1329
Nuwairī: Nihājat al-arab fī funūn al-adab. 1–18. – Kairo 1342 bis 1374 = 1924–1955. 1: 2. Druck. 1347 = 1929
Ar-Rāghib al-Isbahānī: Muhādarāt al-udabā' wa-muhāwarāt asch-schu'arā' wa' l-bulaghā'. 1. 2. – Kairo 1287
Rāmhurmuzī: 'Adschā'ib al-Hind. Ed. P. A. van der Lith. – Leiden 1883–1886
Tabarī: Ta'rīch ar-rusul wa'l-mulūk. Ed. M. J. de Goeje u. a. Ser. 1–3. Introductio u. a. – Leiden 1879–1901
Tanūchī: Al-Faradsch ba'd asch-schidda. 1.2. – Kairo 1375 = 1955
Tanūchī: Al-Mustadschād min fa'alāt al-adschwād. Ed. L. Pauly. – Stuttgart 1939
Tha'ālibī: Ghurar achbār mulūk al-Furs. Ed. H. Zotenberg. – Paris 1900
Turtūschī: Sirādsch al-mulūk. – Kairo 1354 = 1935

Sonstige abgekürzt angeführte Literatur

Basset, R.: Mille et un contes, récits & légendes arabes. 1–3. – Paris 1924–1928
Bolte, J. und G. Polívka: Anmerkungen zu den Kinder- und Hausmärchen der Brüder Grimm. 1–5. – Leipzig 1915–1932
Brockelmann, C.: Geschichte der arabischen Litteratur. 1.2. Suppl. 1–3. – Leiden 1937–1949 1.2: 2. Aufl.
Chauvin, V.: Bibliographie des ouvrages arabes ou relatifs aux Arabes publ. dans l'Europe chrétienne de 1810 à 1885. 1–12. – Lüttich 1892–1922
E I = Enzyklopaedie des Islām. 1–4. Erg. – Bd. – Leiden, Leipzig 19(08)13–1938
Thompson, S.: Motif-Index of folk literature. Rev. ed. 1–6. – Kopenhagen 1955–1958
Weisweiler, M.: Von Kalifen, Spaßmachern und klugen Haremsdamen. – Düsseldorf–Köln 1963

INHALT

Aus grauer Vorzeit

Im Heiligen Krieg

Von den Wundern der Gnade

Geheime Schicksalsmächte

Zauber und Geister

Tier und Mensch

Rätsel

Allerlei Kurzweil